JOE CRAIG

J.C.

AGENT IN GEHEIMER MISSION

JOE CRAIG

AGENT IN GEHEIMER MISSION

Aus dem Englischen von
Alexander Wagner

cbj

 Dieses Buch ist auch als E-Book erhältlich.

MIX
Papier aus verantwor-
tungsvollen Quellen
FSC
www.fsc.org **FSC® C083411**

Verlagsgruppe Random House FSC® N001967

1. Auflage 2018
© 2018 der deutschsprachigen Ausgabe
cbj Kinder- und Jugendbuchverlag
in der Verlagsgruppe Random House GmbH,
Neumarkterstraße 28, 81673 München
Alle deutschsprachigen Rechte vorbehalten
© 2008 Joe Craig
Die englische Originalausgabe erschien 2007 unter dem Titel:
»Jimmy Coates – Sabotage«
bei HarperCollins Children's Books, einem Imprint
der Verlagsgruppe HarperCollins Ltd, London
Übersetzung: Alexander Wagner
Umschlagkonzeption: Isabelle Hirtz, Inkcraft
unter Verwendung der Motive von
© Shutterstock (guteksk); © Stockbyte (Thinkstock)
MP · Herstellung: CM
Satz und Reproduktion: KompetenzCenter,
Mönchengladbach
Druck: CPI books GmbH, Leck
ISBN 978-3-570-16507-2
Printed in Germany

www.cbj-verlag.de

ACHT JAHRE ZUVOR ...

Zwölf schwarze Punkte krochen über den nächtlichen Himmel. Sie waren nur zu erkennen, weil die Nordsee relativ ruhig war und die Lichter der Ölbohrinsel sich im Wasser spiegelten.

Die Krawatte des wachhabenden Ingenieurs flatterte ihm ins Gesicht. Er zog sein Jackett fester um sich, doch es war zu eng und spannte sich über seinem beträchtlichen Bauch.

»Sind das ...?«, keuchte er. Seine Worte gingen im beständigen Dröhnen der Maschinerie der Bohrinsel unter.

»Höchstwahrscheinlich Helikopter, Sir!«, schrie der untersetzte Mann neben ihm. »Waren denn welche angekündigt?«

Der wachhabende Ingenieur schüttelte so heftig den Kopf, dass ihm beinahe sein Plastikhelm heruntergeflogen wäre. Er konnte den Blick nicht vom Horizont und den zwölf schwarzen Schatten abwenden. Wie ein Rudel fliegender schwarzer Panther jagten sie durch die Wolken. Der Schreck stand ihm ins Gesicht geschrieben.

»Packt euren Kram zusammen!«, schrie er. »Sag allen Bescheid!«

»Was?«

»Sie kommen direkt auf uns zu! Siehst du das denn nicht?« Der Ingenieur packte den Kollegen am Kragen seiner grellgelben Arbeitsjacke. »Ich dachte, wir wären hier in Sicherheit. Aber sie wagen es tatsächlich! Sie kommen!«

Er wirbelte auf dem Absatz herum und rannte keuchend zurück zu seinem Büro. Als er es erreichte, schwebten die zwölf Helikopter bereits über der Plattform. Ihr Dröhnen übertönte beinahe den Lärm der Bohrinsel. Der wachhabende Ingenieur starrte zu ihnen hinauf und Panik schnürte seine Brust zusammen.

Aus jedem der zwölf Helikopter fiel nun ein Seil herab und gemeinsam bildeten sie eine Phalanx schwarzer Linien. Sekunden später rutschte an jedem Seil eine schwarze Gestalt herab. Die breiten Rücken der dunklen Gestalten wurden von den horizontalen Linien ihrer Maschinenpistolen gekreuzt.

Der wachhabende Ingenieur sackte zitternd vor seiner Bürotür zusammen. Nur Sekunden später erhob sich der bedrohliche Schatten eines riesigen Mannes über ihm.

Der Mann schob seine Maschinenpistole hinter den Rücken, zog seine schwarze Skimaske vom Kopf und streckte eine Hand aus. Sein Gesicht wirkte, als hätte man eine dünne Schicht Haut stramm über einen kantigen, stählernen Schädel gespannt.

»Aufstehen!«, bellte er. »Ich bin der Kommandant dieser SAS-Spezialeinheit. Die Ölbohrinsel ist ab sofort Eigentum der britischen Regierung und steht vorübergehend unter meinem Befehl. Informieren Sie Ihre Mannschaft, dass sie Punkt 7 Uhr die Plattform zu verlassen hat und gegen eine neue Belegschaft ausgetauscht wird.«

Der wachhabende Ingenieur nahm seine ganze Kraft zusammen, richtete sich auf und schlug die Hand des Soldaten beiseite.

»Dazu sind Sie nicht befugt!«, schrie er. »Diese Bohrinsel gehört einem Privatunternehmen! Das ist Piraterie!«

»Diese Bohrinsel ist hiermit verstaatlicht!«

»Ist ›verstaatlicht‹ der neue Ausdruck der Regierung für gemeinen Diebstahl?«

Der Soldat trat dem Ingenieur gegen das Kinn und streckte ihn so zu Boden. »Dann ruf doch die Polizei«, grunzte er.

Er stieg über den Ingenieur hinweg und betrat das Büro. Neugierig betrachtete er die Regale mit den exotischen Objekten, die offensichtlich aus den unterschiedlichsten Gegenden der Welt zusammengetragen worden waren. Er strich mit dem Finger über den Rand eines Brettes, auf dem glänzende schwarze und weiße Steine angeordnet waren.

»Nicht anfassen!«, flehte der Ingenieur und richtete sich wieder auf. »Bitte! Ich bin gerade mitten in einem Spiel.«

»Ein Spiel? Für mich schaut das wie ein zufälliger Haufen Steinchen aus.«

»Ja, schon, aber es ist ein Padukp'an-Brett. Ein altes chinesisches Spiel.«

»Ein Paduk-was?«

»Padukp'an.« Der wachhabende Ingenieur keuchte jetzt noch heftiger und wischte sich immer wieder den Schweiß aus dem Gesicht.

Der Soldat dachte einen Augenblick nach, dann verkündete er: »Das Teil gefällt mir. Ich behalte es.«

»Was?«, quiekte der Ingenieur. »Das dürfen Sie nicht. Es gehört mir!«

Der Soldat ließ sich hinter dem Schreibtisch auf den Bürosessel fallen. »Die Ölbohrinsel befindet sich nun im Besitz der britischen Regierung«, verkündete er. »Und dieses Spiel gehört ab sofort mir.«

»Aber Sie wissen doch nicht mal, wie man es spielt!«

»Das bringe ich mir schon noch bei«, erwiderte der SAS-Mann. »Und jetzt verschwinden Sie aus meinem Büro.«

KAPITEL 1

Es ist ziemlich schwer, zur Ruhe zu kommen, wenn es der britische Geheimdienst auf einen abgesehen hat. Trotzdem tat Jimmy Coates sein Bestes. Und mit jedem Kilometer, den er sich von New York entfernte, fiel es ihm ein bisschen leichter. Keine Faust krachte durch ein Wagenfenster, um ihn herauszuzerren. Keine kreischenden Sirenen übertönten das leise Motorengeräusch. Er hatte es geschafft. Er hatte den *NJ7*, den mächtigen britischen Militärgeheimdienst, an der Nase herumgeführt. Sie hielten ihn tatsächlich für tot.

Laut *NJ7*-Berichten war Jimmy Coates – der Junge, der ursprünglich als genetisch veränderter Agent in den Dienst des Geheimdiensts hätte treten sollen – von Maschinengewehrkugeln durchsiebt im New Yorker East River verschwunden. Die Fahndung nach ihm war abgeblasen worden. Aber noch gestattete sich Jimmy kein entspanntes Lächeln. Noch war es zu früh. Das alles lag bei Weitem nicht lang genug hinter ihm.

»Willkommen auf der *Blackfoot*-Airbase«, verkündete Agent Froy, der *CIA*-Mann, der Jimmy ein paar Stunden zuvor mit festem Griff aus dem East River gezogen hatte.

Die schwarze Limousine verlangsamte ihr Tempo und

Froy bog in eine Einfahrt. Wie von Geisterhand öffnete sich das stählerne Tor vor ihnen.

Jimmy richtete sich in seinem Sitz auf, neugierig, welche Art von Sensoren den Wagen identifiziert hatten. Er studierte den Bewuchs am Straßenrand. Und sofort sprang es ihm ins Auge: Diese Hecke war gar nicht echt. Es war eine stählerne Wand, sechs Meter hoch und mindestens einen Meter dick. Aber sie war kunstvoll dunkelgrün bemalt und so gestaltet, dass sie einer Reihe von Zypressen ähnelte.

Dann bemerkte Jimmy in der falschen Hecke vier Sicherheitskameras und einen Laserscanner. Nicht einmal eine Küchenschabe hätte hier eindringen können, ohne erfasst zu werden.

Er drehte sich um, als sie durch das Tor fuhren. Es glitt wieder zu und die normale Welt blieb hinter ihnen zurück. Sie waren nun im Inneren von Blackfoot, einer hermetisch abgeriegelten, streng geheimen Militärbasis am Rande eines Städtchens in New Jersey.

Jimmy fühlte sich schlagartig unendlich allein. Er hatte seine Schwester Georgie und seinen besten Freund Felix Muzbeke bei Felix' Eltern in New York zurückgelassen. Auch sie standen unter dem Schutz der *CIA*. Jimmy malte sich aus, wie sie in ihrem Versteck über einem koreanischen Restaurant in Chinatown hockten. Er hatte keine Ahnung, wann die *CIA* sie in einen neuen sicheren Unterschlupf bringen würde, aber hoffentlich würde es bald geschehen.

In der Zwischenzeit war seine Mutter unterwegs, um ihren Verbündeten Christopher Viggo zu finden, den ehemaligen *NJ7*-Agenten, der Jimmy zur Flucht nach Amerika verholfen hatte. Viggo war voller Wut und Rachegelüste in ihre Heimat England zurückgekehrt. Jimmy malte sich aus, wie der Oppositionelle dort im Alleingang die britische Regierung zu stürzen versuchte.

Jimmy konnte nur hoffen, dass er all seine Freunde und Verbündeten gesund und wohlbehalten wiedersehen würde. Vielleicht würde es Jahre dauern, trotzdem würden sie in Gedanken immer bei ihm sein.

Jimmy hatte keine Ahnung, wie er sich in der kommenden Zeit verändern würde. In seinem Inneren war eine mächtige genetische Veränderung am Werk. Sie verlieh ihm erstaunliche Fähigkeiten, aber zugleich wurden die Killerinstinkte in ihm mit jedem Tag stärker und verdrängten seine menschlichen Empfindungen. Wären diese eines Tages bloß noch ein fernes Echo in seiner Erinnerung? Würden sie vielleicht sogar vollständig seinem neuen Agenten-Bewusstsein weichen?

Eine schreckliche Minute lang malte Jimmy sich aus, wer er an seinem achtzehnten Geburtstag in ein paar Jahren wohl sein würde. Zu dem Zeitpunkt wäre seine genetische Veränderung vollständig abgeschlossen. Was würde er dann fühlen, wenn er ein Bild seiner Mutter betrachtete? Oder eines seiner Schwester Georgie? Wären die beiden für ihn nur noch vergessene Dateien in den Tiefen seiner emotionalen Festplatte? Jimmy versuchte sich vorzustellen, wie es wäre, ihre Gesichter ohne jede Gefühlsregung, wie die zweier Unbekannter zu betrachten. Dabei wurde ihm ganz übel. Rasch schloss er die Augen und ließ seinen Kopf zurück gegen die Kopfstütze sinken.

Wenige Sekunden später blieb der Wagen abrupt stehen. Jimmy richtete sich auf. Die lange Einfahrt mündete in einer riesigen betonierten Fläche, die sich mehr als zwei Kilometer vor ihnen ausdehnte. In der Mitte des Areals stand ein flaches Bunkergebäude, auf dessen Dach ein Wirrwarr aus Antennen und Satellitenschüsseln seine Fühler in den Himmel reckte.

Der Wind fegte über den Asphalt und ließ den Wagen schaukeln. Hier war nichts von dem üblichen Lärm und der Hektik eines kommerziellen Flughafens zu spüren. Der Ort wirkte verlassen.

»Wo sind die Flugzeuge?«, fragte Jimmy.

Froy war damit beschäftig, Zahlen in sein Handy zu tippen. »Das würde ich auch gerne wissen«, brummte er. Dann raunzte er in sein Handy: »Wo ist unsere Maschine?!«

Jimmy beugte sich vor, konnte aber nicht hören, was die Person am anderen Ende sagte.

»Schicken Sie sofort eine Maschine! Mir egal, welche!«, fuhr Froy fort. »Die Wetterbedingungen interessieren mich einen feuchten Dreck. Oberst Keays persönlich leitet diese Operation. Und es gibt nur zwei Personen über Oberst Keays: den Präsidenten und Gott persönlich. Hat einer von beiden Sie angerufen? Nein? Gut, dann beordern Sie gefälligst die nächste Militärmaschine hier runter auf diese Landebahn.«

Froy klappte sein Handy zu und schob es zurück in die Tasche. »Tut mir leid, Jimmy. Üblicherweise wird so eine Operation von langer Hand geplant. Wie du dir vorstellen kannst, läuft das Ganze hier auf den letzten Drücker ab.«

Jimmy fühlte, wie Panik in ihm aufstieg. Er musste so weit und so rasch wie möglich aus der Reichweite des *NJ7* gelangen. Jede Sekunde, die er auf dem Rücksitz dieses Wagens hockte, war eine Sekunde zu lang.

»Keine Sorge«, beruhigte ihn Froy. »Unser Flugzeug wurde wegen Turbulenzen nach McGuire umgeleitet. Aber so eine kleine Brise macht uns keinen Strich durch die Rechnung. Ich habe sie angewiesen, das Wetter zu ignorieren. Sie werden eine Maschine für uns finden.«

Jimmy suchte den leeren Himmel ab. *Aber wie lange wird das dauern?*, fragte er sich, ohne es laut auszusprechen. Und jetzt, wo ihn nichts mehr ablenkte, richteten sich seine Gedanken wieder auf dieses eine Thema, dass er für den Augenblick so dringend zu vergessen wünschte: auf jenen Mann, den er jahrelang für seinen Vater gehalten hatte. Jimmy konnte es immer noch nicht richtig fassen, dass Ian Coates seit Neustem der Premierminister von Großbritannien war.

Gleich von Anfang an hatte der Mann deutlich gemacht, dass auch er keine öffentlichen Wahlen zulassen würde. Er nannte es *Neodemokratie*. Und je mehr Jimmy über diese Art seine Politik herausfand, desto schlimmer fand er sie. Die Regierung beanspruchte die absolute Kontrolle, ließ keine Opposition zu und alle Fäden wurden im Hintergrund vom Geheimdienst gezogen.

Aber was noch schlimmer war: Ian Coates drohte mit einem Krieg gegen Frankreich und das wegen eines kleinen Missverständnisses. Einzig der amerikanische Präsident bremste ihn noch. Dieser knüpfte seine militärische

Unterstützung an die Bedingung, dass England für mehrere Milliarden Dollar amerikanische Rüstungssysteme kaufte.

Was Jimmy im Augenblick allerdings vordringlich beschäftigte, war Ian Coates Offenbarung, er sei gar nicht Jimmys biologischer Vater. Jimmy atmete tief durch. *Im Grunde kann mir das jetzt alles egal sein*, wiederholte er stumm. *Ich habe nichts mehr mit diesem Mann zu tun. Vergiss seine Lügen.*

Zu gerne hätte Jimmy seinen eigenen Worten Glauben geschenkt. Doch tief in seinem Innersten fühlte er sich zerrissen. Er würde England nie mehr als sein Zuhause betrachten können, solange dort die neodemokratische Regierung und sein vermeintlicher Vater an der Macht waren.

Plötzlich fühlte Jimmy, wie sich alle seine Muskeln anspannten. Er konnte etwas hören. Ein tiefes Dröhnen.

»Sie sind da«, verkündete Froy.

Der Lärm war jetzt gewaltig und wurde mit jeder Sekunde ohrenbetäubender. Ein Schatten senkte sich drohend über sie herab. Und dann entdeckte Jimmy die Maschine – wie ein Projektil bohrte sich der *EA-22G Growler* durch den Wind. Der schlanke graue Rumpf bot vor dem Himmel eine perfekte Tarnung, nur die Flügelspitzen waren rot und leuchteten wie Flammen. Und als die Maschine donnernd landete, fiel ein Strahl Sonnenlicht auf das Abzeichen an der Seite des Cockpits – ein Seeadler in einem Kreis. Das Emblem der US-Navy.

Jimmy staunte nicht schlecht. Zum ersten Mal war er wirklich beeindruckt von der Macht der Organisation, unter deren Schutz er jetzt stand. Oberst Keays gebot offenbar nicht nur über sämtliche *CIA*-Ressourcen – jetzt hatte er sogar noch die US-Streitkräfte mobilisiert. Ein Lächeln schlich sich auf Jimmys Gesicht. Nun war er zuversichtlich, dass sie ihn sicher an jeden beliebigen Ort der Welt eskortieren würden.

Aber wohin eigentlich? Jimmy musste über seine eigene Dummheit lachen. Während der aufregenden Flucht vor dem *NJ7* und dem ganzen Schmerz, seine Familie zurücklassen zu müssen, war er noch gar nicht auf die Idee gekommen, zu fragen, wo in aller Welt man ihn hinbringen würde.

»Wohin fliegt die …?«, begann er und verhaspelte sich dann vor Aufregung. »Ich meine, wohin werde ich …?«

Froys Mund verzog sich zu einem breiten Grinsen.

»Ich hoffe, du magst mexikanisches Essen.«

KAPITEL 2

Felix krümmte sich und presste eine Hand auf seine Taille, um das Seitenstechen zu lindern.

»Warte«, keuchte er.

»Mach schon«, rief Georgie, die ein paar Schritte voraus war. »Wir können uns keine Pause leisten.« Besorgt schaute sie sich um. Es war inzwischen fast hell. Die Dunkelheit bot ihnen kaum noch Schutz.

»Wir wissen ja nicht mal, wohin wir laufen«, wandte Felix schnaufend ein.

»New York ist riesig«, erwiderte Georgie. »Wir können irgendwo untertauchen. Aber unser alter Unterschlupf ist inzwischen alles andere als sicher.«

»Aber wo sollen wir schlafen? Wo etwas zu essen herbekommen? Ich brauche demnächst unbedingt ein Frühstück. Und das nicht nur jetzt, sondern für den ganzen Rest meines Lebens.«

»Keine Ahnung«, erwiderte Georgie. Sie wischte sich den Schweiß vom Gesicht und Felix bemerkte, dass ihre Hände zitterten. »Sie dürfen uns nicht erwischen. Wir können ihnen nicht vertrauen.«

»Aber wir können doch nicht einfach blindlings weiterrennen, oder?«, fragte Felix. »Wir haben es mit der *CIA* zu tun. Wenn die uns kriegen wollen, dann kriegen sie uns. Wir haben keine Chance.«

Georgie ignorierte ihn. Sie studierte die Straßenschilder. »Wir brauchen ein Hotel oder sowas«, sagte sie leise.

»Vielleicht helfen die uns sogar«, fuhr Felix fort. »Jimmy haben sie schließlich auch geholfen, oder etwa nicht?«

»Wir *glauben*, dass sie Jimmy geholfen haben.« Georgie sah Felix an und in ihren Augen spiegelte sich Angst. »Aber uns hätten sie schließlich auch beschützen sollen. Also woher wusste der *NJ7* dann, wo unser Versteck ist? Wenn die *CIA* ihren Job anständig erledigt hätte, wären deine Eltern niemals vom *NJ7* entführt worden.«

Darauf wusste Felix keine Antwort. Es war das Letzte, woran er jetzt denken wollte. Dass Georgie das Thema wieder aufgebracht hatte, war einfach nur gemein von ihr. Vor seinem inneren Auge sah Felix, wie seine Mutter von diesen muskulösen Männern in schwarzen Anzügen zu Boden geworfen wurde. Er sah ihr Gesicht vor sich, wie sie ihm einen beruhigenden Blick zuwarf und ihn damit gleichzeitig zum Weglaufen aufforderte. Er bildete sich ein, seinen Vater rufen zu hören. Auch wenn das nicht Teil seiner Erinnerung sein konnte. Als die Agenten seine Eltern in den Wagen gestoßen hatten, waren Felix und Georgie bereits unbemerkt in einem Lieferwagen geflohen.

Eine kalte Meeresbrise fegte durch Manhattan. Felix schauderte.

»Tut mir leid«, entschuldigte sich Georgie, als sie das traurige Gesicht ihres Freundes bemerkte. »Ich wollte dich nicht …«

»Schon in Ordnung. Man hat die beiden ja schon mal verschleppt.« Felix versuchte zu lächeln, obwohl in seinen großen braunen Augen tiefe Besorgnis stand. »Wahrscheinlich ist es ihr neues Hobby.«

»Moment«, sagte Georgie. »Wo ist dieser Stadtplan, den dir dein Dad gegeben hat, kurz bevor … du weißt schon.«

Felix' Gesicht hellte sich auf. Er griff in die Gesäßtasche seiner Jeans und zog ein zerknittertes Stück Papier heraus.

Hektisch versuchten die beiden, es zu entfalten. Es war einer der Touristenstadtpläne von Manhattan aus dem Lokal unter ihrem Unterschlupf. Darauf waren alle wichtigen Sehenswürdigkeiten hervorgehoben, und was noch besser war, auch sämtliche Hotels.

»Das ist perfekt«, sagte Georgie. »Lass uns dorthin gehen.« Sie deutete mit ihrem Finger auf das nördliche Ende von Manhattan, mitten ins Zentrum von Harlem.

»Aber das ist kilometerweit weg«, wandte Felix ein.

»Je weiter wir uns von dem alten Unterschlupf entfernen, desto besser. Hast du Geld?«

Felix tastete seine Taschen ab, dann schüttelte er den Kopf.

»Egal«, sagte Georgie. »Uns fällt schon irgendetwas ein.«

»Worauf du dich verlassen kannst«, versicherte ihr Felix mit einem gerissenen Grinsen.

Sie trabten wieder los, durch Nebenstraßen und enge Gassen, wobei sie sich beständig umblickten. Manhattan war um diese Zeit noch menschenleer, nur ein paar gelbe Taxis waren unterwegs. Aber schon innerhalb der nächsten Stunde würden sich die Straßen mit Menschen und Autos füllen. Sollten sie dann noch draußen herumlaufen, könnten ihre Verfolger sich ihnen unbemerkt in der Menge nähern und sie schnappen. Sie mussten so rasch wie möglich ein sicheres Versteck finden.

Sie rannten um eine weitere Ecke, Georgie immer ein paar Schritte voraus. Bei jedem Geräusch befürchteten sie, gleich den harten Griff eines Agenten in ihrem Nacken zu spüren. Der Fahrer jedes vorbeifahrenden Taxis schien sie anzustarren. Am Ende einer Gasse stießen sie auf eine breite Hauptverkehrsstraße. Sie mussten stehen bleiben und Georgie tastete nach der Karte. Schutzsuchend schlüpften sie zwischen eine Reihe von Müllcontainern. Der Gestank war überwältigend, aber das war im Augenblick ihre kleinste Sorge.

»Wo sind wir hier?«, fragte Georgie schwer atmend.

Felix lehnte sich aus dem Schatten und spähte nach einem Straßenschild.

»Sieht nicht mehr aus wie Chinatown«, begann er. »Aber ich bin mir nicht sicher …«

Irgendetwas packte ihn unter dem Arm. Er wollte schreien, doch eine Hand presste sich auf seinen Mund.

Georgie blickte entsetzt auf. Ihr Atem stockte. Felix war in der Dunkelheit des Hauseingangs gegenüber verschwunden. Dann griff ein weißer Arm auch nach ihr.

Georgie wich zurück, doch der Müllcontainer versperrte ihr den Weg. Sie saß in der Falle. Sie wollte schreien, aber ihre Kehle war wie zugschnürt. Die Hand kam näher, die weißen Finger kamen ihr vor wie eine Klaue.

Dann bemerkte Georgie, dass ihr Atem ruhiger wurde, und ihr Herz nicht mehr so heftig pochte. Sie spürte keine Angst mehr, ohne genau zu wissen, warum. Doch dann wurde es ihr klar – es lag an dem Ehering. Er blitzte am Ringfinger der Hand vor ihr. Und sie kannte diesen Ring.

»Komm rasch hier rein!«, ertönte eine Frauenstimme aus dem Hauseingang.

»Mum!«, flüsterte Georgie und sprang auf den Durchgang zu.

»Geht es dir gut?«, fragte Helen Coates und schlang die Arme um ihre Tochter. »Was ist passiert? Und wo steckt Jimmy?«

»Ihm geht's gut«, begann Felix, der vor lauter Aufregung kaum Luft bekam. »Er muss diese ganze Nummer zusammen mit der *CIA* geplant haben, ohne uns darüber zu informieren. Und dann haben wir gesehen, wie er erschossen wurde, aber natürlich nicht richtig erschossen. Er ist rückwärts in den Fluss gefallen, aber wir wussten, dass er gar nicht richtig tot war, ich meine, dass er nicht tot ist, denn er hat uns vorher eine Nachricht geschrieben, und wir haben zwei und zwei zusammengezählt. Das war eine ziemlich coole Aktion, um sie zu täuschen.«

»Moment, langsam, langsam«, sagte Helen. »Er wurde *erschossen*?«

»Klar«, erwiderte Felix. »Aber es muss mit irgendwelchen falschen Kugeln oder so gewesen sein.«

»Und wo ist er jetzt?«

»Wenn wir mit unseren Vermutungen richtig liegen«, sagte Georgie, »dann ist er bei der *CIA*.«

»Natürlich vermuten wir richtig«, bekräftigte Felix.

»Aber warum rennt ihr beiden dann vor der *CIA* davon?«

Georgie und Felix zögerten und blickten einander an.

»Hast du sie gesehen?«, fragte Georgie. »Sind sie wirklich hinter uns her?«

Helene fuhr sich mit den Händen übers Gesicht. Langsam nickte sie. »Ich habe euch von unserem alten Versteck aus verfolgt.«

Georgie wusste zwar, dass ihre Mutter vor vielen Jahren selbst eine *NJ7*-Agentin gewesen war, doch deren Fähigkeiten versetzten sie immer wieder in Erstaunen.

»Auch hinter euch sind zwei Agenten her gewesen«, fuhr Helen fort. »Und wenn sie so gut sind, wie ich glaube, dann haben sie inzwischen Zugang zur Satellitenüberwachung. Sie müssten jede Minute hier sein.«

»Was sollen wir tun?«, stöhnte Felix.

»Rasch«, flüsterte Georgie. »Weg hier!« Sie wollte schon wieder zurück in die Gasse preschen, aber ihre Mutter hielt sie am Arm zurück.

»Warte«, sagte Helen entschlossen. »Warum rennst du weg? Weißt du etwas, von dem ich nichts ahne?«

»Der sichere Unterschlupf«, antwortete Georgie. »Diese Männer kamen und wir mussten flüchten. Aber sie haben Felix' Eltern.«

»Ich weiß«, erwiderte Helen. »Ich habe alles mitverfolgt.«

»Du warst da?«

»Als ich Chris am Flughafen nicht finden konnte, bin

ich zum sicheren Unterschlupf zurück. Und als ich in die Straße bog, habe ich gerade noch gesehen, wie die Männer Neil und Olivia verschleppt haben. Tut mir leid, Felix.« Sie legte eine Hand auf seine Schulter und beugte sich herab, um ihm in die Augen zu schauen. »Es wird ihnen nichts zustoßen. Wir werden sie finden und alles in Ordnung bringen. Es kann nur ein bisschen dauern, das ist alles.«

Felix blickte beiseite. Er wollte gar nicht daran denken.

»Wenn die *CIA* auf unserer Seite ist«, fragte er mit ein wenig heiserer Stimme, »wieso wusste dann der *NJ7*, wo unser Unterschlupf ist?«

»Keine Ahnung«, erwiderte Helen. »Dafür könnte es eine Million Gründe geben. Möglicherweise war es nicht der *NJ7*.«

»Was?«, japste Felix.

»Ich habe diese Männer beobachtet. Ihre Methoden waren ...« Sie suchte nach dem richtigen Wort. »Anders. Außerdem hat der *NJ7* nur wenige Agenten hier in Amerika. Höchstwahrscheinlich hat der *MI6* diesen Job übernommen. Oder ...« Sie zögerte einen Augenblick. »Oder es könnten auch die Franzosen gewesen sein.«

»Was?«, rief Georgie. »Wieso denn die Franzosen?«

»Sie tun alles, um Amerika davon abzuhalten, den Engländern zu helfen.«

»Aber was haben meine Eltern mit der ganzen Sache zu tun?«, wunderte sich Felix.

»Gar nichts«, seufzte Helen. »Aber die Franzosen wissen über Jimmy Bescheid. Vielleicht wollen sie es so aussehen lassen, als hätte die *CIA* seine Freunde verraten, damit er sich gegen Amerika und wieder den Franzosen zuwendet.«

Felix' Gesicht war ein einziges Fragezeichen. »Warum kann denn nichts einfach mal so sein, wie es scheint?«, flüsterte er.

»Du hast recht«, stimmte Helen zu. »Also, was wissen wir mit Bestimmtheit?« Während sie fortfuhr, zählte sie an den Fingern ab: »Erstens, der sichere Unterschlupf ist nicht sicher. Zweitens, die ganze Gegend wimmelt von Agenten aller Art. Drittens, die CIA ist vermutlich die einzige Organisation, die uns schützen kann.«

»In Ordnung«, murmelte Georgie nachdenklich. »Vermutlich sollten wir uns also an die CIA halten. Ich vertraue ihnen nicht, aber zumindest kommen wir über sie an Informationen. Wir könnten sie nach Jimmy fragen. Auf die Art haben wir wenigstens Gewissheit.«

»Wir haben Gewissheit«, brauste Felix auf. »Jimmy hat sich ganz sicher nicht erschießen lassen, sondern einen Plan damit verfolgt.«

»In Ordnung, Felix«, beruhigte ihn Helen. »Du hast sicher recht. Aber wir können nur herausfinden, ob wir Oberst Keays und seinen Agenten vertrauen können, wenn wir uns in ihrer Nähe aufhalten. Wenn wir wegrennen, werden wir niemals erfahren, ob sie uns schützen oder uns töten wollen.«

Georgie holte tief Luft und blickte Felix lange an.

»Vermutlich werden sie uns sowieso bald schnappen«, sagte sie. »Zwei Kids haben wohl wenig Chancen, sich lange vor der CIA zu verstecken.«

»Da möchte ich widersprechen.« Eine Männerstimme mit einem breiten New Yorker Akzent unterbrach sie.

Georgie und Felix fuhren herum und entdeckten einen schlanken, sehnigen Mann, der lässig an einem der Müllcontainer lehnte. Er trug einen schlichten schwarzen Anzug. »Ich finde, ihr beiden habt euch bisher ziemlich gut geschlagen.«

Dann senkte er den Kopf und murmelte in das winzige Mikrofon an seinem Revers: »Wir haben sie.«

KAPITEL 3

Wenn man mit über achthundert Stundenkilometern unterwegs ist, funktioniert Verständigung manchmal nicht ganz so reibungslos. Jimmy schob den Ohrhörer in seinem Helm zurecht. Dieser war ganz offensichtlich nicht für den Kopf eines Zwölfjährigen entwickelt worden. Zudem produzierten Wind und Flugzeugmotoren ein gewaltiges Dröhnen. Und Jimmy war ohnehin vollauf damit beschäftigt, nach einer Lücke in den Wolken unter ihnen zu spähen. Denn dort bot sich ein unglaublicher Anblick: Amerikas Ostküste aus dreizehnhundert Metern Höhe. Aber der *Growler* war nicht dafür eingerichtet, dass die Passagiere irgendeine Aussicht genießen sollten. Bei all den Schaltern und Anzeigen um ihn musste Jimmy sich mächtig verrenken, um überhaupt etwas zu sehen.

Das Flugzeug hatte nur vier Sitze, die paarweise angeordnet waren. Jimmy saß angeschnallt direkt hinter Agent Froy und dem Piloten, ein weiterer *CIA*-Agent, dessen Namen Jimmy nicht kannte. Von seinem Sitzplatz aus konnte er nicht einmal das Gesicht des Mannes sehen, nur ein paar Strähnen seines schwarzen lockigen Haars, das sich unter seinem Helm hervorschlängelte. Der Sitz neben Jimmy war leer.

Seitdem der Pilot sie aufgelesen hatte, hatten er und Froy permanent gestritten.

»Ich habe es Ihnen doch gesagt«, schnauzte Agent Froy entnervt in sein Headset, »es waren im Augenblick keine anderen Maschinen verfügbar.«

»Und nur weil die Hangars leer waren, haben Sie mich eben mal so als Mitfahrgelegenheit aus dem Himmel herunterbeordert?« Die Stimme des Piloten war rau, und seinem Akzent nach zu urteilen, kam er wohl aus den Südstaaten. »Das hier ist nicht die *American Airlines*. Mein Job ist es nun wirklich nicht, Sie und diesen Jungen in den Urlaub zu fliegen.«

Jimmy schwieg. Er wollte sich nicht einmischen – er war einfach nur froh, dass sie sich endlich von New York entfernten. Aber Froy war stinksauer.

»Soll ich Oberst Keays berichten, dass Sie uns hier Schwierigkeiten machen?«, schrie er.

»Haben Sie's nicht kapiert?«, schoss der andere Agent zurück. »Dieses Flugzeug ist in einem geheimen Auftrag unterwegs! Ich habe meinen Auftrag noch nicht erfüllt!«

»Ach, spielen Sie sich doch nicht so auf, Bligh«, seufzte Froy. »Sie befinden sich auf dem Heimweg, mussten ohnehin tanken und waren nach dem kurzen Zwischenstopp sofort wieder in der Luft. Wo liegt Ihr Problem?«

»Mein Problem? Erstens mal bin ich nicht auf dem Weg ›nach Hause‹. Ich bin unterwegs zum Datenanalysezentrum in Miami. Und Sie beide über dem sonnigen Mexiko abzuwerfen, bedeutet einen Umweg von über zweitausendfünfhundert Kilometern.«

»Entschuldigen Sie«, meldete sich Jimmy kleinlaut zu Wort. »Haben Sie gesagt, sie wollten uns absetzen oder *abwerfen*?«

»Ich habe gesagt *abwerfen*, und das habe ich auch so gemeint, Junge. Das da auf deinem Rücken ist ein Fallschirm.«

Jimmy fühlte, wie der rechteckige Rucksack gegen seine Schulterblätter drückte und kam sich wegen seiner Frage für einen Augenblick ziemlich dämlich vor.

»Und da ist noch etwas.« Bligh holte tief Luft und wetterte dann weiter. »Das hier ist ein Spionageflugzeug. Ich habe den Auftrag, über der normalen Flughöhe zu bleiben. Also über Radarhöhe, über den Wolken, über allem. Eigentlich hätte ich während des Fluges auftanken sollen. Und jetzt muss ich wieder runtergehen, damit ihr abspringen könnt. Aber Runtergehen ist ein Riesenproblem! Denn dann braucht der Gegner nicht einmal Radar, um mich zu entdecken. Bei meiner Zwischenlandung vorhin hätte uns meine eigene Großmutter sehen können – und die ist blind wie ein Maulwurf!«

Je mehr Jimmy hörte, desto überraschter war er, wie wenig durchdacht die Vorkehrungen zu seiner Flucht waren.

»Okay, okay«, seufzte Froy. »Gehen Sie mir nicht auf die Nerven mit ...«

BUMM!

Es gab einen lauten Schlag und das Flugzeug wurde gründlich durchgerüttelt. Jimmy wurde nach links geschleudert und sein Helm krachte gegen die Seitenwand des Cockpits. Er hörte die beiden Agenten in seinem Kopfhörer schreien, aber er verstand nicht, was sie sagten. Das ganze Flugzeug vibrierte massiv. Sein Magen krampfte sich zusammen. Dann hörte er die ersten deutlichen Worte.

»Dort ist es!«, schrie Bligh. Seine raue Stimme klang erschrocken.

Jimmy lehnte sich in seinem Gurt nach vorne, um zu sehen, was der Mann meinte.

»Es ist auf dem Radar!«, sagte Froy drängend. »Auf deinem Display!«

Jimmy blickte auf den Bildschirm vor sich. Der Farbmonitor zeigte eine gezackte grüne Linie, umgeben von einer Art blauer Schraffur. Jimmy vermutete, dass es sich um die Küstenlinie unter ihnen handelte. Der ganze Bildschirm war kreuz und quer von dünnen blauen und roten Linien überzogen, doch wegen der gewaltigen Erschütterungen des Flugzeugs war kaum etwas zu erkennen.

»Es ist wie aus dem Nichts aufgetaucht«, schrie Bligh. »Nächstes Mal werden sie uns nicht verfehlen.«

Und dann entdeckte Jimmy, was der Mann meinte – zuerst den schwarzen Balken, der für das Flugzeug stand, in dem er selbst saß. Und dann bemerkte er, keine zwei Zentimeter davon entfernt, einen blinkenden roten Punkt, der nichts anderes bedeuten konnte, als dass sie in massiven Schwierigkeiten steckten.

»Sie haben mich gefunden«, keuchte Jimmy. »Wie haben sie das geschafft?«

»Festhalten!«, rief Bligh.

Eine Sekunde lang hatte Jimmy das Gefühl, als wäre das Flugzeug unter ihnen weggesackt. Seine sämtlichen Innereien schienen sich plötzlich dicht unter seiner Kehle zu drängen. Bligh war in den Sturzflug übergegangen.

»Dich?«, fragte der Mann plötzlich. »Wieso glaubst du, dass die hinter dir her sind?«

Die Maschine wurde aus dem Sturzflug wieder hochgerissen. Die massive Umkehrung der Fliehkräfte presste Jimmy tief in seinen Sitz. Und der Blutstau in seinem Kopf gab ihm das Gefühl, als würde gleich sein Schädel platzen.

»Keine Ahnung, wie sie uns aufgespürt haben«, schrie Froy und spähte hinter sich aus dem Cockpit. »Tut mir leid, mein Junge.«

Auch Jimmy schaute nach hinten. Bei den intensiven Vibrationen und der eingeschränkten Sicht war das andere Flugzeug nur für den Bruchteil einer Sekunde erkennbar. Doch das reichte. Es folgte ihnen, es war schnell und es konnte sich nur um den *NJ7* handeln.

»Das hier hat nichts mit dir zu tun!«, schrie Bligh, der immer noch hektisch das Flugzeug unter Kontrolle zu bekommen versuchte.

»Das ist der *NJ7*«, erwiderte Froy. »Die sind hinter Jimmy her. Sehen Sie genau hin, das Flugzeug hat einen grünen Streifen auf der Seite. Das ist ihr Emblem. Ihr Engländer seid einfach zu verdammt arrogant, um irgendetwas wirklich heimlich zu tun, habe ich recht, Jimmy?«.

Jimmy blendete ihre Stimmen aus. Jetzt mussten seine Instinkte die Kontrolle übernehmen. Jimmy schloss die Augen und suchte nach seiner inneren Kraft. Er musste vergessen, dass er Angst hatte – das war nur sein menschlicher Anteil, diese achtunddreißig Prozent normaler, verängstigter Junge in ihm.

»Nein«, verkündete Bligh plötzlich. »Das ist unmöglich. Woher hätten sie wissen sollen, dass du in diesem Flugzeug sitzt? Außerdem hätten die Briten niemals so schnell einen Angriff koordinieren können. Wir sind nur ein paar Kilometer außerhalb des amerikanischen Luftraums. Die sind nicht wegen dir hier, Jimmy, sondern meinetwegen. Als ich runtergegangen bin, um dich aufzusammeln, konnten sie uns ohne Probleme ausmachen.«

Endlich fühlte Jimmy einen heißen Wirbel seitlich an seinem Hals. Die Energiewelle schoss nach oben, flutete sein Gehirn und aktivierte jeden einzelnen Muskel. Sein Atem verlangsamte sich. Die Panik in seiner Brust zog sich zu einem kleinen Knäuel zusammen. Jetzt erst konnte er richtig verarbeiten, was Bligh da gesagt hatte.

»Was meinen Sie damit?«, rief er, und seine Stimme strahlte eine neue Souveränität aus. »Warum sind die hinter *Ihnen* her? Sie haben vorhin einen Auftrag erwähnt – was bedeutet das? Worin besteht Ihre Mission?«

Jimmy erhielt keine Antwort, obwohl Bligh ihn gehört haben musste. Er konnte sehen, wie der Mann die Schultern zusammenzog.

Ihre Maschine donnerte weiter, nun wieder über den Wolken. Die Vibrationen ließen etwas nach, und Bligh ergriff alle erdenklichen Maßnahmen, um den Kurs zu stabilisieren.

Instinktiv wusste Jimmy, dass als Nächstes der Hochenergielaser zum Einsatz kommen würde, der den Suchkopf einer infrarotgesteuerten Rakete blenden konnte, und dann die Täuschkörper ausgestoßen würden, um die auf massive Objekte ausgerichteten Raketen abzulenken.

»Können wir das Feuer nicht erwidern?«, rief Froy.

Jimmy wartete nicht auf die Antwort des Piloten. Stattdessen ertönte seine eigene Stimme nun klar und gelassen: »Dies ist ein mit elektronischen Abwehrmaßnahmen ausgestattetes Flugzeug, kein Kampfflugzeug. Unsere Projektile können Anti-Radar-Artilleriesysteme und Boden-Luft-Raketen unschädlich machen. Aber wir haben keine Waffen, um ein anderes Flugzeug anzugreifen.«

Jimmy wandte sich erneut Bligh zu. Seine Augen fixierten die Rückseite seines Helmes. »Wenn Sie überleben wollen, dann brauche ich sämtliche Informationen«, verlangte er. »Sie haben gesagt, die müssen Sie verfolgt haben. Von wo aus? Worin bestand ihre Mission? Ich brauche diese Informationen. JETZT!«

Erneut wurde das Flugzeug massiv erschüttert.

»Wir verlieren die Kontrolle!«, rief Froy über das Rattern und Knirschen der Metallverstrebungen hinweg, die das Cockpit kaum mehr zusammenhalten konnten.

»In Ordnung«, schrie Bligh endlich. »Du hast recht – ich muss dich informieren. Aber nicht um zu überleben, sondern um meine Mission zu Ende zu führen.« Hektisch drückte er einige Knöpfe auf dem Kontrollpanel. »Gott, ich hoffe, dass der Bordcomputer noch funktioniert. Kannst du was sehen?«

Jimmy blickte auf seinen eigenen Monitor. Vor ihm

tauchten in rascher Folge Luftaufnahmen auf. Jimmy war überrascht über ihre Schärfe – sie mussten aus einem schnell fliegenden Flugzeug aus Tausenden Metern Höhe aufgenommen worden sein.

»Das ist *Neptuns Schatten*«, verkündete Bligh hastig. »Die zweitgrößte Bohrinsel der Welt.« Seine Stimme zitterte wegen der Vibrationen des Flugzeugs, aber Jimmy fragte sich, ob es nicht auch vor Angst war. »Sie befindet sich in der Nordsee, zweihundertfünfzig Kilometer vor der englischen Ostküste.«

Die Bilder folgten immer rascher und rascher aufeinander. Jimmy versuchte verzweifelt, sich zumindest etwas davon einzuprägen. Immer noch vibrierte und ratterte ihre Maschine. Jimmy konnte kaum mehr hören, was Bligh sagte.

»Ist das etwa Ihr wertvoller Auftrag?«, brüllte Froy. Er war fuchsteufelswild. »Was ist daran so wichtig, dass Sie uns deswegen nicht aufsammeln wollten? Eine verfluchte Ölbohrinsel?«

»Es ist gar keine Ölbohrinsel«, schnappte Bligh. »Das habe ich bei meiner Mission herausgefunden. Und der *NJ7* versucht mit allen Mitteln zu verhindern, dass ich mit dieser Information zurückkehre. *Neptuns Schatten* ist eine als riesige Ölbohrplattform getarnte geheime Raketenbasis. Und diese Bilder zeigen, dass die dort stationierten Raketen auf Frankreich gerichtet sind. Die Briten bereiten einen Angriff auf Paris vor.«

Jimmy fühlte, wie sich seine Eingeweide zusammenkrampften.

»Weiß sonst noch irgendjemand davon?«, keuchte er.

»Nur wir drei und die Regierung von Großbritannien«, erwiderte Bligh. »Wir sind zu weit entfernt und zu hoch, um eine Funkbotschaft zu schicken. Der einzige Ort, an dem diese Informationen und Luftaufnahmen gespeichert sind, ist der Hauptprozessor dieses Flugzeuges. Und um ehrlich zu sein, es sieht nicht danach aus, als würde es diese Maschine noch lange machen. Falls irgendetwas geschieht ...« Er zögerte und räusperte sich. »Wenn wir abstürzen, dann muss, wer auch immer überlebt, diese Information zu Oberst Keays bringen. Er muss das wissen. Er muss sie aufhalten.«

KRACH!

Es fühlte sich an, als wäre das Flugzeug von einem gigantischen Vorschlaghammer getroffen worden. Ein Volltreffer.

Jimmy wurde zur Seite geschleudert und sein Kopf donnerte erneut gegen die Cockpitwand. Hätte er keinen Helm getragen, wäre sein Kopf zerschmettert worden.

Ihr Flugzeug schmierte ab und stürzte trudelnd in die Tiefe.

KAPITEL 4

Vor Jimmys Augen verschwammen sämtliche Farben. Das Universum wirbelte um ihn herum, als wäre er in einer Wäschetrommel gefangen, die mit über hundert Metern pro Sekunde zur Erde herabstürzte.

Ein einziger Gedanke beherrschte ihn – *Bligh hat die Kontrolle verloren.* Der Mann riss verzweifelt am Steuerknüppel und hämmerte auf die Schalter des Kontrollpanels ein.

Jimmy sah nach vorne aus dem Cockpitfenster. Der Anblick ließ ihn erstarren. Das Meer schoss direkt auf sie zu. Es war bereits nah genug, um den Abfall zu sehen, der auf den Wellen schaukelte.

Dann starrte er auf das Kontrollpanel. Es wirkte wie die allerkomplizierteste Spielkonsole der Welt. Doch plötzlich schien Jimmy durch die Armatur zu schauen, direkt in das Innenleben des Flugzeugs. Blitzartig konnte er die Drähte zu jedem Schalter und jeder Anzeige weiterverfolgen – Tausende gleichzeitig.

»Tun Sie genau, was ich Ihnen sage!«, schrie Jimmy, der hart gegen eine Ohnmacht ankämpfte.

»Was?«, rief Bligh ungläubig.

»Motoren ausschalten!«, befahl Jimmy. Seine Stimme

besaß solche Autorität, dass Bligh sofort gehorchte. Die beiden *P450*-Turbotriebwerke verstummten und jetzt hörte man im Cockpit nur noch das schrille Pfeifen des Luftstroms.

Jimmy riss an seinem Gurt. Er löste seinen Fallschirm, zog ihn vom Rücken und schnallte ihn an die Displaystation vor dem leeren Sitz neben ihm. Dann löste er den Auswurfmechanismus des Schleudersitzes aus. Sofort öffnete sich ein Teil der Cockpitabdeckung und der Sitz wurde aus dem Flugzeug gerissen. Erleichtert stellte Jimmy fest, dass weder Bligh noch Froy sich ebenfalls in Panik hinauskatapultiert hatten.

»Was hast du vor?«, schrie Bligh.

Jimmy antwortete nicht. Stattdessen zog er die Reißleine seines an der Displaystation befestigten Fallschirms. Der schwarze Seidenschirm wurde aus dem Cockpit gerissen und blähte sich im Himmel hinter ihnen auf.

Der Luftwiderstand würde ihren Sturz nur minimal abbremsen – der Schirm war entwickelt worden, um einen einzelnen Menschen zu tragen, kein ganzes Militärflugzeug. Doch er würde ihnen eine Extrasekunde gewähren, die möglicherweise ausreichte. Und der geblähte Schirm hinter ihnen diente noch einem weiteren Zweck.

»Öffnen Sie die interne Treibstoffzufuhr!«, kommandierte Jimmy. Bligh zögerte keine Sekunde. Eine Fontäne schwarzer Flüssigkeit schoss hinter ihnen aus den Tanks, machte das Flugzeug mit jeder Sekunde leichter und füllte den Fallschirm mit Kerosindämpfen.

Es blieb keine Zeit für weitere Befehle. Jimmy übernahm jetzt selbst die Kontrolle über die Instrumente. Er klappte die Schutzabdeckung über den Auslösern für die Raketen auf und hämmerte seinen Daumen auf einen orangefarbenen Knopf.

Er brauchte nicht zu zielen. Ohne ein speziell programmiertes Ziel würde die *AGM-99* automatisch das größte feste Objekt in ihrer Reichweite suchen. Jimmy hoffte, dass einer der Täuschkörper, die im Wasser unter ihnen trieben, groß genug war.

Eine einzelne Rakete zischte durch den Himmel vor ihnen und bog dann in Richtung ihres Zieles ab. Doch sie konnten auf dem Radar mitverfolgen, wie es den Täuschkörper genau in der Mitte traf. Eine gewaltige Stichflamme schoss empor, heizte die Luft in ihrer Umgebung sofort um mehrere hundert Grad auf und entzündete die Dämpfe im Fallschirm.

Der plötzliche Auftrieb reichte aus, um den *Growler* aus seiner Abwärtsspirale zu tragen.

»Jetzt!«, schrie Jimmy. Bligh wusste genau, was Jimmy meinte. Sofort startete er die Motoren. Ihr vertrautes Dröhnen setzte wieder ein. Der seidene Fallschirm hinter ihnen ging in Flammen auf und sie schossen nun dicht über dem Wasser dahin.

Jimmy konnte sich ein Lächeln nicht verkneifen.

»Cooles Manöver, Junge«, knurrte Bligh, während sie mit mehreren hundert Stundenkilometern wieder hinauf in die Wolken schossen. »Aber es ist noch nicht vorbei.« Er tippte auf seinen Monitor. Der rot blinkende Punkt war immer noch da und kam näher.

Jimmy war verblüfft, dass der Mann nach wie vor so ruhig klang.

»Wir steigen besser aus«, sagte Jimmy. »Die Maschine ist schwer beschädigt und wir haben keinen Treibstoff mehr. Selbst wenn wir nicht getroffen werden, stürzen wir in Kürze ab.«

Bligh blickte hinüber zu Froy.

»Froy!«, schrie er und rüttelte seinen *CIA*-Kollegen am Arm. »Er hat das Bewusstsein verloren, Jimmy! Ohne ihn steige ich nicht aus.« Bligh langte zu Froy hinüber, um seinen Puls zu fühlen. »Hier, nimm das.« Er löste seinen Fallschirm und reichte ihn Jimmy nach hinten.

Jimmy zog die Gurte des Fallschirms über seine Arme.

»Ich schnalle mich an Froy fest«, fuhr Bligh vor und tastete nach einem Haken an seinem Gürtel. »Dann steigen wir zusammen aus und ich ziehe die Reißleine seines Schirms.«

Jimmy wollte gerade den Anweisungen des Agenten folgen, doch dann zögerte seine Hand über dem Auslösemechanismus für den Schleudersitz. Erneut warf er einen Blick auf den roten Punkt auf seinem Monitor. *Komm schon*, befahl er sich selbst. *Raus hier.* Aber eine dunkle Kraft lähmte seine Muskeln.

»Sie werden mich erkennen«, keuchte Jimmy plötzlich. »Ich darf nicht aussteigen. Wenn ein *NJ7*-Pilot einen Jungen aus diesem Flugzeug kommen sieht, wird er diese Information sofort an Miss Bennett weiterleiten. Und sie wird wissen, dass ich es bin. Damit wäre die ganze Operation ein Fehlschlag.«

»Wer ist Miss Bennett?«

»Sie ist die Chefin des *NJ7*. Sie darf auf keinen Fall wissen, dass ich am Leben bin.«

»Dafür ist es jetzt zu spät!«, schrie Bligh. »Wir müssen hier raus. Ich kann den Schleudersitz nicht auslösen, bevor du raus bist – ich fliege dieses Ding!«

Aber Jimmy war noch immer unschlüssig. In seinem Kopf verlangten all seine menschlichen Instinkte, sich sofort aus dem Flugzeug zu katapultieren. Doch seine Konditionierung unterdrückte jeden dieser Impulse.

»Nein«, verkündete er. »Wir können sie loswerden.«

Sein Gesicht war in Entschlossenheit erstarrt.

»Unmöglich!«, schrie Bligh. »Sie haben …«

Er verstummte.

Jimmy blickte hoch. Durch das schwarzverschmierte Glas sah er eine Rakete heranschießen. Seine blockierten Muskeln schienen vor Angst zu schmelzen.

»Sie nehmen Froy!«, schrie er.

Aber Bligh rührte sich nicht. Das durchdringende Heulen der Rakete wurde lauter.

Jimmy starrte auf ihre schwarze Spitze, die genau auf ihre Maschine zeigte.

»Los jetzt! Ich springe mit Ihrem Fallschirm!«

»Es liegt jetzt in deiner Hand, Jimmy«, sagte Bligh ruhig. Jimmy konnte ihn kaum mehr verstehen. »Nur du kannst es noch schaffen.« Der Mann wandte sich um und zum ersten Mal blickte er Jimmy ins Gesicht. Er hatte dunkle Haut und seine Augen ließen keinen Widerspruch zu. »Kehre zurück zu Oberst Keays. Berichte ihm von der

Raketenbasis, Jimmy. Jemand muss *Neptuns Schatten* stoppen.«

BOOM!

Die Lenkwaffe traf die Spitze des *Growlers*.

Jimmy wurde nach vorne geschleudert, als wären sie frontal gegen eine Betonmauer geknallt. Er schlug schützend die Hände vors Gesicht. Sein Helm donnerte gegen die Rückseite von Froys Sitz. Als er die Augen wieder öffnete, erhascht er einen kurzen Blick auf Blighs Gesicht. Aus der Wange des Agenten ragte ein großer Glassplitter.

»*Neptuns Schatten!*«, schrie der Mann. Jimmy wollte ihn packen, doch es war zu spät.

BOOM!

Eine massive Explosion riss das Flugzeug in Stücke. Jimmy wurde in die Luft geschleudert. Er fühlte den eiskalten Wind und zugleich die Hitze des versengten Metalls um sich herum. Verzweifelt spähte er nach Bligh und Froy. *Sie werden sterben*, dachte er. In seiner Panik glaubte er, sie mit den Trümmern fallen zu sehen, einer von ihnen bewusstlos und mit dem Fallschirm auf dem Rücken, der andere absolut hilflos.

Neptuns Schatten!, hallten Blighs letzte Worte in Jimmys Ohren nach, während er stürzte und der Luftstrom an seinen Ohren vorbeitoste.

Das Geräusch entsprach dem Aufruhr in Jimmys Kopf. *Ich hätte sie retten können*, dachte er. *Warum habe ich gezögert? Warum habe ich seinen Fallschirm angenommen?*

Fallschirm ... dieses Wort schien Jimmys Agenteninstinkte zu aktivieren. Sie würden ihn immer an seine erste Priorität erinnern – zu überleben. Während in seinem Kopf heilloses Chaos herrschte, bewegten sich seine Hände ruhig und sicher zur Reißleine. Und obwohl er am liebsten laut geschrien hätte, während er inmitten all dieses Schreckens im freien Fall herabstürzte, zählte irgendwo in ihm eine ruhige Stimme bis zehn. Dann straffte sich sein Arm und plötzlich veränderte sich alles.

Es fühlte sich an, als würde sein gesamter Körper nach oben gerissen. Der Fallschirm blähte sich über ihm. Das Tosen des Windes in seinen Ohren wurde zu einer leichten Brise. Immer noch regneten die Trümmer des Flugzeuges um ihn herum herab, aber schon bald war er über ihnen und schwebte langsam aufs Meer hinunter.

KAPITEL 5

Mitchell lief leicht humpelnd durch das Terminal 1 des New Yorker Flughafens *JFK*. Er hatte ziemlich breite Schultern für einen Vierzehnjährigen, doch im Augenblick hingen sie nach vorne und verbargen die Größe und Kraft seines Oberkörpers. Sein Gesicht war zu einer ärgerlichen Grimasse verzogen. Sein ganzes Denken wurde von einer Flut stiller Flüche überschwemmt. Er vertrieb sich die Zeit damit, eine Liste sämtlicher Leute durchzugehen, denen er es gerne so richtig heimgezahlt hätte, angefangen mit seinem Bruder Lenny und seinen Eltern.

Lenny lag jetzt irgendwo in einem Labor in London und wurde vom *NJ7* zu experimentellen Zwecken am Leben erhalten. *Geschieht ihm recht*, dachte Mitchells. Der einzige Fehler von Mitchells Eltern war gewesen, dass sie bei einem Autounfall ums Leben gekommen waren, als er noch klein war. Aber inzwischen hat er gute Gründe zu bezweifeln, dass sie seine leiblichen Eltern gewesen waren.

Jimmy Coates, der abtrünnige Agent – der *tote* abtrünnige Agent, verbesserte sich Mitchell –, hatte behauptet, er wäre Mitchells Halbbruder. Wenn das tatsächlich stimmte, was war dann mit Mitchells Eltern und Lenny?

Jetzt war nicht die Zeit, das herauszufinden, und so

schob er diese groteske Idee beiseite. Er verdrängte auch den Gedanken, dass im Grunde seine ganze Existenz grotesk war. Von seinem Äußeren her hätte niemand darauf schließen können, dass er der erste nur zu achtunddreißig Prozent menschliche Agent war. Oder dass man ihn vier Jahre, bevor seine genetische Programmierung vollständig ausgereift war, in den operativen Dienst berufen hatte.

Er ließ Jimmys Bild noch kurz vor seinem inneren Auge verweilen, wie aus einer Art Respekt für den Toten. Und das obwohl dieser Jimmy eigentlich eine doppelte Ladung wütender Flüche verdient hätte. Schließlich war er schuld an Mitchells lädiertem Bein. Er würde zwar in Kürze wieder normal gehen können, trotzdem war der schleppende Gang für Mitchell ein weiterer Grund, beim Gedanken an Jimmy Coates böse zu grinsen.

Im Flughafen-Terminal herrschte die übliche hektische Betriebsamkeit und überall war Wachpersonal postiert. Aus den Augenwinkeln registrierte Mitchell ihre Positionen und Blickwinkel, während er an ihnen vorbeikam. Nachdem er seinen Auftrag ausgeführt hatte, würde er aus dem Gebäude flüchten müssen und dann wären ihm diese bewaffneten Männer und Frauen im Weg.

Die nächste auf seiner Liste extrem nerviger Personen war Miss Bennett. Eigentlich war sie seine Chefin, trotzdem führte sie sich ihm gegenüber immer wie eine herablassende Lehrerin auf. Anstatt ihn erst einmal für seine Mitwirkung bei der Liquidation von Jimmy Coates zu loben, hatte sie ihn gleich zu einer anderen Mission weitergehetzt: Er sollte Zafi finden und sie töten. Sie hatte

ihm nicht einmal die Zeit gelassen, sein Knie auszu-
kurieren.

Und damit war er schon bei der Nächsten auf seiner
Liste: Zafi. Mitchell positionierte sich so, dass er die
Check-in-Schalter von *Air France* im Blick hatte und
begann, auf sein Zielobjekt zu warten.

Zafi war die genetisch programmierte Agentin, die vor
zwölf Jahren der *französische* Geheimdienst in die Welt
hatte setzen lassen. Damit war sie fast zwei Jahre jünger
als Mitchell, obwohl er zugeben musste, dass sie ihn mit
ihrer Geschwindigkeit und ihrem Einfallsreichtum aus-
getrickst hatte. Aber das war noch nicht mal das, was ihn
am meisten an ihr störte. Er hätte Zafi sogar respektieren
können, wenn sie nur mit derselben Disziplin und Ernst-
haftigkeit gehandelt hätte, die Mitchell bei seiner Arbeit so
wichtig waren. Doch sie schien darauf zu pfeifen.

Die Computer der Fluggesellschaft hatten eine Last-
Minute-Reservierung für einen transatlantischen Flug
unter dem Namen *Michelle Glenthorne* angezeigt. Mitchell
war klar, dass Zafi ihm die lange Nase zeigen wollte, indem
sie einen Flug unter diesem Namen buchte. Er ballte die
Fäuste. Sobald sie hier auftauchte, egal wie gut getarnt
und verkleidet, würde Mitchell ihr den Kopf abreißen. Er
war stinksauer auf sie.

Zafi linste durch den Vorhang der Umkleidekabine des
Ferragamo-Outlets. Die Klamotten hier waren für ihren
Geschmack viel zu teuer, außerdem hatte der Laden nichts
in ihrer Größe, aber deswegen war sie auch gar nicht hier.

Sobald sie Mitchell entdeckte, kicherte sie leise. Und sie schmunzelte erneut, als sie bemerkte, wie genervt er dreinblickt und wie angestrengt er die Gesichter aller Passagiere studierte, die auch nur in die Nähe des Air-France-Schalters kamen.

Sie schlüpfte aus der Umkleidekabine und nahm einen pinkfarbenen Pashmina-Schal mit zur Kasse.

Ohne aufzublicken, fragte die Frau mittleren Alters hinter der Theke: »Wie möchten Sie zahlen?«

»Buchen Sie es von Stovorkys Konto ab«, wies Zafi sie selbstbewusst an.

Die Frau schauderte leicht und ihr Blick zuckte hoch zu ihrer Kundin.

Zafi zog eine Schnute.

»Natürlich«, erwiderte die Frau sofort und fingerte nervös an ihrer goldenen Halskette. Sie hob das Münztablett in der Kasse hoch und zog ein halbes Dutzend Flugtickets darunter hervor. Ihre Hände zitterten, als sie die Tickets auf der Theke auffächerte.

»Machen Sie das nicht so auffällig«, zischte Zafi.

Die Frau schnappte nach Luft und schob die Hände zurück in die Kasse.

»Ist das isländische Wolle?«, fragte Zafi laut und rieb den Pashmina zwischen Daumen und Zeigefinger.

Die Frau nahm eine andere Ecke des Schals und befühlte ihn auf die gleiche Weise.

»Es ist allerfeinste Qualität«, verkündete sie.

»Aber er ist mir leider zu teuer«, erwiderte Zafi und rauschte aus dem Laden. In der Hand hielt sie das Ticket, das die Frau ihr unter dem Schal zugeschoben hatte. Es war für einen Charterflug mit Ziel Reykjavik, Island.

Der Name der Passagierin lautete *Glenthornia Mitchell*.

KAPITEL 6

Oberst Keays hatte die Statur eines Kleiderschranks und seine dunkelblaue Uniformjacke war über und über mit Orden und Medaillen bedeckt. Er stand aufrecht, das Kinn leicht angehoben, die Mütze unter den Arm geklemmt. Auf den spärlich behaarten Teilen seines Schädels spiegelte sich das grelle Deckenlicht.

Stumm musterte er die drei Personen, die vor ihm aufgereiht waren. Georgie und Felix standen rechts und links von Georgies Mum und traten unruhig von einem Fuß auf den anderen. Helen Coates dagegen schien völlig entspannt und erwiderte gelassen Keays' Blick.

Ein kleines Team von *CIA*-Agenten hatte sie in die Kellerräume tief unter *Sak's Department Store* in der Fifth Avenue gebracht. Allerdings waren die raffiniert dekorierten Innenräume des Ladens im Erdgeschoss ästhetisch Welten von ihrem Aufenthaltsort entfernt. Hier unten waren sie umgeben von nackten grauen Betonwänden, während sie dem Direktor der *CIA* gegenüberstanden und drei weitere Agenten draußen warteten.

Ohne ersichtlichen Grund stieß Oberst Keays ein kurzes schnaubendes Lachen aus. »Ich bin froh, dass wir euch zuerst gefunden haben«, verkündete er. »Als meine Männer euch aufgelesen haben, wimmelten die Straßen von *NJ7*-Agenten. Aber keine Sorge, wir sind hier in Amerika. Miss Bennett weiß genau, dass sie ohne mein Okay auf unserem Terrain nichts unternehmen kann.«

»Sie kennen Miss Bennett?«, platzte Felix heraus.

»Natürlich. Die Geheimdienste dieser Welt müssen sich doch austauschen, oder? Besonders die von Ländern wie Großbritannien und Amerika. Länder, die sich einmal sehr nahe standen.« Er hielt inne und fixierte die drei. »Schade, dass unsere Verbindungen im Augenblick nicht mehr so gut sind.«

»Schade für wen?«, brummte Helen.

»Ha!« Diesmal lachte Keays laut und offen. »Was meinen Sie? Gefällt es den Engländern, wenn man ihnen verbietet, amerikanische Produkte zu kaufen?«

»Und gefällt es den amerikanischen Unternehmen, wenn man ihnen verbietet, diese in England zu verkaufen?« Helen sprach leise, aber selbstbewusst.

»Wir haben euer Land einmal geschützt«, beharrte Keays.

»Und wir haben für euch eure Kriege ausgetragen«, gab Helen zurück. »Die Zeiten ändern sich.«

»Und die Menschen auch«, erwiderte Keays rasch. »Wie ich gehört habe, waren Sie früher selbst beim *NJ7*, Mrs Coates?«

Helen nickte langsam. »Ich habe mich schon vor längerer Zeit zur Ruhe gesetzt.«

»Ihr Ehemann dagegen scheint wohl befördert worden zu sein.«

Helen ließ ihr Kinn auf die Brust sinken. Felix bemerkte, wie sie unwillkürlich an ihrem Ehering drehte. »Bitte«, begann sie und zum ersten Mal klang ihrer Stimme ein wenig nervös. »Sagen Sie mir einfach, was mit Jimmy geschehen ist.«

»Sie können sehr stolz sein, Mrs Coates.« Keays sprach leise und schnell. »Ihr Sohn ist ein bemerkenswert intelligenter junger Mann, einmal ganz abgesehen von seinen einzigartigen Fähigkeiten. Ja, er ist am Leben. Er wollte, dass ich Ihnen das mitteile, auch wenn es möglicherweise Ihre eigene Sicherheit gefährdet. Aber solange Miss Bennett von Jimmys Tod überzeugt ist, haben Sie nichts zu befürchten.«

Nun strahlten die Gesichter seiner drei Besucher. Helen stieß einen Seufzer der Erleichterung aus und packte Georgies Hand.

»Nicht so fest«, flüsterte Georgie, obwohl es sie nicht wirklich störte. Sie lächelte Felix zu, der fast auf der Stelle hüpfte vor Vergnügen.

»Danke, Oberst«, sagte Helen.

Doch plötzlich schlug Felix' Stimmung um. »Was war mit unserem sicheren Unterschlupf?«, fragte er. »Nicht sehr sicher, oder? Der war eigentlich totaler Schrott.« Er kniff die Augen zusammen und verschränkte die Arme. »Aber das scheint Sie ja nicht sonderlich zu jucken, oder? Diese Kerle haben meine ...« Er brachte den Satz nicht zu Ende. »Ihre Aufgabe bestand darin, uns zu beschützen.«

»Er hat recht«, warf Helen ein. »Auch wenn Felix es etwas höflicher hätte ausdrücken können!« Sie funkelte ihn von der Seite an. »Aber wir müssen wissen, was da vor sich geht. Wenn die *CIA* einen so fantastischen Austausch mit dem *NJ7* pflegt, hat da einer ihrer Agenten möglicherweise etwas ausgeplaudert?«

Erneut stieß Keays ein kurzes scharfes Lachen aus. Es hallte durch den Raum. »Ha! Ein Leck!« Rasch schüttelte er den Kopf. »Ausgeschlossen. Das kann ich dir versichern, Felix.« Er starrte dem Jungen in die Augen. »Ich mache dir keinen Vorwurf, dass du wütend bist. Es macht mich auch wütend, und ich bin nicht mal derjenige, dessen Eltern vom *NJ7* festgehalten werden. Um ehrlich zu sein, ich weiß nicht mal, was sie mit ihnen vorhaben. Sie können kaum planen, sie gegen Jimmy einzusetzen, denn sie halten ihn ja für tot. Vielleicht dienen sie ihnen als eine Art Geisel. Keine Ahnung. Aber ich würde es zu gerne herausfinden.«

Felix wollte gerade eine weitere Frage stellen, doch Keays kam ihm zuvor. »Und nein, ich weiß nicht, wie das sichere Versteck auffliegen konnte. Ich habe ein paar meiner Leute darauf angesetzt. Aber eines ist jedenfalls sicher: Doppelagenten existieren heutzutage nicht mehr. Es gibt niemanden in der *CIA*, der geheime Informationen an den *NJ7* weitergibt. Diese Taktik hat sich als unzuverlässig herausgestellt. Die Russen haben das damals im kalten Krieg für alle gut sichtbar vorgeführt. Eher schon könnte die Ursache Cyberspionage sein, oder sie haben die Information von einem ihrer Agenten, der in Amerika arbeitet. Es bedeutet einfach, dass wir unser Sicherheitsnetz dichter knüpfen müssen.«

Der Oberst zwinkerte ihm zu und Felix lief ein kalter Schauer den Rücken hinab. Er hätte am liebsten ausgespuckt, beherrschte sich aber. Stattdessen setzte er selbst ein viel zu breites Grinsen auf und zwinkerte demonstrativ zurück.

»Es gibt aber auch gute Nachrichten«, fuhr Keays fort.

»Sie schicken uns zurück nach England?«, fragte Helen mit düsterer Miene.

Keays nickte.

»*Was?*«, riefen Georgie und Felix gleichzeitig.

»Das hatte ich schon vermutet«, sagte Helen. »Es ist am besten so. Dort können wir nach Felix' Eltern suchen.« Sie wuschelte Felix durchs Haar, was seine Frisur in einen noch chaotischeren Zustand als üblich versetzte. »Und wir können Chris finden.« Ihr Lächeln verschwand.

»Jimmy hat das alles getan, damit ihr anderen nicht den Rest eures Lebens auf der Flucht sein müsst«, erklärte Keays. »Faktisch wären wir niemals in der Lage gewesen, euch als gesamte Familie zu verstecken. So etwas ist viel schwieriger, als eine einzelne Person untertauchen zu lassen. Und der *NJ7* verfügt über die besten Ressourcen der Welt. Sie hätten euch garantiert gefunden.«

»Und jetzt, wo die glauben, dass Jimmy tot ist«, sagte Georgie, »müssen wir zurück nach England?«

»Richtig.« Keays klatschte in die Hände. Er klang viel zu gut gelaunt. »Es ist Zeit, heimzukehren!«

»Wird Miss Bennett nicht erneut versuchen, uns zu töten?«

»*Ha!* Keine Sorge. Sie hat keinen Grund mehr, euch zu

schaden. Außerdem werde ich mit ihr reden. Ich kläre die ganze Sache und schon heute Nachmittag sitzt ihr in einem Flugzeug zurück in eure Heimat.«

»Was werden sie ihr erzählen?«, fragte Georgie.

»Macht euch darüber keine Sorgen. Ich werde euch noch rechtzeitig informieren und ihr bekommt eine komplette Cover-Story. Vermutlich wird es irgendwas in der Art sein wie: Man hat euch wegen illegaler Einreise in die USA verhaftet. Also wollen euch unsere Behörden natürlich zurück nach Großbritannien schicken. Ich werde mit Miss Bennett klären, ob das eine Gefahr für euch bedeutet. Schließlich dürfen wir keine Menschen zurückschicken, denen dort Gefahr droht. So wie ich Miss Bennett kenne, wird sie darauf eingehen. Sie hat euch viel lieber in ihrem Machtbereich, wo sie euch beobachten kann, als dass ihr hier ins Gefängnis wandert.«

»Ins Gefängnis?« Georgie schnappte nach Luft.

»Natürlich nicht wirklich«, beruhigte Keays sie rasch. »Aber Miss Bennett soll das glauben.«

Georgie nickte langsam. Sie hatte immer noch große Zweifel, ob sie diesem Mann vertrauen durfte. Es gefiel ihr gar nicht, wie beschwingt er das alles vorbrachte. »Mum«, sagte sie, während sie versuchte, die Tränen zurückzuhalten.

»Was ist?«, fragte Helen, die sich hinkniete und das Gesicht ihrer Tochter in die Hände nahm. Georgie zitterte bei ihrer Berührung.

»Weißt du das denn nicht?«, fragt Georgie wütend. Ihre Mutter blickte sie überrascht an. »Wie kannst du nur so tun, als ob alles in bester Ordnung wäre? Unser Leben wird niemals wieder normal werden, oder?«

»Es wird vielleicht nicht mehr ganz so wie früher«, erwiderte Helen leise. »Aber wir werden es schaffen. Dies ist der einzige Weg. Wir werden wieder ein freies Leben haben.«

»Klar«, brummte Georgie. »Tolles Leben – während Dad wie ein Diktator über das Land herrscht. Ich nehme an, damit ist auch alles in Ordnung, oder?« Ihre Stimme klang jetzt immer sarkastischer und die Tränen standen ihr in den Augen. »Und wie kannst du so tun, als wäre es in Ordnung, dass wir Jimmy nie wiedersehen?«

Helen zog ihre Tochter an sich, aber Georgie sträubte sich.

»Wir werden ihn wiedersehen«, bekräftigte Helen. »Vielleicht wird es eine Weile dauern, aber eines Tages werden wir alle wiedervereint sein. Für den Augenblick ist es jedoch besser, dass wir lebendig und in Sicherheit sind, statt ständig auf der Flucht durch die ganze Weltgeschichte zu sein, während der *NJ7* uns zu töten versucht. Deshalb hat Jimmy das für uns getan. Damit wir nicht mehr weglaufen müssen. Du musst wieder zurück in die Schule, wieder dein eigenes Leben führen, Zeit mit deinen Freunden verbringen … Wir müssen zurück nach Hause.«

Georgie wischte sich die Augen. »Wie wird unser Zuhause aussehen ohne Jimmy? Und ohne Dad?«

»Wir werden es herausfinden.«

»Du hast es vergessen«, murmelte Georgie.

»Was vergessen?«

Georgie starrte ihre Mutter mit bitterer Miene an. Dann sah sie an ihr vorbei zu Felix.

Nach längerem Schweigen erhellte sich Felix' Gesicht. »Oh. Mein. Gott!«, stöhnte er. »Du meinst seinen Geburtstag, richtig?«

Georgie nickte. »Er ist nächste Woche.«

Helen stand auf und fuhr ihrer Tochter mit den Händen durchs Haar. »Es ist schon fast April?«, flüsterte sie. »Ich schätze, bei all den Ereignissen, habe ich gar nicht mehr auf die Zeit geachtet.«

»Ich habe gar kein Geschenk für ihn«, platzte Felix heraus.

»Natürlich nicht«, sagte Georgie. »Wir hatten schließlich keine Gelegenheit, eines zu besorgen.«

»Klar, aber Geburtstag ist Geburtstag, selbst wenn man auf der Flucht vor dem Geheimdienst ist. Weißt du, was? Sie sollten eine Regel einführen, dass es verboten ist, dich an deinem Geburtstag zu töten.«

Georgie verdrehte die Augen. Aber sobald Felix einmal losgelegt hatte, war er nicht mehr zu stoppen.

»Und wenn du trotzdem versuchst, jemanden an seinem Geburtstag umzulegen, dann sollten dir zur Strafe an deinem Geburtstag all deine Geschenke abgenommen werden. Und die Glückwunschkarten. Nein, Moment, die Glückwunschkarten kannst du behalten. Niemand interessieren Glückwunschkarten. Also nur die Geschenke.«

»Du bist so ein Hirni«, murmelte Georgie – doch ein kleines Lächeln hatte sich auf ihr Gesicht geschlichen.

Felix stand jetzt unter Hochdruck und sprang auf und

ab. Er wandte sich an Oberst Keays: »Können wir Jimmy eine Glückwunschkarte schicken?«, fragte er plötzlich. »Das kann auch ganz geheim sein. Niemand muss davon wissen außer uns. Und Jimmy natürlich. Und Sie können sie ihm übergeben. Das können Sie doch, oder?«

Oberst Keays war wenig begeistert. »Jimmy befindet sich in einem äußerst geheimen Versteck«, brummte er. »Ein Team von Agenten stellt sicher, dass niemand von seinem Aufenthaltsort erfährt. Er gilt offiziell als tot.«

»Aber er kann doch trotzdem Geburtstag feiern, oder etwa nicht?«

Keays schüttelte verwundert den Kopf und ließ ein tiefes Lachen hören. »Jimmy kann froh sein, dass er einen Freund wie dich hat«, verkündete er. »Und eine Schwester, die ihn so sehr liebt, wie du es tust, Georgie.« Er hielt für eine Sekunde inne, dann fuhr er fort. »Ich bin nicht der Meinung, dass wir anfangen sollten, Geburtstagskarten an Menschen zu schicken, die man für tot hält. Es ist nicht gut, wenn irgendetwas unterwegs ist, das Spuren für den *NJ7* auslegt. Aber wie wäre es, wenn ihr eine Nachricht schreibt? Natürlich ohne Unterschrift. Schreibt am besten nicht einmal seinen Namen darauf. Ich werde dafür sorgen, dass Jimmy sie erhält.«

Er zog einen Notizblock und einen Bleistift aus seiner Tasche.

»Cooler Plan«, strahlte Felix. »Ich werde ihm die lustigsten Geburtstaggrüße ever schreiben.«

»Warte«, sagte Georgie. »Ich helfe dir.« Sie trat zu Felix, während sie weiter Oberst Keays fixierte. »Lass sie uns gemeinsam schreiben.« Sie nahm den Bleistift aus Keays' Hand. »Oberst Keays«, sagte sie leise. »Darf ich Sie was fragen?«

»Aber natürlich.«

»Warum haben Sie uns überhaupt erst zur Flucht aus England verholfen, wenn Sie uns nun einfach wieder zurückschicken?«

»Ich schicke euch zurück, weil es jetzt wieder sicher ist«, erklärte Keays mit ausdruckslosem Gesicht.

»Sie meinen, jetzt, wo Jimmy nicht mehr bei uns ist, sondern in Ihrer Hand?«

Keays rührte sich nicht und starrte Georgie unverwandt an. »Schreib deine Nachricht«, sagte er und drückte Georgie eine Seite des Notizblocks in die Hand. »Und dann, gute Heimreise.«

Georgie und Felix zogen sich in eine Ecke zurück und beugten sich über das Papier.

»Danke, Oberst«, sagte Helen. »Ich weiß, die beiden erscheinen undankbar, aber Ihre Hilfe bedeutet uns wirklich sehr viel.«

Keays nickte schweigend.

Dann wirbelte Georgie herum und schwenkte das Papier über ihrem Kopf.

»In Ordnung, wir sind fertig. Willst du noch irgendwas hinzufügen, Mum?« Sie drückte ihrer Mutter das Papier in die Hand.

Helene studierte es, als hätte sie noch nie in ihrem Leben etwas Handschriftliches gelesen. Ihr ganzer Körper schien zu erstarren.

Als Georgie ihr den Bleistift hinhielt, bemerkte sie, dass die Lippen ihrer Mutter zitterten.

»Ist schon in Ordnung«, sagte Georgie. »Ich setze einfach *In Liebe, Mum* oder irgendetwas in der Art darunter.« Sie nahm den Bleistift wieder an sich.

Helene Coates wandte sich ab und wischte sich die Augen.

»Keine Sorge«, sagte Keays. »Ihr Sohn hat das Richtige getan. Es ist besser so. Für alle. Jimmy wird es gut gehen. Sie haben mein Ehrenwort.«

»Wo ist er jetzt?«, flüsterte Helen.

»Das darf ich Ihnen leider nicht verraten.«

»Wo ist er?«, beharrte Helen. »Ich muss wissen, wo mein Sohn ist.«

»Jimmy geht es bestens.« Keays nahm Georgie das Papier aus der Hand, faltete es sorgfältig und schob es in seine Tasche. »Das garantiere ich Ihnen: Jimmy ist wohlauf und er ist in Sicherheit.«

KAPITEL 7

Jimmys Beine prallten aufs Wasser und er wurde nach vorne geschleudert. Gewaltige Wellen trugen ihn empor und ließen ihn dann wieder nach unten stürzen. Das Wasser sog ihn mit unvorstellbarer Macht unter die Oberfläche. Er atmete so rasch, dass jeder andere einen Herzanfall befürchtet hätte, doch Jimmy blieb völlig ruhig. Rasch löste er seinen Fallschirm und strampelte mit den Beinen, um zu verhindern, dass sein Körper taub wurde. Die Kälte drang ihm bis ins Mark.

Seine Konditionierung übernahm die Kontrolle über seine Muskeln. Sie sorgte dafür, dass ihn der Kälteschock nicht überwältigte. Er war jetzt mindestens zwei Meter unter der Oberfläche. Das Salzwasser brannte in seinen Augen, trotzdem hielt Jimmy sie geöffnet. Und endlich meldete sich eine weitere seiner erstaunlichen Fähigkeiten: seine eingebaute Nachtsichtfähigkeit verstärkte den schwachen Lichtschimmer. Die Unterwasserwelt erstrahlte in einem leuchtend blauen Schimmer. Ohne diese Fähigkeit wäre Jimmy verloren gewesen. Doch jetzt war er imstande, sich zurück an die Oberfläche zu kämpfen.

Der Ozean war so aufgewühlt, dass Jimmy wie ein Püppchen im Schleudergang herumgeworfen wurde. Es war, als würden ihm sämtliche Glieder ausgerissen. Dennoch bewegten sich seine Arme und Beine ruhig, mit maximaler Präzision und Effektivität. Seine Konditionierung brachte ihn innerhalb von dreißig Sekunden zurück an die Oberfläche.

Er schlang die Arme um eines der größeren Trümmer des Flugzeugrumpfs. Die Luftblase, die sich darunter gefangen hatte, trug sein Gewicht. Er zog sich auf das Blech und klammerte sich fest, während die Wellen ihn attackierten.

Jimmys Unterkörper hing immer noch im Wasser und er strampelte verzweifelt mit den Beinen, um gegen die Kälte anzukämpfen. Alle paar Sekunden wischte er sich die Augen. Durch die Gischt konnte er einen Teppich brennender Trümmer auf dem Wasser erkennen. Dahinter erstreckte sich das Meer endlos zwischen ihm und dem Horizont. Es war ein überwältigender Anblick. Aber nur für eine Sekunde – denn dann erhob sich ein gigantischer Wellenberg vor ihm.

Gedanken jagten durch seinen Kopf. Sie klangen verzerrt wie durch eine gestörte Telefonverbindung. Trotzdem folgte er ihren Anweisungen. Er studierte eine Weile die Meeresströmung, bevor er vollständig auf sein behelfsmäßiges Floß klettern konnte und sich auf alle viere aufrichtete.

Stück für Stück angelte er nach weiteren Flugzeugtrümmern und errichtete daraus um sich herum einen Schutzwall. Dann zog er den Fallschirm heran. Es kostete ihn all seine Kraft, ihn zu sich heraufzuwuchten, aber irgendwann warf er das Bündel tropfnasser schwarzer Seide auf das Blech.

Nach wie vor tobten Wind und Wellen um Jimmy. Und er musste das Rumpfteil des Flugzeuges fest mit den Knien umklammern, während er den Fallschirm in Stücke riss.

Immer wieder wollte er am liebsten aufgeben. Seine Glieder schmerzten höllisch von der Anstrengung, sich auf dem Floß festzuklammern. Aber irgendetwas ließ ihn weitermachen. Vielleicht war es seine Konditionierung, vielleicht auch nur sein menschliches Bedürfnis, am Leben zu bleiben.

Irgendwann gelang es ihm, die Hälfte des Fallschirms über das Floß zu spannen und das andere Ende oben an den Flugzeugtrümmern zu befestigen. Jetzt hatte er ein notdürftiges Segel.

In wenigen Minuten würde das Meer alle Überreste des Flugzeugs verschlungen haben. Dann gäbe es kaum noch eine Spur von ihrem Absturz. Aber was war mit den anderen beiden Passagieren? War Jimmy der einzige Überlebende?

»Hallo!?«, rief er.

Seine Stimme verlor sich im Tosen der Wellen und des Windes.

»Ist da irgendwer!?«, schrie er und legte seine letzten Energiereserven hinein. Tränen mischten sich mit der Gischt des Ozeans. Er ballte seine Fäuste und trommelte auf sein Metallfloß, wobei er einmal mehr sein Schicksal verfluchte.

Hätte seine Konditionierung nicht über seinen gesunden

Menschenverstand triumphiert, hätten die *CIA*-Männer möglicherweise eine Chance gehabt. Aber der Agent in Jimmy hatte unbedingt vermeiden wollen, dass er vom *NJ7* erkannt wurde. Jimmys genetische Programmierung hatte seine menschlichen Bedenken ausgeschaltet. Das hatte *ihn* gerettet, aber auf Kosten der anderen. Er war von dem egoistischen Urinstinkt jedes Agenten gesteuert worden: *Selbsterhaltung um jeden Preis.*

Dieser Instinkt spulte jetzt sein Programm ab, während Jimmys menschliches Selbst am liebsten gegen den Wind angeschrien hätte. *Ich habe sie umgebracht*, dachte er. *Ohne geöffneten Fallschirm können sie unmöglich den Sturz aus einem Flugzeug überlebt haben. Sie wollten mich retten und ich habe sie getötet.* Wie hatte er das zulassen können? In dem Moment, als sein menschlicher Anteil schwach geworden war, hatte er zwei Agenten zum Untergang verdammt.

Ich darf dem nie wieder nachgeben, ermahnte Jimmy sich selbst. *Meine Konditionierung darf mich nicht kontrollieren.* Von jetzt an, so versicherte er sich selbst, würde er alles tun, um seine Konditionierung in den Dienst seiner menschlichen Empfindungen zu stellen. *Ich kontrolliere mich selbst.*

Er rollte sich zusammen, verwendete ein Teil des Fallschirms, um sich am Floß festzubinden, und zog den Rest über sich. Das würde ihm zusätzlichen Schutz vor Sonne und Wind bieten. Alles, was er jetzt noch tun konnte, war, seine Kräfte zu schonen.

Das Flugzeug war über der Küstenlinie geflogen. Waren

sie nahe genug abgestürzt, um an Land gespült zu werden? Wenn nicht, würde er ohne Wasser und Nahrung bald sterben.

Jetzt, wo die schwarze Seide ihn bedeckte, war seine Welt komplett dunkel. Er schloss die Augen und fühlte die Wellen unter sich steigen und fallen.

Jimmy nahm ein schmerzhaftes Brennen in seinem Gesicht wahr. Er öffnete die Augen und schloss sie sofort wieder. Die Sonne war zu grell, der Fallschirm musste von seinem Gesicht gerutscht sein. Wie lange hatte er geschlafen? Sein Mund war so ausgetrocknet, dass seine Zunge fest am Gaumen klebte.

Bin ich tot?, fragte er sich. *Nein – zu viele Schmerzen.* Jeder Muskel tat weh, sein Bauch rumorte und wenn er blinzelte, brannte die Haut um seine Augen.

Und nun erst wurde ihm klar, warum er aufgewacht war – das Rollen der See hatte aufgehört. Er hatte Land erreicht. Jimmy wagte nicht, sich zu bewegen. Wo war er? Ferne Geräusche drangen an sein Ohr. Dann wurden sie lauter. Langsam erwachte sein Gehirn. Über ihm schwebten Seemöwen. Ihre Schreie waren wie Alarmsirenen, die ihn aufforderten, sich zu bewegen. Er war schutzlos ausgesetzt. Er konnte irgendwo gelandet sein, war möglicherweise schon entdeckt worden und wurde beobachtet.

Ein großer Pelikan kam herabgeflattert und landete direkt neben Jimmys linkem Ohr. Noch immer konnte Jimmy nicht genug Energie mobilisieren. *Wasser –* das war sein nächster Gedanke. *Wasser, oder ich sterbe.* Der

Pelikan stocherte mit seinem Schnabel in Jimmys Haar. Und plötzlich schien die Energie in Jimmys Muskeln zu explodieren. Er streckte seinen Arm so schnell aus, dass der Pelikan ihn nicht kommen sah. Jimmy rammte seine Finger und seinen Daumen in den Unterteil des Vogelhalses und quetschte dessen Schlund zusammen.

In einem wilden Durcheinander aus fliegenden Federn und panischem Krächzen würgte der Pelikan einen in seiner Kehle gebunkerten Fisch hervor, dann flatterte er eiligst davon.

»Tut mir leid, Kumpel«, brummte Jimmy. Seine Kehle brannte und seine Stimme war so heiser, dass er sie selbst kaum wiedererkannte.

Vorsichtig rollte sich Jimmy von seinem Floß. Sein Rücken schrie dabei vor Schmerz, doch es blieb ihm keine andere Wahl. Der schwere Helm zog seinen Kopf nach unten, daher schüttelte er ihn ab.

Jimmy landete auf nassem Sand und zum ersten Mal blickte er sich um. Er befand sich an einem verlassenen Strand. Nirgendwo gab es Gebäude, nur langgezogene Dünen mit Büscheln von Strandhafer darauf. Ein paar hundert Meter weiter waren ein paar Fischerboote an einem kleinen Pier vertäut, aber sie lagen zu weit entfernt, um die Schrift darauf erkennen zu können. Er wusste immer noch nicht, in welchem Land er sich befand.

Als er aufzustehen versuchte, verschwamm alles vor seinen Augen, und sein Schädel begann mörderisch zu pochen. Aber er widerstand der Ohnmacht. Er konnte spüren, wie seine Konditionierung in ihm arbeitete und in jede noch so feine Nervenendung vordrang. Er wusste, zu was sie ihn drängte.

Er ließ sich zurück auf die Knie sinken und hob mit einer Hand den Fisch aus dem Sand und mit der anderen Hand griff er sich eine Muschelschale. Mit raschen sicheren Bewegungen kratzte er die Schuppen von dem Fisch. Es brauchte weniger als eine Minute.

Dann bohrte er die scharfe Kante der Muschel in die Unterseite des Fischs und schlitzte ihn der Länge nach auf. Vorsichtig entfernte er mit den Fingern die Eingeweide. Sie glitschten warm durch seine Hände. Der Gestank war eklig, aber das war Jimmy egal. Hier ging es um wertvolle Nahrung.

Er schloss die Augen und begann, das Fleisch von den Gräten des Fisches zu lutschen. Im normalen Leben hätte es sicher widerlich geschmeckt, aber im Augenblick waren seine Geschmacksknospen betäubt. Dieser Fisch bot genug Fleisch und Flüssigkeit, um ihn für den Augenblick am Leben zu erhalten. Nur das zählte.

Nachdem er soviel davon hinuntergeschluckt hatte, wie sein Magen verkraften konnte – was nicht sehr viel war –, wandte er sich wieder seinem Floß zu. Er riss das Segel herunter. Und dann verwandte er all seine Kraft darauf, die Markierungen vom Metall zu kratzen. Wenn ein Trümmerteil eines US-Militärflugzeugs auf einem öffentlichen Strand entdeckt würde, wären Fragen nach dessen Herkunft unausweichlich. Glücklicherweise gab es nicht allzu viel zu tun – nur eine Seriennummer, die Jimmy mit einem großen Stein bis zur Unkenntlichkeit bearbeitete.

Dann vergrub er auch seinen Helm im Sand, nachdem er das *Airforce*-Emblem heruntergekratzt hatte.

Der Wind blies vom Ozean her und wehte ihm das Haar um die Ohren. Die Brandung strömte um seine Knie, aber zumindest war die Luft warm und die Sonne trocknete seine Haut rasch.

Nachdem er fertig war, marschierte er zügig los. Er wäre am liebsten gerannt, aber sein Körper zwang ihn langsam zu gehen. Es kostete Jimmy große Anstrengung, seine Glieder zu bewegen, und noch mehr Anstrengung, es so aussehen zu lassen, als würde er lässig schlendern. Rennen, humpeln oder irgendetwas in der Art hätte viel zu verdächtig gewirkt.

Schließlich erreichte er die andere Seite der Dünen und fand sich auf einer verlassenen Straße wieder. Jenseits davon erhoben sich eine Reihe großer, luxuriöser Villen, die auf den Strand blickten.

Jimmys Angst wuchs. Er wanderte weiter ohne ein echtes Ziel. Seine Kleider waren zerrissen und schmutzig. Bei jedem Schritt hinterließ er eine schlammige Pfütze auf dem Gehweg und seine Füße quietschen in seinen Turnschuhen.

Sollte er an eine dieser Türen klopfen und darum bitten, dass man die Polizei verständigte?

Dann hörte er zwei Worte in seinem Kopf: *Neptuns Schatten.* Sie summten in seinen Ohren und übertönten das Kreischen der Möwen. Er wurde diese Stimme nicht mehr los. Es war der Schrei eines sterbenden Mannes.

Jimmy erinnerte sich genau an Blighs letzte Worte:

Wenn wir abstürzen … Wer auch immer überlebt … Jimmy sah das Bild des Mannes vor sich, wie er im Sturz mit den Armen ruderte. Es verfolgt ihn, aber er zwang sich selbst zur Konzentration. *Bring diese Information zu Oberst Keays. Er muss das wissen. Er muss sie aufhalten.*

Abgesehen von der britischen Regierung war Jimmy die einzige Person auf der Welt, die wusste, das *Neptuns Schatten* keine Ölbohrinsel sondern eine geheime Raketenabschussbasis war, deren Flugkörper auf Paris gerichtet waren.

Plötzlich fühlte sich Jimmy, als säße er wieder in dem Flugzeug und die massive Erdanziehungskraft würde ihn in den Sitz pressen. Wie viel Zeit blieb ihm noch? Vielleicht war es bereits zu spät? Wie lange war er auf dem Ozean getrieben? Seine Eingeweide waren wie verknotet. Wahrscheinlich lag Paris bereits durch englische Raketen in Schutt und Asche und Tausende von Menschen hatten ihr Leben gelassen.

Jimmy schauderte und schwankte. Es kostete ihn große Mühe, einfach nur gerade die Straße hinunterzugehen. Wo sollte er sich hinwenden? Wie konnte er Oberst Keays eine Nachricht zukommen lassen? Und was sollte er ihm sagen?

Er blieb stehen, barg sein Gesicht in den Händen und versuchte sich an die Bilder auf dem Flugzeugmonitor zu besinnen – die Aufnahmen von *Neptuns Schatten*. Er musste sie wiederherstellen. Sie existierten jetzt nur noch in seinem Kopf.

Seine Konditionierung arbeitete auf Hochtouren. Und

dann tauchten die Bilder bruchstückhaft vor seinem inneren Auge auf. Obwohl er jedes nur kurz aufblitzen gesehen hatte, war das möglicherweise genug. Wenn er sich konzentrierte, konnte er Teile davon wieder zusammenfügen. Und tatsächlich nahmen sie immer mehr Gestalt an.

Dann bemerkte er ein blaues Flackern. Er blickte auf. Rasch sondierte er seine Umgebung. Und da war sie – eine mit Schlamm bespritzte weiße Limousine mit einem flackernden Blaulicht auf dem Dach, auf deren Seiten in fetten Lettern *POLICE* stand.

Jimmy erstarrte.

»Hey da, hallo, Amigo«, rief ein schlanker großer Polizist und stieg aus der Fahrertür. »Willkommen in Texas.«

Der Mann hatte einen breiten Südstaatenakzent. Seine Uniform war dunkelblau, er trug ein Abzeichen auf der Brust und einen schweren Gürtel um seine Hüften, in dem alles an Ausrüstung steckte, was er bei einem Einsatz möglicherweise brauchen würde.

Sehr langsam schälte sich nun auch sein Partner vom Beifahrersitz – ein fetter, kahler Mann mit einem fiesen Grinsen. In seinen Händen hielt er ein Gewehr.

»Wir sind deine Mitfahrgelegenheit zurück nach Mexiko«, grunzte er.

KAPITEL 8

»Ich komme gar nicht aus Mexiko«, erwiderte Jimmy eilig. »Ich komme aus New York. Ich bin ...«

Er wollte gerade sagen, er sei britischer Staatsbürger, doch dann unterbrach er sich im letzten Moment. Jimmy wollte nichts verraten, das den *NJ7* später möglicherweise auf seine Spur brachte. Rasch legte er sich einen amerikanischen Akzent zu, den er fast perfekt imitierte. »Es ist wichtig, dass ich mit Oberst Keays oder jemandem von der *CIA* spreche.«

Die beiden Polizisten warfen sich einen Blick zu. Der Größere seufzte.

»Tut mir leid, Freundchen«, sagte er. »Dein kleines amerikanisches Abenteuer ist vorüber. Die US-Küstenwache hat gesehen, wie du angespült wurdest, und uns per Funk verständigt.« Schritt für Schritt kam er auf Jimmy zu. »Um ehrlich zu sein, sie dachten, du wärst tot. Normalerweise kommt keiner lebend an, so weit oben an der Küste.« Er zog die Handschellen aus seinem Gürtel und hielt sie vor sich.

Jimmys Herz raste, aber sein Blick blieb ruhig, und er registrierte jede Bewegung.

»Das ist ein Missverständnis«, beharrte Jimmy mit

klarer, entspannter Stimme. »Sehe ich denn so aus, als käme ich aus Mexiko?«

Erneut warfen sich die beiden Polizisten Blicke zu. Schwer zu sagen, was sie dachten.

Für eine Sekunde zweifelte Jimmy selbst. Vielleicht sah er tatsächlich aus, als hätte er versucht, illegal über den Golf von Mexiko nach Amerika zu gelangen. Tausende von Menschen versuchten es jedes Jahr – aber ganz offensichtlich schafften es nicht viele lebend bis hierher.

»Hören Sie«, fuhr Jimmy fort. »Sie müssen nur einen Anruf machen und das alles lässt sich aufklären. Fragen Sie über Funk an. Erkundigen Sie sich beim Geheimdienst nach einem Flugzeug, das abgestürzt ist.« Er hob mit einer beruhigenden Geste die Hände.

»Ein Flugzeugabsturz?«, brummte der Polizist mit dem Gewehr. »Ich hab nichts Derartiges gehört.«

»Aber ich war in einem Flugzeug unterwegs«, sagte Jimmy. »Und wir sind über dem Meer abgestürzt.«

»Wann?«

»Ich weiß nicht. Welcher Tag ist heute?«

»Der 4. April.«

Jimmy erstarrte.

»Der 4. April?«

»Richtig. Wann soll dieses Flugzeug denn abgestürzt sein?«

Jimmy antwortete nicht. Er hörte gar nicht mehr zu. Er musste nur noch an dieses Datum denken. Und dann begriff er. *Heute ist mein Geburtstag*, dachte er.

Plötzlich wurde ihm bewusst, dass er die Fäuste ballte

und seine Augen feucht wurden. Er holte tief Luft, um einen klaren Gedanken zu fassen. *Heute ist mein Geburtstag.* Die Vorstellung war so lächerlich, dass er beinahe laut gelacht hätte. Und gleichzeitig riss etwas an seinem Herzen.

Dann bemerkte er die finsteren Mienen der beiden Polizisten. Er hatte zu lange gezögert. Nun würde er sich kaum noch herausreden können. Der lange dünne Mann trat auf ihn zu und hielt die Handschellen hoch.

Sollte er aufgeben? Einen kurzen Moment war Jimmy verlockt. Doch dann verwarf er den Gedanken sofort wieder. Wenn er jetzt verhaftet würde, könnte man ihn mit ziemlicher Sicherheit identifizieren. Sein Foto würde auf allen Polizeistationen auftauchen. Vielleicht nähmen sie sogar seine Fingerabdrücke. Und wenn er einmal im Polizeicomputer war, würde die elektronische Überwachung des *NJ7* innerhalb kürzester Zeit Alarm schlagen und den Vorfall genau unter die Lupe nehmen.

Nein. Er durfte nicht die geringste Spur hinterlassen. Für den britischen Geheimdienst war Jimmy Coates, der abtrünnige Agent, tot. Und so musste es bleiben.

»Langsam umdrehen«, befahl der Polizeibeamte. »Und dann die Hände auf den Rücken. Du kommst mit uns.«

Jimmy folgte den Anweisungen. Doch dann duckte er sich plötzlich nach rechts, sodass der dünne Polizist zwischen ihm und dem Mann mit dem Gewehr stand. Er rollte sich über den Asphalt, sprang auf und warf sich mit der Schulter gegen die Brust des größeren Polizisten. Er traf ihn mit der Wucht eines Vorschlaghammers und spürte, wie beim Aufprall die Rippen des Mannes brachen.

KNACK!

»Schieß!«, schrie der Mann mit schmerzverzerrtem Gesicht.

Aber Jimmy war zu schnell. Er sprang auf die Kühlerhaube des Streifenwagens und holte mit einem Bein aus. Sein Tritt traf den Lauf des Gewehrs und ließ es durch die Luft segeln.

Jetzt war Jimmy nicht mehr aufzuhalten. Er warf sich auf den fetten Mann, riss ihn zu Boden, rollte ab und flitzte quer über die Straße in eine schmale Gasse zwischen zwei Häusern. Seine Muskeln waren alles andere als erfreut und nicht nur sein Gesicht brannte jetzt wie die Hölle. Sein ganzer Körper vibrierte vor Schmerz.

Schon nach wenigen Sekunden hörte Jimmy die Polizeisirene aufheulen. Und obwohl seine Lungen zu implodieren schienen, rannte er weiter.

Jimmy schlängelte sich durch die Straßen, den Kopf gesenkt und die Beine mechanisch pumpend. Jede Ecke brachte neue Geräusche und neue Gefahren. Er lauschte auf die Richtung, aus der die Sirenen kamen, aber sie schienen jetzt überall zu sein und sich von allen Seiten zu nähern.

Mit jeder Sekunde fühlte er, wie die Energie aus seinem Körper wich. Die Welt drehte sich um ihn. Er schwankte von einer Seite zur anderen.

Wasser. Essen. Sein Körper verlangte dringend danach.

Endlich erblickte er eine Reihe von Geschäften. Eines davon verkaufte Geschenkartikel und Souvenirs. Im Schaufenster gab es T-Shirts, Kappen, Kaffeetassen und Stifte, auf denen der Schriftzug *Welcome to Port O'Connor* prangte.

Jimmy schlüpfte in den Laden. Das Mädchen hinter der Theke sprang erschrocken auf. Jimmy steuerte direkt auf einen Kühlschrank mit Getränken zu. Ganz unten standen Wasserflaschen. Er riss die Kühlschranktür auf und schnappte sich die größte.

Er hatte kein Geld dabei, aber daran ließ sich nichts ändern. Jetzt hieß es stehlen oder sterben. Mit einer Umdrehung schraubte er den Deckel der Flasche ab und setzte sie an den Mund. Fast hätte er den ersten Schluck wieder erbrochen.

»Hey!«, rief das Mädchen mit breitem texanischen Akzent. »Das hier ist kein kostenloser Selbstbedienungsladen, klar?«

Jimmy ignorierte sie und zwang sich, weiter zu trinken. Ihm blieb keine Zeit, seinen Körper langsam an die Flüssigkeitszufuhr zu gewöhnen. Und bevor das Mädchen Luft holen und erneut schreien konnte, packte er eine weitere Wasserflasche, schnappte sich eine Hand voll Schokoriegel und ein Päckchen *Mentos* vom Regal. Dann wirbelte er auf dem Absatz herum und schoss hinaus auf die Straße.

Während er weiter Wasser in sich hineinkippte, wurde ihm schwindlig und sein Magen rebellierte, doch das war ihm egal.

Schließlich fand er eine schmale Gasse und verbarg sich im Schatten eines Hauseingangs. Sein Magen krampfte sich heftig zusammen und irgendwann spuckte er tatsächlich etwas von seinem Inhalt wieder aus. Er wischte seinen

Mund mit dem Ärmel ab und ließ sich an der Hauswand herabsinken.

Er riss einen der Schokoriegel auf. Jimmy schlang so viel wie möglich, so schnell wie möglich herunter – er hatte in den letzten Minuten seine allerletzten Energiereserven verbraucht. Die süße, cremige Masse fühlte sich tröstlich an auf seiner Zunge.

Innerhalb kürzester Zeit normalisierte sich Jimmys Herzschlag wieder. Selbst diese kleine Zufuhr von Wasser und Nahrung hatte wahre Wunder bewirkt. Doch seinen Sorgen hatte sie nicht wirklich abhelfen können.

Neptuns Schatten. Seine Finger kratzten Linien in den Staub. Er musste sich an alles erinnern, was er gesehen hatte. Er durfte kein Detail vergessen. Seine Konditionierung ermöglichte es ihm, unglaublich komplexe Bilder zu speichern. Doch im Moment war er nicht im Vollbesitz seiner Kräfte. Es war, als hätte er eine Kamera in seinem Kopf eingebaut, wüsste aber nicht, wie man sie einschaltet.

Immer neue Diagramme zeichnete Jimmy in den Staub. Waren sie genau genug? Dann wischte er sie aus und hämmerte mit der Faust auf den Beton. *Happy Birthday*, dachte er ironisch.

Und damit rappelte er sich auf und begann wieder loszurennen. Er musste irgendeinen Weg aus der Stadt finden – einen Bahnhof, ein Schiff, vielleicht sogar ein Fahrrad. Irgendetwas.

Immerhin war es hilfreich, dass kaum jemand unterwegs war. Vermutlich war der Ort im Sommer sehr betriebsam, doch noch war es zu früh im Jahr für Strandurlauber.

Während die Sirenen immer noch in seinen Ohren hallten, suchte er seinen Weg durch die Stadt. Schließlich entdeckte er einen schlanken, silberfarbenen Bus. Die letzten Passagiere stiegen gerade ein, der Motor sprang an und stieß eine dicke Abgaswolke aus.

Jimmy hechtete zu Boden. Er rollte dreimal um die eigene Achse, so rasch, dass alles um ihn herum verschwamm. Als er sich direkt unter dem Auspuff des Busses befand, zog er sich blitzschnell daran empor. Der Abgasgestank stieg ihm beißend in die Nase und das Metall wurde mit jeder Sekunde heißer, aber Jimmy klammerte sich mit aller Kraft daran fest. Irgendwann gelang es ihm, sich unter dem Bus in eine einigermaßen stabile Position zu manövrieren.

Der Lärm und die Hitze blendeten den Rest der Welt aus. So würde er es aus Port O'Connor heraus schaffen. Aber Jimmy wusste, dass sein Kampf ums Überleben gerade erst begonnen hatte.

KAPITEL 9

Islands einziger Flohmarkt nannte sich *Kolaportid* und wurde jedes Wochenende in einem riesigen Lagerhaus am Hafen von Reykjavik abgehalten. Die Seiten des Gebäudes waren offen, der Wind fegte vom Meer herein und blies durch Zafis leichte Fleecejacke. Sie wünschte sich, sie hätte in New York diesen pinkfarbenen Pashmina-Schal gekauft.

Um sie herum befanden sich Stände, die alles nur Erdenkliche feilboten – Nippes, Antiquitäten, Kleider. Überall gab es merkwürdige Objekte zu entdecken. Die Halle war gut besucht und wirkte umso voller, weil alle anderen in dicken Daunenjacken steckten. Außerdem hatten fast alle Männer lange Bärte, was wohl ebenfalls gegen die Kälte half.

Zafi stopft ihre Hände in die Jeanstaschen und steuerte auf einen Stand mit Wollmützen zu.

Fünf Minuten später war sie im Besitz neuer Handschuhe und einer leuchtend roten Pudelmütze. Sie war zuversichtlich, dass der französische Geheimdienst die Kosten übernehmen würde. Dann schlenderte sie in Richtung der Essensstände. Dabei musste sie einfach nur dem Geruch folgen.

Im hinteren Teil des Lagerhauses gab es einen gekachelten Anbau. Dort wurde an den Ständen Fisch verkauft. Zafi war erstaunt über die vielen Sorten, die es dort gab. Ein paar der Meeresbewohner sahen sogar aus, als hätten sie eigentlich schon mit den Dinosauriern aussterben müssen. Der Boden war glitschig von den Überresten der Fischeingeweide. Ihre Turnschuhe rutschten bei jedem Schritt und gelegentlich spürte sie, wie sie irgendetwas zertrat.

Rasch entdeckte sie den Mann, nach dem sie suchte, und näherte sich seinem Stand. Er war dick, hatte ein rundes Gesicht, einen säuberlich gestutzten, kastanienbraunen Bart und eine Brille, die seine Augen viel zu klein für sein Gesicht erscheinen ließ.

Zafi stellte sich auf die Zehenspitzen und beugte sich über die Auslage, sodass sie ihre Stimme nicht allzu sehr über den Lärm des Marktes erheben musste.

»Sie haben eine spezielle Bestellung für mich beiseite gelegt«, sagte sie, während sie ihre Kontaktperson gründlich musterte.

»Auf welchen Namen bitte?«, fragte der Mann mit einem perfekten englischen Akzent.

Zafi ließ sich einen Moment Zeit, um die Wirkung ihrer Antwort zu steigern.

»Das geht auf die Rechnung von Stovorskisson.«

Sie liebte den Effekt, den ihre Worte zuverlässig auf ihre Kontaktpersonen hatten. Die Augen des Fischhändlers wurden hinter seiner Brille weit wie Unterteller. Er wischte sich die Hände an seinem Overall ab und stolperte nach hinten in einen Privatraum. Seine Bewegungen wirkten abgehackt. Oft waren ihre Kontaktpersonen ganz normale Menschen, die keine Vorstellung davon hatten, in was für eine gewaltige Operation sie einbezogen waren. Manchmal gingen sie wohl auch davon aus, dass sie niemals zum Einsatz kommen würden.

Als der Mann zurückkehrte, hielt er eine kleine runde Dose aus durchsichtigem Plastik umklammert. Darin befanden sich weißlich-gelbe Würfel, die wie eine Art Käse oder Pudding aussahen. Sie wabbelten leicht, da die Hand des Fischhändlers zitterte.

Rasch stellte er den Behälter auf die Theke, als wollte er ihn nicht länger als nötig berühren.

»Du weißt«, sagte er so leise, dass man ihn kaum verstehen konnte, »dass das rohe Fleisch eines Grönland-Hais sehr giftig ist.«

Zafi bemühte sich, ihr Lächeln zu verbergen.

»Natürlich«, erwiderte sie. »Es enthält eine hohe Konzentration von Trimethylaminoxid. Um es genießbar zu machen, muss man es sechs Monate lang vergraben, damit das Fleisch sich vollständig zersetzt, und dann unter speziellen Bedingungen sechs Monate lang trocknen. Das gedörrte Fleisch nennt man dann *Hákarl*, eine isländische Spezialität. Ach übrigens«, verkündete sie mit einem freudigen Ausdruck, »ich nehme auch noch eine Büchse davon, bitte.«

Sie nahm die Dose, die der Mann ihr gebracht hatte und wählte dann eine identisch aussehende aus einem Kühlregal.

»Was hast du damit vor?«, fragte der Mann nervös,

während Zafi das Geld abzählte. »Mit dem rohen Fleisch, meine ich?«

»Den britischen Premierminister töten natürlich!«

Der Mann erstarrte für eine Sekunde, dann entspannte sich sein ganzer Körper. Er langte über die Theke und tätschelte die Bommel auf Zafis Mütze. Ein Lächeln machte sich auf seinem Gesicht breit.

»Schätzchen, du hast zu viele naturwissenschaftliche Bücher gelesen«, scherzte er und fügte dann rasch hinzu, »und zu viele Spionageromane!«

Zafi zeigte ihm ihr süßestes Lächeln und marschierte dann mit ihrer neuen Waffe davon.

Die Dosen mit Haifleisch waren kalt in ihren Fingern. Kurz zuckte ein Gedanke durch ihren Kopf. *Muss ich das wirklich tun?* Sie fragte sich, was wohl geschehen würde, wenn sie die Dosen einfach auf den Boden fallen ließe, die Würfel sich überall verteilen und einfach auf dem Boden liegen bleiben würden. Sofort schlossen sich ihre Finger noch fester um das Plastik. *Es liegt nicht in meiner Verantwortung*, versicherte sie sich. *Ich kann meine Natur nicht ändern.*

Sie zwängte sich zwischen den Ständen hindurch in Richtung Hafen.

BUMM!

Ein massives Gewicht donnerte gegen ihren Nacken. Er knackte laut. Sie stolperte vorwärts, verlor für einen Augenblick die Kontrolle über ihre Glieder. Sie ließ die Dosen mit Haifleisch fallen und die gelben Würfel kullerten überall über den Boden. Wäre nicht der ganze Fischschleim unter den Sohlen ihrer Schuhe gewesen, wäre Zafi gestürzt. Aber so schlitterte sie vier Meter, bevor sie schließlich das Gleichgewicht wiederfand. Sie wirbelte herum, wobei ihre Turnschuhe laut quietschen.

Es war Mitchell. Er hatte sich an einem Ankertau von der Decke herabgeschwungen. Tatsache war, er stand sogar auf dem Arm eines Ankers. An dem anderen Arm klebte Zafis Blut.

Mitchell hüpfte auf den Boden und schoss auf sie zu.

Zafi kämpfte immer noch gegen die Wirkung des harten Treffers an. Sie konnte kaum etwas sehen, doch es reichte immerhin, um Mitchell zu erkennen. *Wie hatte er sie aufgespürt?* Sie dachte, sie hätte ihn völlig planlos in New York zurückgelassen.

Was Mitchell betraf, so war er offensichtlich hier, um dieses Katz-und-Maus-Spiel mit einem einzigen harten Schlag zu beenden. Aber Zafi war noch nicht ausgeschaltet. Ihre Rutschpartie hatte sie gerettet – für den Augenblick zumindest. Mitchell stürzte mit erhobenen Fäusten auf sie zu.

Gerade noch rechtzeitig wich Zafi aus. Sie suchte Schutz unter einem Stand, doch augenblicklich warf Mitchell sich mit seinem gesamten Gewicht darauf. Der Stand brach in der Mitte durch wie ein mürber Keks. Nippes segelte durch die Luft. Ein paar Einkäufer neben ihnen schrien auf. Doch die übrigen waren zu langsam, um zu realisieren, was hier vor sich ging. Einer fragte sogar den Standbesitzer, wie viel Mitchells Anker kosten sollte.

Doch diese Begegnung war kein Katz-und-Maus-Spiel.

War es nie gewesen. Hier gingen zwei wütende Tiger aufeinander los.

Mitchell blieb einfach auf den Trümmern des Standes liegen. »Du bist gefangen, Zafi!«, fauchte er. »Du kannst mir nicht mehr entkommen.«

Doch dann brach Zafi mit der Gewalt eines isländischen Geysirs von unten durch die Trümmer und schleuderte Mitchell in die Luft.

Sie rannte zum Ausgang. Aber Mitchell landete in der Hocke, streckte sein Bein und wirbelte in erstaunlicher Geschwindigkeit um die eigene Achse. Er erwischte Zafis Fußgelenk.

Sie stolperte ein paar Schritte, hielt sich aber dann an dem Ankertau fest, das immer noch von der Decke hing.

Und bevor Mitchell sich erneut auf sie stürzen konnte, schnappte Zafi sich den Anker und schwang ihn über ihrem Kopf. Ihre Arme schienen zu dünn, um so ein Gewicht zu heben, geschweige denn es herumzuschleudern, aber ihre Muskeln bezogen ihre Energie aus einer tieferen Kraft.

Mitchell hatte keine Chance, sich ihr zu nähern. Zafi ließ den Anker immer schneller kreisen und schuf so ein Schutzschild um sich herum.

Mitchell packte ein paar Gegenstände von dem Stand und schleuderte sie aus verschiedenen Winkeln auf Zafi. Erst eine antike Uhr, dann einen Stapel Bücher und schließlich einen alten Schafsschädel, der in Tausend Stücke zerplatzte, als Zafi ihn mit dem Anker traf.

Es wirkte wie das seltsamste Baseballspiel, das Island je

gesehen hatte. Jeder Wurf war ein rasanter Fastball und jeder Schlag ein Home-Run.

Aber Mitchell war nicht hier, um zu spielen.

»Gib auf«, schrie er. »Ich bin älter und weiter entwickelt. Ich hab mehr Kraft. Es ist nur eine Frage der Zeit.«

Er beugte sich vor, bündelte all seine Kraft und schoss auf Zafi zu. In letzter Sekunde täuschte er einen Ausfallschritt nach links vor. Prompt ging Zafis Schlag mit dem Anker ins Leere. Mitchell sah ihn kommen, als wäre die Luft aus Wachs gemacht und würde alles, was sich in ihr bewegte, verlangsamen. Alles außer Mitchell.

Er warf seinen Körper in den Weg des gewaltigen Metallhakens und fing ihn mit den Armen ab. Jetzt konnte er Zafis Schwung gegen sie selbst nutzen. Er wirbelte herum und zielte auf ihren Kopf – mit diesem Tritt würde er sie endgültig ausschalten.

Aber Zafi sah Mitchell kommen. Sie packte das Tau.

»Was ist wichtiger?«, flüsterte sie, riss sich empor und vollführte einen kompletten Salto. »Kraft oder Körperbeherrschung?« Sie landete auf den Füßen und rannte los.

Mitchells Fuß traf – nichts. Als er sich umdrehte, sah er gerade noch Zafis Schatten im Hafengelände verschwinden.

Er stieß ein wütendes Grunzen aus und trat gegen das Haifischfleisch auf dem Boden. Es war ihm egal, dass alle Besucher des Markts ihn anstarrten und nun auch lautes Sirenengeheul die Halle erfüllte.

»Zafi!«, brüllte er. »Du wirst mich nie los!«

Dann stürmte er davon in Richtung Innenstadt.

KAPITEL 10

Sobald der Bus eine größere Ortschaft erreicht hatte, rollte Jimmy darunter hervor. Die Reise hatte mehrere Stunden gedauert. Seine Hände waren wund, die Muskeln in seinem Rücken schmerzten und seine Lunge schien innen mit Ruß ausgekleidet.

Er war jetzt in Bay City, Texas – aber dort blieb er nicht. In wenigen Minuten erreichte er den Bahnhof und schlüpfte in der dichten Menge verborgen durch die Ticketkontrolle.

Er sprang auf einen Zug, ohne sein Ziel zu kennen, und wanderte durch die Waggons. Als er den Speisewagen erreichte, schnappte er sich einen Müllsack, der zum Entladen bestimmt war. Ohne zu wissen warum, knotete er ihn auf, griff hinein und zog eine Hand voll Kaffeesatz heraus. Dann warf er den Müllsack aus dem Fenster, gerade als der Zug losfuhr.

Der Geruch des Kaffees war fast unerträglich – niemals zuvor hatte er solchen Hunger und Durst gehabt. Er hatte kaum genug Energie getankt, um sich auf den Beinen zu halten. Es fühlte sich an, als würde sein Magen bald seinen gesamten Körper einsaugen, bis er nur noch ein zitternder rosafarbener Ball war, der über den Boden kullerte. Die Vorstellung ließ ihn beinahe kichern.

Am Ende des nächsten Waggons entdeckte Jimmy den Putzwagen. Jimmys Konditionierung erwachte. Heimlich schnappte er sich eine Flasche von dem Wägelchen und schlüpfte in die Toilette.

Er schloss die Tür hinter sich und starrte in den Spiegel. Er erkannte sich selbst kaum wieder. Seine Haut war eine fiese Mischung aus roten und dunklen Flecken, mit schwarzen Rändern, dort wo sie sich schälte. Und sie schälte sich fast überall in seinem Gesicht. Seine Haare waren schmutzig und mit Salz verkrustet, ebenso seine Klamotten. Seine Arme und sein Gesicht waren von der Reise unter dem Bus mit Ruß und Staub bedeckt und alles an ihm stank immer noch nach Meer.

Er blickte hinunter auf die Hand voll Kaffeesatz und die Literflasche Chlorbleiche. Zeit, sein Erscheinungsbild zu verändern.

Er atmete langsam, um seinen Körper künstlich ruhig zu stellen, während er das Waschbecken mit Toilettenpapier verstopfte und Bleiche hineinkippte.

Ein paar Minuten später verließ er die Toilette. Seine Kleider waren nun in diversen Brauntönen gefärbt. Seine Haare waren kastanienbraun und nicht mehr fransig, sondern hingen ihm glatt über die Stirn. Selbst sein Teint wirkte etwas ansehnlicher, nachdem er seine Haut saubergetupft hatte.

Ein paar Minuten lang stand er an einem geöffneten Fenster und ließ den Fahrtwind seine Kleider trocknen und den merkwürdigen Geruch nach Kaffee, Bleiche und Seife wegpusten. Dann machte er sich erneut auf die

Socken, um etwas zu essen und ein ruhiges Plätzchen zu suchen.

Jimmy lag auf einer Bank und biss in ein Gebäckstück, das er sich geschnappt hatte, bevor er den Zug verließ. Es war trocken und zäh, aber besser als nichts.

Jimmy hatte sich in eine Ecke des Marktplatzes von Houston zurückgezogen. Er hatte den Ort sorgfältig ausgewählt. Von hier konnte er schon aus großer Entfernung jeden sehen, der sich ihm näherte. Außerdem hatte er eine alte Colabüchse neben sich gestellt, sodass er in der Spiegelung alles im Blick hatte, was sich hinter ihm abspielte.

Erneut hatte er sein Äußeres verändert, für den Fall dass man ihn dabei gesehen hatte, wie er bei verschiedenen Gelegenheiten Essen und Wasser gemopst hatte. Sein Kapuzenshirt hatte er zusammen mit einer Jeans und einem fadenscheinigen T-Shirt in einem Karton vor einem Laden der Wohlfahrt gefunden. Auf seiner Brust prangte das verblasste Logo einer Band, die sich schon vor Urzeiten aufgelöst hatte. Er musste die Beine seiner Hose hochrollen, außerdem roch er jetzt ein wenig nach fauligem Gemüse, doch das kümmerte ihn nicht. Wenigstens wäre jetzt niemand scharf darauf, sich ihm zu nähern.

Er hatte ein schlechtes Gewissen, weil er all diese kleinen Sachen geklaut hatte. Doch jedes Mal, wenn seine Konditionierung ihm eine Gelegenheit zeigte, konnte er einfach nicht anders. Der Agent in ihm übernahm und Jimmy schien jedes Bewusstsein für Recht und Unrecht zu verlieren – er dachte nur noch an die unmittelbaren Notwendigkeiten. Es war eine Frage des Überlebens.

Menschen bevölkerten den Platz, aber niemand blieb stehen. Jimmy hatte sich noch nie so alleine gefühlt. Doch das Wichtigste war, dass niemand von seiner Existenz wusste.

Er wünschte, er wäre wieder draußen auf dem Meer. Die Wellen hatten ihn zu verschlingen gedroht und er wäre beinahe an Durst und einem Sonnenstich zu Grunde gegangen, aber zumindest war er bewusstlos gewesen.

Die Erinnerung an die beim Flugzeugabsturz ums Leben gekommenen Agenten quälte ihn. Beide hatten versucht, Jimmy zu helfen. Aber Jimmy hatte im entscheidenden Moment nichts getan, um *ihnen* zu helfen. Seine Hände zitterten, wenn er daran dachte.

Er konnte fühlen, wie seine besonderen Fähigkeiten wuchsen. Er war dankbar, dass sie ihn am Leben erhielten – jeder normale Junge hätte nach einem Flugzeugabsturz und den Tagen ohne Nahrung auf hoher See sofort ins Krankenhaus gemusst. Aber gleichzeitig ängstigen ihn seine Fähigkeiten auch – die Stärke, Rücksichtslosigkeit und die daraus resultierenden Folgen.

Er war zuversichtlich, dass er schon bald wieder bei vollen Kräften sein würde. Er war dafür gemacht zu überleben. *Und um zu töten*, dachte er. Jimmy ballte eine Faust und grub seine Fingernägel in die Handflächen. *Nein*, beharrte er, *ich habe jetzt die Kontrolle.*

Er schauderte und mit einem weiteren Bissen seines Frühstücks verjagte er den düsteren Gedanken aus seinem Kopf.

Ich könnte mich einfach in Luft auflösen, dachte er. Er hatte bereits erlebt, wie leicht es war, in irgendeiner x-beliebigen Großstadt dieser Welt unterzutauchen. Er passte sich beständig an seine Umgebung an. Als wäre er eine Art Chamäleon – für normale Polizeikräfte nicht zu fassen. Wenn er sich dazu entschied, dann konnte er Jimmy Coates komplett von diesem Planeten verschwinden lassen. Langsam setzte sich dieser Gedanke in ihm fest.

Das war doch, was er wollte, oder? Der *NJ7* war bereits überzeugt von seinem Ableben. Und wenn die *CIA* von dem Angriff auf das Flugzeug erfuhr, müssten auch sie von seinem Tod ausgehen. Danach würden weder Miss Bennett, noch irgendjemand aus der britischen Regierung, noch irgendein Geheimdienst einen Gedanken daran verschwenden, dass Jimmy Coates noch am Leben sein könnte.

Er blickte sich auf dem Platz um. Mit seinen Fähigkeiten könnte er sich wie ein Phantom durch das Land bewegen – unbemerkt und unbelästigt. Langsam könnte er sich eine neue Identität aufbauen. Ein eigenes Leben. Kein besonders tolles Leben, aber immerhin eines ohne Geheimdienste und ohne ständig jemandes Schutz suchen zu müssen. Der Flugzeugabsturz bot ihm eine einmalige Gelegenheit.

Die Muskeln in Jimmys Beinen zuckten. Sie drängten ihn, aufzustehen und in der Menge unterzutauchen wie ein weiterer anonymer Einzelgänger. Sollte er das tun?

Jimmy dachte an seine Familie, ließ ihre Gesichter vor seinem inneren Auge auftauchen, erinnerte sich an kleine Gesten. Wenn seine Familie ihn wirklich für tot halten müsste, dann wäre das ein vernichtender Schlag für sie. *Aber ich könnte trotzdem verschwinden*, dachte er, *und sie dann später informieren.* Er hievte sich hoch. Seine Konditionierung war bereit, ihm beim Untertauchen zu helfen.

Doch Jimmy wiederstand der Versuchung. Etwas stoppte ihn: *Neptuns Schatten*.

Er hatte herauszufinden versucht, ob Großbritannien bereits einen Angriff gegen Frankreich gestartet hatte, aber in den Zeitungen war nichts darüber zu finden. Vielleicht bedeutete das aber nur, dass es bereits Schnee von gestern war.

Jimmy knurrte leise und versuchte, sich zu entspannen. *Komm schon*, ermahnte er sich selbst. *Wenn du nichts unternimmst, dann hat der* NJ7 *gewonnen. Dann könntest du ebenso gut wirklich tot sein.*

Er musste Oberst Keays von *Neptuns Schatten* berichten, wie hoch auch immer das Risiko war. Er hatte schon zu viel Zeit verloren.

Er marschierte quer über den Platz zu einer öffentlichen Telefonzelle und nahm den Hörer ab. Er könnte die Vermittlung anrufen. Sie würden ihn mit dem Geheimdienst oder einer beliebigen Regierungsstelle verbinden. Sobald er Oberst Keays' Name und den Flugzeugabsturz erwähnte, würde man ihn ernst nehmen.

Jimmys Finger schwebten über dem Tastenfeld. Seine Hand schien wie einbetoniert. Er konnte nicht wählen. *Sie werden mich hören*, dachte er.

Er versuchte, logisch zu denken. Jeden Tag wurden

Milliarden von Telefongesprächen geführt und Tausende von Menschen verlangten die *CIA* zu sprechen. Gleichzeitig wusste Jimmy, dass die elektronischen Überwachungsmaßnahmen des *NJ7* ihresgleichen suchten.

Der Geheimdienst war sogar in der Lage gewesen, das US-Mobilfunknetz zu hacken, um Jimmys Programmierung zu manipulieren. Daher war es reine Routinesache für sie, mit Tausenden von Computern den Funkverkehr und alle Telefongespräche abzuhören, Schlüsselwörter zu erkennen, Unterhaltungen zu analysieren und sogar Stimmmuster zu verarbeiten. Sie wussten alles, was gesprochen wurde, und sie wussten auch, wer es sagte.

Sobald Jimmy auch nur in dieses Telefon atmete, würde das eine Kette elektronischer Systeme in Gang setzen und schließlich als Bericht auf Miss Bennetts Schreibtisch landen. Dann wüssten sie, dass er am Leben war, und sie würden ihn erneut jagen.

Jimmy starrte auf den Hörer in seiner Hand. Er sah förmlich die fettigen Abdrücke, die sich unter seinen Fingern bildeten. Die Vorstellung jagte ihm den blanken Horror ein. Der *NJ7* würde den Anruf zu diesem Telefon zurückverfolgen. Sie würden seine Fingerabdrücke finden.

Jimmys ganzer Körper zitterte. Er durfte nichts mehr berühren. Er durfte nicht mehr sprechen. Er durfte von keiner Kamera erfasst werden. Er durfte nicht einmal mehr aufblicken, damit die Satelliten sein Gesicht nicht erkannten.

»Ich bin gefangen«, wisperte er. »Gefangen in meinem eigenen Körper.«

Er hämmerte den Hörer auf die Gabel. Sein Blick schoss kreuz und quer über den Platz. Er war ein gehetztes Tier, und jedes Aufblitzen konnte der Jäger sein, der auf ihn anlegte.

Schließlich zog er den Ärmel über die Hand und wischte alles ab, was er berührt hatte. Dann bemerkte er das kleine LED-Fenster des Telefons. Jimmy hörte auf zu wischen und starrte auf das Display. In kleinen grauen Ziffern stand dort: 5:54 – 4. APRIL.

Jimmy donnerte seine Faust gegen das Telefon. Seine Knöchel krachten gegen das Metall. Er holte aus, um erneut zuzuschlagen, doch er wusste, dass es völlig unsinnig war. Die Gewalt seines ersten Schlages hatte eine faustgroße Beule im Telefonapparat hinterlassen. Das LED-Display war erloschen.

Genug!, schrie er sich selbst innerlich an. *Vergiss es. Du hast nicht Geburtstag. Du hast eine Mission. Geh zurück nach New York.*

KAPITEL 11

Es war nichts Ungewöhnliches an Flug BA719. Ein normaler Linienflug aus New York und wie üblich ausgebucht.
Viel Flugverkehr nach Großbritannien gab es nicht mehr
in diesen Tagen, weil kaum Besucher zugelassen wurden.
Daher konkurrierten die Geschäftsleute, denen die Ein-
und Ausreise noch gestattet war, um die wenigen Sitze.

Helen Coates führte Georgie und Felix in die Halle der
Einwanderungsbehörde. Dort stand eine lange Schlange –
Menschen, die stumm und mit gesenkten Köpfen warteten.

»Warum wollen so viele Menschen nach England kommen?«, fragte Georgie.

»Vielleicht sind ihre Eltern auch vom *NJ7* entführt worden«, brummte Felix. »Vielleicht ist das ein raffinierter
Plan der Regierung, um den Tourismus anzukurbeln.«

Georgie grinste, aber eigentlich versetzte es ihr einen
kleinen Stich ins Herz. Sie wusste, was Felix gerade durch-
machte, obwohl er sich nie beklagte. Er schaffte es sogar,
zu lächeln und seine üblichen blöden Witze zu reißen.

Vielleicht ist das seine Art, damit fertig zu werden,
dachte sie. Dann legte ihre Mutter ihr die Hand auf die
Schulter.

»Erinnerst du dich, was wir besprochen haben?«,

flüsterte Helen. »Wir sind tieftraurig wegen Jimmy. Aber übertreibt es nicht. In Ordnung, da kommen sie.«

Sie warf Georgie und Felix einen beruhigenden Blick zu.

Als Georgie sich umdrehte, entdeckte sie Miss Bennett, die auf der anderen Seite der Glaswand auf sie zumarschierte. Sie wurde von großen, muskulösen Männern in schwarzen Anzügen flankiert. Jeder der Männer trug einen schmalen grünen Streifen auf seinem Revers. Miss Bennetts Gang und ihre ganze Erscheinung strahlte Macht aus.

Georgie konnte sie sich gut als Lehrerin vorstellen. Selbst jetzt erteilte Miss Bennett beständig Instruktionen. Dann bemerkte Georgie, wem diese Instruktionen galten, und sie schnappte nach Luft. Ihre Haut prickelte vor freudiger Aufregung und Sorge zugleich. Direkt hinter Miss Bennett folgte Georgies beste Freundin Eva Doren, die sich bemühte mit ihrer Chefin Schritt zu halten und sich dabei eifrig Notizen machte.

Georgie starrte zu ihr hinüber. Ihre Freundin hatte sie noch nicht bemerkt. Wie sollte sie sich verhalten? Hatte Miss Bennett Eva absichtlich mitgebracht, als eine Art Test? Schließlich ging Miss Bennett davon aus, dass Eva Jimmy und seine Familie verraten hatte und jetzt dem *NJ7* treu ergeben war. Georgie überlegte, wie sie wohl auf Eva reagiert hätte, falls es tatsächlich so gewesen wäre. Sollte sie Eva anschreien? Oder sie besser ignorieren?

Doch ihr blieb keine Zeit für lange Überlegungen. Einer der Agenten öffnete die Tür für Miss Bennett und ließ seine Chefin durch.

»Willkommen zurück«, verkündete Miss Bennett ohne die Miene zu verziehen.

»Ach, wir werden sogar von Ihnen persönlich empfangen!«, erwiderte Helen. »Ich dachte eigentlich, Sie wären völlig ausgelastet damit, Lügen zu verbreiten und unschuldige Menschen zu verfolgen und zu quälen.«

Miss Bennetts Mund verzog sich zu einem überheblichen Grinsen. Sie blickte zu Georgie. »Deine Mutter und ich werden sehr gut miteinander auskommen«, erklärte sie. »Vorausgesetzt deine Mutter hält ihren Mund. Und zwar dauerhaft.«

Georgie gab sich alle Mühe, ruhig zu bleiben und Miss Bennetts Starren zu erwidern. Aus ihren Augenwinkeln konnte sie Eva sehen. *Lass dir nicht das Geringste anmerken,* befahl Georgie sich selbst.

»Lassen Sie meine Tochter in Ruhe«, zischte Helen. »Lassen Sie uns alle in Ruhe. Bitte. Ich habe meinen Sohn verloren. Lassen Sie mich wenigstens meiner Tochter eine gute Mutter sein.« Sie legte ihren Arm um Georgies Schultern und drückte sie. Es gab Georgie ein warmes Gefühl in der frostigen Kälte dieser Situation.

»Man wird Sie überwachen«, verkündete Miss Bennett. »Jede Sekunde an jedem Tag.«

»Das wird aber ziemlich langweilig auf die Dauer«, erwiderte Helen. »Wir werden nämlich nichts für Sie Interessantes unternehmen.«

»Das will ich doch sehr hoffen.« Miss Bennett musterte Helen Coates von Kopf bis Fuß. »Ich musste Oberst Keays versprechen, Sie nicht beseitigen zu lassen. Aber sobald

Sie irgendetwas auch nur im Ansatz Interessantes unternehmen, breche ich mein Versprechen.«

In diesem Moment erlaubte sich Georgie zum ersten Mal, direkt zu Eva zu schauen. Ihre Freundin schien entspannt – als sei dies einfach nur ein weiterer Tag bei ihrem Praktikum. Sie bewegte sich zwanglos in ihrem schwarzen Businesskostüm. Sie wirkte wie eine Miniaturausgabe von Miss Bennett – bis hin zum Make-up. Georgie war entsetzt.

Sie versuchte verzweifelt, Blickkontakt zu ihrer Freundin herzustellen, aber Eva reagierte nicht. Wenn sie gerade nichts auf ihrem Laptop tippte, starrte sie geradeaus auf den Rücken von Miss Bennetts Jackett.

Was ist passiert?, fragte sich Georgie. *Ist sie jetzt eine von denen?*

Ihr wurde bei der Vorstellung ganz übel. Doch dann zwang sie sich, vernünftig zu denken. *Natürlich ist Eva immer noch auf unserer Seite*, dachte sie. *Wie kann ich nur an meiner besten Freundin zweifeln?* Sie wandte sich von Eva ab und versuchte, sich wieder auf die Unterhaltung zu konzentrieren.

Miss Bennett drehte sich zu Felix. »Was ist mit deinen Eltern passiert?«, fragte sie. »Keays hat etwas davon erzählt, dass sie in New York verschollen sind.« Dann kicherte sie und fügte hinzu, als wäre es ein gelungener Scherz: »Hast du sie etwa dort verloren?«

Felix blickte fassungslos zu Helen auf.

Georgie kochte innerlich. Am liebsten hätte sie Miss Bennett geohrfeigt oder ihr lieber noch gegen das Knie getreten. Warum musste sie Felix so verletzen?

»Aber Sie waren es doch …« Helen unterbrach sich und holte tief Luft. »Wir wurden von Neil und Olivia getrennt. Ich werde mich um Felix kümmern.«

»Was für ein Glück für Felix«, nickte Miss Bennett schließlich. »Meinetwegen kann er bei Ihnen bleiben, bis wir Pflegeeltern für ihn gefunden haben. Und jetzt bitte hier lang.«

Sie schob die kleine Gruppe durch eine Tür der Glaswand, in einen für die Öffentlichkeit unzugänglichen Bereich und führte sie dann im Gänsemarsch durch einen Flur. Vorne und hinten marschierten die beiden *NJ7*-Agenten, sodass ihnen keine andere Wahl blieb, als zu folgen.

»Ich nehme an, ihr habt keine Pässe bei euch?«

Alle schüttelten den Kopf.

»Also gut«, seufzte Miss Bennett. »Meine Assistentin wird euch die entsprechenden Formulare zum Ausfüllen geben.« Sie winkte Eva, die direkt hinter ihr stand.

Georgie hatte sich absichtlich etwas zurückfallen lassen, damit sie nicht in Evas Nähe kam. Es schien ihr zu riskant.

Miss Bennett fuhr fort: »Anschließend nehmen wir eure Fingerabdrücke, eine DNA-Probe, eine Stimmprobe, einen Retina-Scan. Außerdem werdet ihr ein vollständiges Geständnis über all eure anti-britischen Aktivitäten ablegen, inklusive einer Entschuldigung und einer Loyalitätserklärung. Dann wartet ein Team von Anti-Terror-Spezialisten darauf, euch zu untersuchen. Und dann – Gratulation! Dann seid ihr erneut Bürger des neodemokratischen Staates von Großbritannien. Es könnte natürlich eine Weile dauern, eine Wohnung für euch zu finden, aber bis dahin werdet ihr in einer staatlichen Einrichtung untergebracht.«

»Eine Wohnung für uns finden?«, fragte Helen verdutzt. »Was ist denn mit unserem Haus passiert?«

»Das gehört jetzt der Regierung. Oder dem Premierminister, sollte er es je wieder benötigen.«

Helen war sprachlos. »Sie dürfen doch nicht einfach…« Sie würgte den Rest des Satzes herunter.

Miss Bennett marschierte weiter, ohne ihr Tempo auch nur zu verlangsamen. »Natürlich dürfen wir«, zischte sie. »Wir verstaatlichen ständig Privateigentum.«

Dann blickte sie zu Helen auf und senkte die Stimme. »Übrigens«, fügte sie zögernd hinzu, »möchte ich Ihnen mein Mitgefühl für Ihren Verlust aussprechen. Ich habe selbst keine Kinder, aber ich hoffe, Sie akzeptieren mein Beileid und verstehen, dass es einfach getan werden musste.« Sie blickte durch die Glaswand hinaus auf die graue Welt der Start- und Landebahnen. Die Seitenleitwerke der dort abgestellten Flugzeuge ragten empor wie Grabsteine. »Es war zum Wohle unseres Landes.«

Während sie weiterliefen, begann Georg leise zu schluchzen, ohne wirklich zu wissen, warum.

KAPITEL 12

Jimmy brauchte zwei Tage bis nach New York. Ohne einen Cent in der Tasche und um möglichst jede Begegnung mit der Polizei zu vermeiden, musste er bei jeder Gelegenheit das Transportmittel wechseln: Er fuhr mit Zügen, Bussen und Schiffen. Außerdem lief er mindestens dreißig Kilometer zu Fuß. Er musste beständig in Bewegung bleiben. Und das bedeutete manchmal auch, dass er nicht die direkte Route nehmen konnte. Doch schließlich hatte er es geschafft.

Er wanderte wachsam die 42ste Straße entlang und kratzte sich dabei unter dem Kragen des dicken wollenen Hemdes, das er im Zug aus jemandes Koffer gemopst hatte. Seine Turnschuhe stammten aus dem Fundbüro eines Busbahnhofs; ebenso wie die Baseballkappe, die er tief über die Augen gezogen hatte.

Er veränderte ständig seine äußere Erscheinung, und er trug absichtlich Schuhe, die ihm eine Nummer zu klein waren, um sich daran zu erinnern, dass er sich in Kleidern, die nicht seine eigenen waren, nicht allzu wohl fühlen sollte.

Die strahlenden Lichter des Times Square ließen ihn blinzeln und er beschleunigte seine Schritte. Es machte ihn nervös, dass er in dieser taghellen Umgebung den Blicken so vieler Menschen ausgesetzt war. Aber es blieb ihm keine andere Wahl. Denn er hoffte, dort Oberst Keays zu treffen.

Jimmy erinnerte sich an seine erste Begegnung mit dem Oberst. Sie waren sich in einem abgelegenen Tunnel des U-Bahnhofs Times Square begegnet, hinter einer scheinbar unbenutzten Tür. Es war der Hintereingang des früheren *Knickerbocker*-Hotels. Das Hotel hatte schon vor vielen Jahrzehnten dichtgemacht und der größte Teil des Gebäudes war in ein Kino umgewandelt worden. Die *CIA* hatte die Gelegenheit genutzt und in den Untergeschossen geheime Trainingsräume eingerichtet.

Ohne Geld konnte Jimmy den U-Bahnhof nicht betreten. Und das Letzte, was er im Augenblick brauchte, war eine Festnahme wegen Schwarzfahrens. Jetzt, wo er so dicht vor seinem Ziel war. Also lief er am U-Bahn-Eingang vorbei. Er hatte einen anderen Plan.

Vor sich sah er drei Kinos. Eines davon musste das alte *Knickerbocker*-Gebäude sein. Wenn Jimmy das richtige fand, gelangte er von dort vielleicht auf anderem Wege in die Räumlichkeiten des *CIA*.

Die Menschenmenge wurde jetzt immer dichter und lauter. Jimmys Instinkte befanden sich im Alarmzustand. Jedes Mal, wenn ihn jemand streifte, zuckte sein Kopf herum.

Schließlich erreichte er das *AMC*-Kino auf der 42sten Straße, nur wenige Meter vom Times Square entfernt. Er tat so, als würde er die Aushänge studieren. Doch in Wahrheit hatte er etwas viel Interessanteres entdeckt.

Neben dem Kinoeingang war ein kleiner Bereich der Straße mit Barrieren abgegrenzt. Eine Gruppe von sechs Straßenarbeitern in knallgelben Overalls und Plastikhelmen stand dort mit dampfenden Kaffeebechern in der Hand.

Was arbeiten die dort?, fragte sich Jimmy.

Es schien nicht viel zu tun zu geben und der Stapel Holzbretter zu ihren Füßen hatte keine erkennbare Funktion. Das war's – ihre Füße. Drei der Arbeiter trugen stabile braune Arbeitsstiefel. Aber die Füße der anderen drei, die ansonsten genauso gekleidet waren, steckten in glänzenden schwarzen Halbschuhen, wie man sie im Büro trägt – oder beim Geheimdienst.

Vorsichtig näherte sich Jimmy der Gruppe.

Die Arbeiter standen rund um einen geöffneten Kanaldeckel. Jimmy war jetzt sicher, dass dies sein gesuchter Zugang war. Aber durfte er einfach auf die Arbeiter zugehen und sie bitten, ihn durchzulassen? Ihm blieb keine große Wahl.

Er holte tief Luft und mobilisierte etwas von seiner tiefen inneren Kraft. Vibrierend schoss sie durch seine Adern. Falls er jetzt einen Fehler machte, musste er jederzeit einen raschen Abgang hinlegen können.

»Ich muss mit Oberst Keays sprechen«, sagte er so leise, dass nur die Arbeiter ihn verstehen konnten.

Sie ragten bedrohlich über ihm auf. Ihre Arme und Schultern wölbten sich mächtig unter ihren Overalls. *Vielleicht sind es wirklich Straßenarbeiter*, dachte Jimmy.

Einer von ihnen, mit einem runden Gesicht und einem

kurzen Bart, warf ihm aus dem Augenwinkel einen bösen Blick zu. »Verschwinde hier, Junge«, knurrte er. »Wir haben zu tun.«

Jimmy fixierte die blankpolierten Schuhe des Mannes. Er wollte keine Auseinandersetzung, aber er musste klarstellen, wer er war. »Ist schon in Ordnung«, sagte er ruhig. »Ich weiß, wer Sie sind. Ich muss runter ins *Knickerbocker* und Oberst Keays sprechen.«

Kurz herrschte Schweigen. Die Arbeiter blickten einander an. Dann griff der Mann mit dem Bart plötzlich in seinen Overall und zückte seine Pistole, eine *SIG Sauer P229*.

Adrenalin jagte durch Jimmys Körper. Er rammte eine der Absperrungen mit seiner Schulter. Sie krachte gegen den Agenten mit der Pistole, der nach hinten taumelte.

Sofort griffen die anderen Arbeiter in ihre Overalls. Und schlagartig sah sich Jimmy von fünf *.357-Kaliber*-Pistolen anvisiert. Doch die Panik setzte ihn nicht lange außer Gefecht.

Seine Konditionierung hatte ihn die ganze Zeit am Leben erhalten. Und nun lief sie auf Hochtouren. Sie wollte zuschlagen. Jimmy war auf Angriff trainiert. Er konnte es spüren. Diese Agenten hatten ihn in ihrer Dummheit herausgefordert und jetzt konnte er sich kaum noch beherrschen. Seit dem Flugzeugabsturz war seine Kraft kontinuierlich zurückgekehrt und mit ihr das Monster in seinem Inneren.

Ganz ruhig, ermahnte er sich selbst. Er schluckte, schloss die Augen und versuchte seinen Körper unter

Kontrolle zu halten. Dann hob er langsam die Hände. »Bringen Sie mich zu Oberst Keays«, wiederholte er mit bebender Stimme.

In diesem Augenblick hörte Jimmy Schreie – einige Passanten hatten die Pistolen entdeckt. Jimmy verfluchte sich selbst, dass er so viel Aufmerksamkeit erregt hatte.

»Schafft ihn von der Straße!«, schrie eine raue Stimme.

Jemand packte ihn mit einem stahlharten Griff von hinten.

Jimmy zwang sich, keinen Widerstand zu leisten. Und wer auch immer ihn gefasst hatte, sprang mit ihm in die Kanalöffnung. Jimmy stürzte hinab ins Dunkel.

»Holt die Polizei, um die Menge zu beruhigen«, hallte eine Stimme zu ihm hinab. »Erzählt ihnen, wir drehen hier einen Film.«

Der Arbeiter landete auf den Füßen und stöhnte wegen des harten Aufpralls. Doch er hatte Jimmy immer noch fest im Griff und schleuderte ihn zu Boden.

Jimmys sämtliche Knochen knirschten. Er spannte gerade noch rechtzeitig die Halsmuskulatur an, um zu verhindern, dass sein Kopf auf den Steinboden krachte.

»Einsatzgruppe Eindringling!«, rief der Mann in ein kleines Walkie-Talkie, das in seinem Overall versteckt war. Gleich darauf ließ jemand von oben eine Pistole in den Kanalschacht fallen. Der Agent fing sie geschickt auf und richtete sofort den Lauf auf Jimmys Kopf.

Jimmy blieb kein Ausweg. Der Tunnel war zu eng, um sich beiseite zu rollen.

»Ich habe den Angreifer«, verkündete der Mann. »Ich

wiederhole: Ich habe Mitchell Glenthorne im Visier. Erteilen Sie Schießbefehl?«

Jimmy schnappte nach Luft. »Ich bin nicht Mitchell!«, rief er, so schnell er konnte. »Ich bin Jimmy! Jimmy Coates!«

Der Agent kniff die Augen zusammen, zielte aber weiter direkt auf Jimmys Kopf. »Jimmy?«, sagte er. »Aber du ...« Er unterbrach sich und blickte rasch nach oben zur Straße. »Sichert weiter die Position!«, kommandierte er, dann blickte er zurück zu Jimmy. »Jimmy Coa...?« Erneut unterbrach er sich mitten im Wort.

Jimmy nickte.

Der Mann hob seine Faust. Zuerst dachte Jimmy, er wollte ihm ins Gesicht schlagen, doch stattdessen schob der Mann nur Jimmys Kappe aus seinem Gesicht.

»Verdammt!«, rief der Agent. »Du Idiot!«

»Was habe ich denn getan?«, protestierte Jimmy.

»Sag nie wieder deinen echten Namen! Was, wenn dich da oben jemand hört? Du bist tot, schon vergessen?«

»Was hätte ich denn tun sollen?«, schrie Jimmy zurück. Sein Gesicht brannte vor Wut. »Ich musste Ihnen doch sagen, wer ich bin – Sie dachten, ich wäre Mitchell!«

»Tja, was hast du denn erwartet? Es gibt nur drei jugendliche Agenten mit euren Fähigkeiten auf der Welt. Nur zwei davon sind männlich, und einer von ihnen – der einzige, der auf unserer Seite ist –, starb bei einem Flugzeugabsturz über dem Golf von Mexiko.« Er neigte den Kopf zur Seite und funkelte Jimmy wütend an. »Außerdem hattest du deine Kappe tief ins Gesicht gezogen. Und ihr englischen Jungs schaut doch alle gleich aus ...«

»Nehmen Sie jetzt endlich diese Pistole runter«, fauchte Jimmy. »Oder muss ich sie Ihnen abnehmen?«

Der Mann zögerte eine Sekunde, offensichtlich ließ er sich nicht gerne von einem Jungen herumkommandieren, aber dann entspannte sich sein Gesicht. »Es ist gut, dich zu sehen, Jimmy«, murmelte er. »Aber was zum Teufel tust du hier?«

»Ich glaube, das sollte ich besser Oberst Keays erklären.«

»Ach tatsächlich«, grunzte der Agent sarkastisch.

KAPITEL 13

»Warum bist du nicht einfach in Texas zur Polizei gegangen?«, motzte Oberst Keays. »Oder in irgendeinem anderen Staat zwischen dort und hier? Hast du vergessen,
wie man ein Telefon benutzt? Oder hattest du einfach Spaß
daran, hier einen großartigen Auftritt hinzulegen?«

»Ich habe es Ihnen doch gesagt«, erwiderte Jimmy, der
nur mühsam seinen Ärger verbarg. »In Texas wollten sie
mich verhaften. Und das Telefon habe ich nicht benutzt,
weil der *NJ7* sämtliche Anrufe zum Geheimdienst über-
wacht. Sie wären sofort auf mich aufmerksam geworden,
selbst wenn ich meine Stimme verstellt hätte.«

Jimmy saß auf der untersten Treppenstufe in der ehemaligen Lobby des *Knickerbocker* Hotels. Er hatte dort
über drei Stunden auf Oberst Keays gewartet.

Jimmy erkannte den staubigen Geruch des Raumes
wieder. Alle Fenster waren mit Holzbrettern vernagelt und
gut isoliert, daher drangen weder Licht noch Geräusche
von draußen herein. Lediglich die vielen flackernden
Glühbirnen des Kronleuchters erhellten die Lobby. Die
Wände waren blutrot und von Ruß verschmiert.

»Mir war nicht klar, dass deine Konditionierung dich
paranoid macht«, sagte Oberst Keays.

»Sie wären auch paranoid, wenn der Geheimdienst Ihres Landes Sie zu töten versuchte.«

»Tja, glücklicherweise *bin* ich der Geheimdienst meines Landes. Daher kann ich ruhig schlafen. Ha!«

Jimmy konnte sich ein leises Knurren nicht verkneifen. Er hatte eigentlich Dankbarkeit erwartet. Schließlich hatte er sich tagelang unter äußerstem Einsatz abgemüht, um nach New York zurückzukommen, um äußerst wichtige Informationen von Keays eigenen Agenten zu übermitteln. Doch stattdessen erntete Jimmy nur spöttische Bemerkungen und Vorwürfe. Er fühlte sich wie beim Nachsitzen in der Schule.

»Also«, murmelte er, »was werden Sie wegen *Neptuns Schatten* unternehmen?«

Oberst Keays schüttelte den Kopf und senkte den Blick auf den fleckigen Teppich. »Zwei hervorragende Männer sind tot«, sagte er mit düsterer Stimme. »Ich hatte von Anfang an Bedenken wegen dieses Fluges.« Er ballte die Fäuste und schloss die Lider. »Ich hätte meiner Intuition vertrauen sollen.« Er öffnete die Augen wieder. »Wir sind davon ausgegangen, dass du mit dem Flugzeug untergegangen bist, weißt du?«

Jimmy nickte. »Klar«, erwiderte er. »Das habe ich mir schon gedacht.«

»Ich wünschte, du …« Keays unterbrach sich. »Ach, was soll das alles jetzt? Hauptsache, dir geht es gut.«

Mit einem Seufzer ließ er sich neben Jimmy auf der Treppenstufe nieder. Es war einer der wenigen Momente, in denen Jimmy Keays Alter auffiel. Der Oberst war mindestens sechzig, aber er bewegte sich mit solcher Energie und Kraft, dass er die meiste Zeit viel jünger wirkte. Üblicherweise zeugten nur die Medaillen auf seiner Uniform von seiner jahrzehntelangen Erfahrung.

»Du wirkst dünner«, stellte er fest.

»Ich habe eine Diät gemacht«, scherzte Jimmy.

Keays zuckte mit den Achseln und sagte dann mit sachlicher Stimme: »Wenn die Information, die du mir überbracht hast, zutrifft, dann ist das eine Katastrophe. Wenn *Neptuns Schatten* keine Ölbohrinsel, sondern tatsächlich eine Raketenabschussbasis ist, und die Flugkörper in Vorbereitung eines Angriffs auf Frankreich gerichtet sind ...«

Er unterbrach sich und strich sich nachdenklich über die Wangen. »Warum opfern sie eine Ölbohrinsel?«, flüsterte er leise. »Sie müssen verrückt sein.«

»Warum ist das verrückt?«, fragte Jimmy. »Für mich ergibt das absolut Sinn.«

Er konnte kaum fassen, dass er die Seite der britischen Regierung vertrat, aber es schien da etwas zu geben, das Keays ihm bisher verschwiegen hatte. »Wenn ich Raketen hätte und sie auf Frankreich abfeuern wollte, dann würde ich sie auch draußen auf dem Meer verbergen.«

Der Oberst nickte. »Du hast recht«, gab er zu. »Aber es ist trotzdem ein schlechtes Zeichen. Es bedeutet, dass Ian Coates seine Kriegsvorbereitungen über wirtschaftliche Interessen stellt.«

Jimmy blickte den Oberst ausdruckslos an.

»Es ist doch so«, erklärte Keays. »Der alte Premierminister Ares Hollingdale war von der Idee besessen, dass in England nur englische Produkte gekauft werden dürfen. Also sollte Großbritannien keine ausländischen Güter mehr importieren. Was wiederum bedeutete, dass andere Länder aufhörten, Waren aus England zu kaufen.«

»Klar, das weiß ich doch«, schaltete sich Jimmy ein. »Ich habe dort gelebt, schon vergessen?« Er hasste es, wenn Keays mit ihm redete wie mit einem Kleinkind.

»Ha!«, lachte Keys. »Klar doch, natürlich habe ich glatt vergessen, dass du alles weißt, Jimmy Coates.«

Getroffen von seinem ätzenden Sarkasmus ließ Jimmy den Kopf sinken.

»Auf die Weise drohte das ganze Land irgendwann bankrott zu gehen!«, fuhr Keays fort. »Aber Hollingdale hatte einen Plan. Vor etwa acht Jahren schickte er die Armee los, um die Energieunternehmen zu verstaatlichen. Er nannte es ›Nationalisierung‹, aber für den Rest der Welt sah es so ziemlich nach Diebstahl aus.«

»Er bestahl die Unternehmen? Also ihr Geld?«

»Besser noch, er übernahm die Kontrolle über sämtliche Ölfelder im Hoheitsgebiet Großbritanniens – und niemand konnte etwas dagegen unternehmen. Die Welt braucht Öl, Jimmy. Egal wie sehr wir uns bemühen, ohne Benzin und Plastik zu leben, offenbar können wir unsere alten Gewohnheiten nur schwer ablegen. Und in der Nordsee lagern große Ölvorräte – im Vergleich zu den arabischen Ländern ist es zwar nur ein Tröpfchen –, trotzdem gibt es genug davon. Und selbst eine kleine Menge Öl ist Milliarden von Dollar wert.«

»Aber ... aber«, stotterte Jimmy. »Wie kann die englische Regierung ...?«

»Tja, so ist das Leben, mein Junge. Es ist zuvor schon in anderen Ländern geschehen und wird vermutlich immer wieder vorkommen. Wenn du das Öl kontrollierst, dann hast du die Macht und das Geld, um eine ganze Nation zu beherrschen.«

»Und jetzt haben sie aus einer Ölbohrinsel eine Raketenabschussbasis gemacht?« Jimmy begriff langsam, dass die Situation noch schlimmer war, als er es befürchtet hatte. Offenbar wollte Großbritannien sich mit seiner geballten Macht in einen Krieg stürzen.

Keays schüttelte ungläubig den Kopf. »Ich bin froh, dass du mir diese Information so schnell wie möglich überbracht hast«, sagte er. »Aber es gibt nicht viel, was die USA bei einem kriegerischen Konflikt zwischen England und Frankreich unternehmen könnten. Jedenfalls können wir keine Truppen schicken. Wir müssen uns auf diplomatische Maßnahmen und Aktivitäten hinter den Kulissen beschränken. Ich werde mich an den Botschafter in London wenden.«

In Keays Stimme lag ein Unterton, der alles andere als beruhigend klang.

»Glauben Sie, der Botschafter kann etwas tun, um einen Krieg zu verhindern?«, fragte Jimmy.

»Ich schätze, seine Chancen stehen eins zu einer Million.«

Jimmy war verblüfft über die Gewissheit, mit der der Oberst diese Worte aussprach.

»Also ...«, stammelte Jimmy, »Sie glauben, nichts und

niemand kann England aufhalten, seine Raketen auf Frankreich abzufeuern?«

»Wenn die britische Regierung etwas vorhat, dann findet sie normalerweise auch einen Weg, es zu tun. Ich befürchte, dass Verhandlungen und Diplomatie bei ihnen nichts mehr bewirken. Ich hatte Hoffnungen auf eine Wendung zum Besseren, als Präsident Grogan Großbritannien seine Unterstützung im Kriegsfall verweigerte und dein Vater in England an die Macht kam ...«

»Er ist nicht mein Vater«, schnappte Jimmy.

»Oh ja, natürlich. Tut mir leid.« Keays schüttelte den Kopf. »Ich meinte natürlich, jetzt wo Ian Coates der Premierminister ist. Doch die Dinge scheinen sich seither eher zum Schlechteren zu wenden.«

»Und was wird im Fall eines Raketenangriffs passieren?«, fragte Jimmy sorgenvoll.

»Frankreich wird zurückschlagen.« Keays sprach das so lässig aus, als handle es sich um die Wettervorhersage. »Es wird Tote geben. Auf beiden Seiten.«

»Können wir denn die französische Regierung nicht warnen?«

»Das könnten wir, aber es würde England nicht von seinen Plänen abhalten und Frankreich nur zu noch härteren Vergeltungsmaßnahmen provozieren.«

Er blickte Jimmy lange an. »Ich befürchte, im Augenblick ist keine gute Zeit, sich in Paris oder London aufzuhalten.«

Jimmy fühlte, wie die Panik in ihm hochkroch.

»Wo ist meine Mum?«, keuchte er.« Und wo ist Georgie?«

KAPITEL 14

Jimmy musterte angespannt Oberst Keays' Gesicht, da er schlechte Nachrichten befürchtete. Doch der Oberst verzog keine Miene.

»Bitte sagen Sie mir, dass sie in Sicherheit sind«, flehte Jimmy. »Sagen Sie mir, dass sie irgendwo in Amerika untergetaucht sind. Oder sonstwo auf der Welt.«

»Ich habe sie zurück nach England geschickt«, erklärte Keays langsam. »Da du in Sicherheit warst, bestand kein Grund mehr, sie hier zu behalten. Außerdem wollte deine Mutter nach Felix' Eltern suchen.«

»Nach seinen Eltern suchen?« Jimmys große Besorgnis wurde kurzzeitig von seiner maßlosen Verblüffung verdrängt.

Keays nickte und stieß einen tiefen Seufzer aus. »Tut mir leid, Jimmy. Ich hätte dich längst darüber informieren sollen, aber da waren so viele andere Dinge, die wir besprechen mussten.«

»Worüber?« Jimmy versuchte, einen gelassenen Tonfall zu bewahren, doch es fiel ihm reichlich schwer.

»Während du aus New York geflüchtet bist, wurden Neil und Olivia Muzbeke aus dem sicheren Unterschlupf entführt. Wir vermuten, dass der *NJ7* dahintersteckt.«

Jimmy konnte es nicht fassen. Eine Katastrophe jagte die nächste. Es hätte ihn nicht gewundert, wenn im gleichen Augenblick die Wände des Gebäudes über ihnen eingestürzt wären.

Er barg seinen Kopf in den Händen. In den dunkelsten Ecken seines Bewusstseins tauchten düstere Visionen auf. Seine Programmierung plante in seiner Vorstellung bereits einen gewaltsamen Angriff auf Großbritannien.

»Wir müssen sie dort rausholen«, flüsterte er. »Sonst werden sie alle sterben. Wenn der *NJ7* sie nicht tötet, dann werden sie durch die Vergeltungsschläge der Franzosen ums Leben kommen.« Kurz schwieg er. »Und warum sollten sie keine Vergeltung üben?!«, rief er. »Wenn England sie grundlos angreift? Es ist einfach verrückt!«

Jimmy konnte nicht mehr stillsitzen. Er sprang auf und marschierte mit geballten Fäusten im Raum auf und ab. »Wir müssen ihn stoppen. Dieser Mann darf nicht einfach einen Krieg beginnen, wenn ihm danach ist.«

»Ich fürchte allerdings, die Lage ist etwas komplizierter, Jimmy.«

»Aber, warum?«, schrie Jimmy. »Es muss doch nicht sein, oder? Wenn er Frankreich angreift, werden Tausende von Menschen sterben – oder sogar Millionen! Und unter ihnen werden auch Mum und Felix und Georgie sein…«

Jimmy konnte spüren, wie sein Kinn bebte, aber er verkniff sich die Tränen. Er war zu wütend, um seiner Verzweiflung nachzugeben. »Ich hatte so gehofft, dass endlich alle in Sicherheit sind«, flüsterte er. »Ich dachte, es wäre endlich vorüber.«

»Ich weiß«, sagte Keays. »Das dachte ich auch.«

Jimmy brachte kein Wort mehr heraus.

»Hier«, sagte Keays sanft und langte in sein Jackett. Dann hielt er Jimmy einen säuberlich in der Mitte gefalteten Notizzettel hin.

Jimmy der abgewandt stand, beobachtete ihn aus den Augenwinkeln.

»Du hattest kürzlich Geburtstag, oder?«

Jimmy nickte widerwillig. Es war jetzt wirklich das Letzte, an das er erinnert werden wollte.

»Deine Schwester und dein Freund haben dir einen Geburtstagsgruß geschrieben, bevor sie abgereist sind.«

Jimmy brauchte ein paar Sekunden, bis er den Mut aufbrachte, den Zettel zu nehmen und zu entfalten. Und gleich darauf senkten sich seine Mundwinkel und er musste sich die Tränen aus den Augen wischen.

Auf den ersten Blick erkannte er die feinsäuberliche, geschwungene Handschrift seiner Schwester. Sie bedeckte den Großteil des Zettels. Jimmy las ihn so schnell er konnte, denn er fürchtete, es nicht bis zum Ende zu schaffen, bevor ihn seine Gefühle überwältigten.

In ihrer Nachricht stand:

Alles Gute zum Geburtstag! Tut mir leid, dass ich kein Geschenk für Dich habe. Eigentlich wollte ich ein Buch oder sowas für Dich besorgen, aber ich habe keine Ahnung, auf was Du so stehst, obwohl Du natürlich genau weißt, auf was ich stehe. Wir werden uns noch mal darüber unterhalten müssen, und zwar gründlich, oder? Jedenfalls, ich vermisse Dich

bereits ziemlich. Aber ich weiß, wir werden uns wiedersehen.
Das verspreche ich. Ich werde alles dafür tun, dass es klappt.
Wir denken an Dich.

Jimmy dachte nicht lange über das Gelesene nach, denn darunter folgte direkt Felix' unverkennbares Gekritzel. Aus irgendeinem Grunde schrieb sein Freund immer in Großbuchstaben, und Jimmy war einer der wenigen Menschen auf dem Planeten, der Felix' Sauklaue entziffern konnte. Der Gedanke brachte ihn beinahe zum Lachen.

Felix hatte geschrieben:

ALLES GUTE ZUM GEBURTSTAG! VERMISS DICH KEIN
BISSCHEN, WIESO AUCH. HEY, WER BIST DU ÜBER-
HAUPT? JEDENFALLS, DEINE SCHWESTER HAT DIR
'NEN GUTEN TIPP GEGEBEN. HALT DICH BESSER DRAN.
WIR SEHEN UNS. TSCHAU.

Sobald Jimmy die Worte gelesen hatte, verdrängte er sie auch schon wieder aus seinem Kopf. Selbst das Papier in seinen Händen zu fühlen, war im Augenblick zu viel für ihn, daher stopfte er den Zettel rasch in die Hosentasche und tat so, als würde er sich am Kopf kratzen.

»Hör zu«, sagte Keays und die Resonanz seiner tiefen Stimme ließ den Kronleuchter leise klirren. »Ich weiß, du machst dir große Sorgen. Aber du hast bereits eine richtige Entscheidung getroffen. Es ist einfach fantastisch, dass du Miss Bennett von deinem Tod überzeugen konntest. Du kannst jetzt nicht wieder zurück nach England.«

»Will ich auch gar nicht«, warf Jimmy ein. »Ich will nie wieder dorthin zurück. Das ist längst nicht mehr meine Heimat.«

Kaum hatte er das gesagt, legte sich ein Druck auf Jimmys Brust. Großbritannien war zwar nicht mehr sein Zuhause, aber dort lebten all die Menschen, die ihm etwas bedeuteten.

»Freut mich, dass du das sagst, Jimmy. Deine Familie und deine Freunde können nun ihr eigenes Leben leben. Du hast sie gerettet. Und auch du kannst ein normales Leben führen, sobald wir einen neuen Aufenthaltsort für dich gefunden haben.«

Jimmy hörte kaum zu. Er wollte sich nicht beruhigen lassen. In ihm brodelten Wut und Enttäuschung. Sie waren kontinuierlich gewachsen, seit er über dem Golf von Mexiko abgeschossen worden war.

»Gut«, verkündete er plötzlich mit neuer Entschlossenheit. »Und was ist mit Gewalt?«

»Wovon redest du?«, fragte Keays.

»Sie haben gesagt, Verhandlungen bringen nichts. Mit der britischen Regierung. Mit meinem … mit dem Premierminister und Miss Bennett.«

»Ich fürchte, das ist richtig. Wir haben es versucht, aber …«

»Und was ist mit Gewalt?«, wiederholte Jimmy. Er richtete sich zu voller Größe auf und straffte seine Schultern.

»Gewalt?«

»Ja. Die Marines, die Armee oder … was auch immer. Ist egal. Irgendjemand …«

Jimmys Stimme wurde lauter und über ihnen war aus einem der Kinosäle das Dröhnen einer Explosion zu hören. »Irgendjemand muss doch in der Lage sein, diese britischen Raketen auf *Neptuns Schatten* unschädlich zu machen.«

»Hör zu, Jimmy«, erwiderte Keays und hob die Hände. »Klar, natürlich könnte ich eine Einheit der Marines losschicken, um die Basis auszuschalten. Ha! Sie könnten ohne Probleme jede Raketenabschussbasis auf der Welt ausschalten. Verdammt, ich könnte sie sogar innerhalb von Sekunden mit einem einzigen Knopfdruck und dem gezielten Einsatz einer Drohne platt machen. Und wenn es dort überhaupt Öl gibt, dann…« Er deutete mit seinen Händen eine gewaltige Explosion an. »*BOOM!* Dann wird die ganze Anlage in die Luft gehen wie ein Feuerwerk.«

Jimmy trat einen Schritt zurück, geschockt über die Begeisterung, die in Keays Augen glitzerte.

»Aber es wird nichts helfen, Jimmy. Und weißt du auch, warum?«

Jimmy wusste genau, was Keays sagen würde. Er war bereit dafür, also ließ nur den Kopf sinken und den Mann mit seiner Rede fortfahren.

»So eine Aktion kann man nicht im Geheimen durchführen« erklärte Keays und reckte die Brust, als wollte er seine Orden vorführen. »Es ist absolut unmöglich, in die Basis einzudringen, sie unschädlich zu machen und sie unerkannt wieder zu verlassen. Selbst unter idealen Bedingungen wäre niemand dazu imstande. Wir haben nicht einmal Pläne der Basis, oder? Du bist die einzige Quelle für Informationen. Alles, was wir haben, ist in deinem Kopf.«

Er streckte die Hand aus, um Jimmy durchs Haar zu wuscheln, doch Jimmy schlug sie weg und trat einen weiteren Schritt zurück.

Keays wirkte verdutzt und seine Stimme wurde plötzlich ernster.

»Es wird nicht funktionieren, Jimmy«, verkündete er. »Jede Beteiligung der US-Streitkräfte wäre sofort offensichtlich. Und dann befände sich Großbritannien nicht nur im Krieg mit Frankreich – sie befänden sich auch im Krieg mit uns! Und weißt du, was, Jimmy? Ein Krieg gegen Amerika zu führen, ist eine ganz andere Angelegenheit. Glaubst du, es würde auch nur ein winziger Rest von London übrigbleiben? Glaubst du das?«

Jimmy rührte sich nicht. Er war nicht in der Stimmung, auf Keays' Drohungen einzugehen.

»Willst du deine Freunde einer solchen Gefahr aussetzen? Es würde alles nur noch verdammt viel schlimmer machen.«

Jimmy wartete, bis der Oberst sich wieder etwas beruhigt hatte. Seine Wangen waren knallrot und er keuchte ein wenig.

»Es kann im Geheimen durchgeführt werden«, erwiderte Jimmy leise.

»Sei kein Narr, Jimmy Coates«, sagte der Oberst und wedelte abschätzig mit der Hand. »Ich habe diese Orden nicht umsonst erhalten. Ich kann jede beliebige Militäroperation auf die Beine stellen und durchziehen, das ist für mich kein Problem. Aber nicht diese – denn es ist unmöglich. Und zwecklos.«

Er wandte sich ab und zückte ein Smartphone aus seiner Tasche. »Ich werde jetzt veranlassen, dass man dich in ein sicheres Versteck bringt. Und diesmal wird es garantiert sicher sein.«

Jimmy blieb völlig ruhig. Und dann sagte er etwas, dass Oberst Keays grinsen und sein Handy wieder einstecken ließ.

»Es ist möglich. Und ich werde es tun.«

KAPITEL 15

Aus dem Helikopter erhaschte Jimmy einen ersten Blick auf die *Risavottur*. Der Anblick war atemberaubend. Es war bei Weitem das größte Schiff, das er je gesehen hatte: über dreihundert Meter lang und sechzig Meter breit. Aber für einen Öltanker war das eher Durchschnitt.

Jimmy lehnte sich aus dem Helikopter und kniff die Augen im eisigen Wind des Nordatlantiks zusammen.

Die Seiten des Tankers waren über dreißig Meter hoch und erhoben sich aus dem Wasser wie die Mauern einer Festung. Die untere Hälfte war rot gestrichen und der Rest tiefschwarz, mit Ausnahme eines grauen Kreises an der Vorderseite, auf den ein fettes schwarzes *S* gemalt war.

Dieses Logo weckte kurz unangenehme Erinnerungen in Jimmy, doch sie verflogen rasch wieder.

Auf Deck wuselte die Mannschaft umher, in orangefarbenen Daunenjacken und gelben Südwestern.

Jimmy wurde rasch klar, dass sie einen kleinen Bereich für seine Ankunft vorbereiteten.

»Alles klar?«, rief der Pilot.

Jimmy hob beide Daumen.

Und eine Minute später kletterte er bereits an einer Strickleiter hinunter zur *Risavottur*. Kaum hatten seine

Füße das Deck berührt, wickelten ihn zwei Mitglieder der Crew schon in eine Daunenjacke und stülpten ihm einen Südwester über den Kopf. Jimmy konnte sich ein Lächeln nicht verkneifen. Er fühlte sich jetzt schon wie einer von der Mannschaft. Er gab dem Piloten ein letztes Zeichen, dann wurde die Strickleiter hochgezogen und der Hubschrauber knatterte davon.

Als Jimmy sich umwandte, blickte er direkt in das Gesicht eines breit lächelnden, riesigen Mannes, dessen gewaltige rote Nase über seiner dicken Jacke hervorragte. Seine Wangen hatten fast dieselbe Farbe wie sein Daunenanorak und waren von unzähligen geplatzten Äderchen durchzogen.

»Willkommen an Bord!«, rief er. »Ich bin Kapitän Peck.«

Seine Stimme klang dünn und heiser und hatte einen Akzent, der beim Geheul des Windes und den sich entfernenden Helikoptergeräuschen nur schwer zu bestimmen war. Für Jimmy klang er halb amerikanisch und halb skandinavisch, doch die Befehle des Kapitäns waren klar und gut verständlich. »Holt dem Jungen ein paar Handschuhe!«

Jimmy schlang die Daunenjacke noch enger um sich. Sie schien wie aus dicken orangefarbenen Autoreifen gemacht. Trotzdem fror Jimmy. Er war jetzt weniger als eine Stunde an Bord, trotzdem wünschte er bereits, er hätte den ganzen Weg zu *Neptuns Schatten* im Hubschrauber zurücklegen können.

Natürlich war ihm klar, dass er damit viel zu viel

Aufmerksamkeit erregt hätte, aber der Lärm, der Wind und das Rollen des Schiffs waren so heftig, dass er kaum noch klar denken konnte. *Eine tolle Leistung hat der NJ7 da abgeliefert*, dachte er. *Ein seekranker Superagent.*

Er spuckte etwas von der salzigen Gischt aus, die in seinen Mund geraten war, aber die Spucke wurde direkt in sein Gesicht zurückgeweht. *Perfekt*, dachte er.

»Jimmy!«, kam ein Ruf aus der Steuerkabine.

Widerwillig schlurfte Jimmy über das Deck. Er wusste, drinnen würde der starke Geruch nach Öl und das Schwanken des Schiffs seine Übelkeit noch verstärken.

»Versuch's mal damit.« Kapitän Peck drückte ihm einen Becher mit heißer Schokolade in die Hand.

Jimmy nahm die Tasse mit einem schwachen Lächeln in Empfang, ließ sich auf einen alten Holzstuhl fallen und hielt sich den Magen.

Der Wind heulte um die Kabinenwände. Mitten im Raum stand ein großer Tisch, der mit dem Rollen des Schiffs hin und her zu rutschen schien, doch dann bemerkte Jimmy, dass er am Boden festgeschraubt war.

»Keine Sorge«, tröstete ihn der Kapitän. »Ich weiß, wie du dich fühlst. Für meine erste Mission mit der *CIA* musste ich auf ein Walfangboot. Ich habe keinen einzigen Wal gesehen. Ich war zu sehr damit beschäftigt, in meine eigenen Gummistiefel zu kotzen. Aber das ist schon lange her. Man gewöhnt sich daran. Mittlerweile werde ich nur noch seekrank, wenn ich an Land gehe!«

Jimmy versuchte ein Lächeln, aber es misslang ihm gründlich.

»Wie dem auch sei«, fuhr Peck vor, »Oberst Keays wollte, dass ich noch einmal bekräftige: Du musst das nicht tun.«

»Ich weiß«, erwiderte Jimmy, und ermahnte sich, endlich die Übelkeit zu ignorieren und seine Aufmerksamkeit wieder wichtigeren Dingen zuzuwenden.

»Aber wenn du dich tatsächlich dafür entscheidest, dann musst du wissen, dass du in dem Fall ganz auf dich alleine gestellt bist. In Ordnung?«

Jimmy nickte.

»In Ordnung«, wiederholte Peck, und drückte Jimmy ein Dokument und einen Stift in die Hand. »Dann unterschreibe das hier.«

»Was ist das?«

»Ein Haftungsausschluss. Darin steht, dass das US-Militär nicht verantwortlich ist, wenn dir irgendetwas zustößt.« Peck schwieg einen Moment, dann fügte er hinzu: »Und dass du uns im Schadensfall nicht verklagen kannst.«

Jimmy konnte es kaum glauben. Er wollte den Vertrag durchlesen, aber nach der Hälfte der Seite konnte er nichts mehr aufnehmen. Dieses Dokument hatte eine Menge anderer Gedanken in Jimmys Kopf aufgewirbelt.

War er eigentlich verrückt? Er wollte alleine in eine britische Raketenabschussbasis eindringen und diese unschädlich machen. Und der US-Geheimdienst konnte ihm dabei keine andere Hilfe anbieten als eine Mitfahrgelegenheit, weil die Regierung jeden internationalen Zwischenfall vermeiden wollte.

Wenn irgendjemand Jimmy bei dieser Mission wiedererkannte oder sein Gesicht von einer Videokamera aufgezeichnet wurde, dann würde seine Familie verhört und vielleicht sogar getötet. Und der Geheimdienst würde ihn erneut jagen – vorausgesetzt, er würde die ganze Geschichte überhaupt überleben.

Jimmy schluckte. Rasch kritzelte er seinen Namen unten auf das Papier und schob es zurück in Kapitän Pecks Richtung.

»Wir bringen dich bis an den Rand des Arbroath-Ölfeldes, aber nicht weiter«, verkündete der Kapitän. »*Synperco* hat zwar eine Erlaubnis für eine Passage durch die Hoheitsgewässer Großbritanniens zwischen Island und Holland, aber wir dürfen uns dabei *Neptuns Schatten* nicht nähern. Also wirst du von der Grenze des Ölfeldes an auf dich alleine gestellt sein.«

»Syn-was?«, fragte Jimmy.

»*Synperco*. Das ist eine kleine amerikanische Ölgesellschaft. Du befindest dich auf einem ihrer Tanker. Wir haben ihn ausgeliehen, damit niemand Verdacht schöpft, wenn wir um die Südküste von Island und an den Äußeren Hebriden vorbeifahren. Von dort steuern wir südlich in Richtung der Ölfelder in der Nordsee. Doch den Rest der Reise wirst du alleine zurücklegen müssen.«

»Sie meinen, schwimmen?«

Peck nickte. »Klar doch«, erwiderte er lässig. »Wir haben zwar eine Tauchausrüstung und alles, aber Oberst Keays meinte, die wirst du nicht brauchen.«

Jimmy schwieg. Der Gedanke ans Schwimmen ließ ihn immer noch erschaudern. Das stammte noch aus der

Zeit, bevor seine Agentenkräfte sich entfaltet hatten. Als Kind war er einmal beinahe beim Schwimmunterricht ertrunken.

»Du schaltest die Raketenbasis aus«, fuhr Peck fort und ignorierte Jimmys ängstliche Miene. »Dabei darf niemand etwas von deiner Anwesenheit mitbekommen. Anschließend warte ich in holländischen Gewässern auf einem weiteren Schiff auf dich. Hier ist die genaue Position und ein Bild des Schiffes.« Er zog einen braunen Ordner aus seiner Jacke und breitete die Dokumente auf dem Tisch aus.

Jimmy richtete sich mühsam auf, um einen Blick darauf zu werfen.

Der Ordner enthielt eine Meereskarte Nordeuropas, auf der ein paar Koordinaten vor der Küste Hollands markiert waren, sowie das Foto eines weiteren großen Tankers, der diesmal jedoch weiß gestrichen war und an dessen Seite der Schriftzug *OPEC* prangte.

»OPEC?«, fragte Jimmy.

»Die Organisation der Erdöl exportierenden Länder«, erklärte Peck. »Ein neutrales Schiff. Zumindest soll es das sein. Natürlich ist es das nicht, aber niemand wird es in Frage stellen. Sobald du uns erreicht hast, schicke ich ein kleines OPEC-Team, um die Kontrolle über die Ölplattform zu übernehmen. Es wird aussehen wie ein Routinecheck. Hast du dir alles gemerkt?«

Jimmy speicherte die Koordinaten auf der Karte in seinem Kopf und schob dann die Papiere beiseite. »Danke, Kapitän«, sagte er und versuchte dabei, so entspannt wie möglich zu klingen.

»Ist das alles?«, fragte Peck verwundert.

»Was?«

»Du schaust nur einmal darauf und mehr musst du nicht wissen? Begreifst du eigentlich, mit was du's hier zu tun hast?«

Die Zweifel Kapitän Pecks wären beinahe auf Jimmy übergeschwappt, doch er riss sich zusammen.

»Das ist ein Auftrag, an dem selbst eine hochspezialisierte Einheit der US-Marines scheitern würde«, fuhr der Kapitän fort. »Ein komplettes Team! Und du bist dort ganz alleine. Mal ganz abgesehen von der Mission vor Ort – weißt du, wie viel Kraft du allein dafür brauchen wirst, dorthin zu schwimmen?«

Jimmy stützte den Kopf in die Hände. Sein Magen revoltierte stärker als je zuvor. Aber es war nicht nur die Seekrankheit. Wie sollte er das alles schaffen? Er hatte ja noch nicht einmal einen Plan. Er hatte darauf vertraut, dass sich während seines Aufenthaltes auf dem Schiff seine Konditionierung melden würde. Sie musste ihm die nötigen Hinweise liefern. Aber jetzt erst konnte er spüren, wie sie sich in ihm regte. Es war inzwischen immer schwieriger geworden, sie zu kontrollieren – und die Seekrankheit macht es nicht gerade leichter.

Trotzdem war Jimmy entschlossen, die Raketenabschussbasis auszuschalten, auch wenn seine Agenteninstinkte ihn im Augenblick noch davon abhalten wollten, sich direkt in die Gefahr zu stürzen. Er musste es riskieren. Selbst wenn es sein Leben kostete. Wenn er jetzt aufgab, dann wären die Konsequenzen mehr als nur katastrophal.

Der Kapitän redete weiter, wobei er sich immer mehr erregte.

Seine Stimme machte Jimmy nervös.

»Solltest du mich nicht besser über Details der Basis ausfragen?«, beharrte der Mann.

»Kennen Sie denn die Details?«, fragte Jimmy entgeistert.

»Natürlich nicht«, schrie Peck. »Niemand kennt sie! Kaum einer weiß überhaupt von der Existenz dieser Anlage.«

»Also, was wollen Sie dann von mir?«, schrie Jimmy zurück und wurde mit jeder Sekunde ärgerlicher.

»Sag mir einfach nur, dass du einen Plan hast. Du scheinst mir ein guter Junge zu sein, Jimmy, und offen gesagt bin ich nicht daran interessiert, der letzte Mensch zu sein, mit dem du sprichst.«

Jimmy richtete sich auf. Irgendwas summte in ihm und jagte Energiestöße durch seinen gesamten Körper. Es beruhigte seine Nerven und half ihm, tief und langsam zu atmen.

»Das Schwimmen ist kein Problem«, flüsterte er, überrascht, dass er überhaupt einen Ton herausbekam. Seine Stimme war so leise, dass sie fast im Dröhnen der Schiffsmotoren unterging. »Auf dieser nautischen Karte waren die Meeresströmungen vermerkt. Ich werde die passende Strömung finden. Und sie wird mich direkt zu der Ölbohrinsel tragen.«

In seinem Kopf erschienen die Details der Seekarte jetzt noch detaillierter, als er sie mit seinen eigenen Augen hätte sehen können. Und es blieb nicht dabei. Sie gingen in andere Bilder über.

Jimmys Hände bewegten sich, bevor er ihnen den Befehl dazu gab. Sie schnappten sich Kapitän Pecks Kugelschreiber, bevor er vom Tisch rollen konnte.

Jimmy wischte den Staub von der Tischplatte und begann, etwas mit dem Stift in das Holz zu kratzen. Gleich darauf wurde Jimmy klar, was er da zeichnete – es war ein Konstruktionsplan von *Neptuns Schatten*. Zu seiner Erleichterung waren die Fotografien der Basis endlich aus seiner Erinnerung aufgetaucht.

»Dort«, verkündete er, wischte die Holzsplitter weg und deutete auf die Mitte des Tisches. »In der zentralen Halle. Hier werden die Raketen höchstwahrscheinlich gelagert sein.«

Seine Stimme strahlte jetzt solche Autorität und Zuversicht aus, dass es ihn fast selbst einschüchterte. »Dort befänden sich auf einer normalen Ölbohrinsel die großen Öltanks. Das ist der einzige Ort, an dem genügend Platz für Raketen ist. Sobald ich diesen Ort gefunden habe, muss ich nur noch den Auslösemechanismus sabotieren. Was nicht allzu schwer sein sollte.«

Seine Hände bewegten sich weiter über den Tisch und kratzten neue Linien in das Holz. Kapitän Peck war verblüfft – und Jimmy war es ebenfalls. Er konnte kaum glauben, mit welcher Präzision er den Stift führte, ganz zu schweigen davon, wie sein Gehirn so viele Informationen hatte speichern können. Er hatte die Pläne nur für den Bruchteil einer Sekunde auf dem Display des Spionageflugzeugs gesehen, und das kurz vor dem Absturz, doch seine Konditionierung hatte alles exakt abgespeichert.

»Dort ist die Kontrolleinheit für die Raketen«, fuhr er fort. »Sie befindet sich im Pumpenraum. Es muss so sein. Dort sind die Computersysteme am besten vor externen Störungen geschützt.« Er hielt kurz inne, um Atem zu schöpfen.

Kapitän Peck fuhr mit der Hand über Jimmys Diagramm. »Du hast meinen Tisch zerkratzt«, sagte er lächelnd. »Verwendet ihr Engländer normalerweise kein Papier?«

Jimmy hörte kaum zu. »Es ist alles da drin«, flüsterte er, während er seine Zeichnung überblickte und erneut jede einzelne Linie überprüfte. »Es ist in meinem Kopf. Dafür bin ich geschaffen worden – um Zielobjekte zu finden und zu zerstören.«

»Ist schon in Ordnung«, beruhigte ihn Peck und legte eine Hand auf Jimmys Schulter. »Du tust es jetzt aus den richtigen Motiven.«

Jimmy nickte. Peck hatte recht, trotzdem nagte der Zweifel an ihm. Und es war nicht nur die Angst um seine Schwester und seine Mutter, die durch französische Raketen sterben könnten, wenn Jimmy versagte. Doch diesen Gedanken musste er zuallererst aus seinem Kopf verdrängen, wenn er seine Aufgabe lösen wollte.

Trotzdem blieb da eine letzte Unsicherheit. Er wusste nichts über die Sicherheitsmaßnahmen auf der Basis. Er musste auf alles vorbereitet sein, was die Engländer zu seiner Ausschaltung aufboten. Er musste die absolute

Kontrolle über seine Killerinstinkte haben. Dieser Gedanke schnürte ihm die Kehle zu.

Endlich blickte er zu Kapitän Peck auf und befahl:
»Besorgen Sie mir einen Taucheranzug und eine Dose
Thunfisch. Sobald wir das Ölfeld erreicht haben, werde ich
bereit sein.«

KAPITEL 16

Die Blumen in den Kästen neben der Eingangstür waren vertrocknet, aber eigentlich wirkten sie immer so. Felix war überrascht, dass nicht alle Fenster mit Brettern zugenagelt waren, sondern nur das eine zerbrochene im Erdgeschoss.

Einige Minuten überlegte er, ob er einbrechen sollte. Es wäre sicher nicht allzu schwierig. Er hätte vermutlich einfach an der Fassade hinaufklettern und direkt in sein eigenes Bett fallen können. Aber es war ja gar nicht mehr *sein* Bett. Es gehörte jetzt dem Staat. *Ebenso wie meine Eltern*, dachte er.

Er blieb auf der anderen Straßenseite, während er das Haus betrachtete. *Es ist einfach nur ein Gebäude*, sagte er sich selbst. *Ich könnte mit eigenen Händen ein besseres bauen, wenn ich genug Mauersteine hätte.* Dann schweiften seine Gedanken ab und er überlegte, wo er überall alte Ziegelsteine finden könnte und wie viele er wohl bräuchte. *Eine Million wird reichen*, dachte er.

»Alles in Ordnung mit dir?«, fragte Georgie leise.

Felix zuckte zusammen. Er hatte ganz vergessen, dass sie neben ihm stand.

Sie hatten nach der Schule einen kleinen Umweg hierher gemacht. Der *NJ7* hatte Felix einfach auf Georgies Schule angemeldet. Sie hatten ihnen keine andere Wahl gelassen. So konnte der Geheimdienst sie leichter im Auge behalten.

Und der *NJ7* überwachte sie rund um die Uhr. Als ob die Sicherheitskameras im gesamten Schulgebäude nicht ausgereicht hätten, war auch noch ständig ein *NJ7*-Agent in ihrer Nähe.

Was nicht gerade gut für Felix' Sozialleben war. Seine alten Freunde von der Schule, auf die er mit Jimmy gegangen war, hätten ebenso gut nicht mehr existent sein können. Und seine neuen Mitschüler waren alles andere als echte Freunde.

Felix zuckte mit den Achseln und machte eine übertrieben traurige Grimasse. Er zog die Mundwinkel tief nach unten wie ein verrückter Clown. Er hatte allen Grund, aus dem Häuschen zu sein. Schließlich waren seine Eltern vom britischen Geheimdienst entführt worden. Doch es fiel ihm schwer, Zugang zu seinen echten Gefühlen zu bekommen. Und das war ein weiterer Grund, warum er zu ihrem alten Wohnhaus zurückgekehrt war.

»Lass uns gehen«, sagte er plötzlich. »Mir ist kalt.«

Schweigend marschierten sie zurück zu ihrer neuen Wohnung – einem staatseigenen Apartment. Den ganzen Weg über folgte ihnen ein großer glatzköpfiger Mann in einem schwarzen Anzug. Er versuchte nicht einmal, sich zu verbergen. Stattdessen hielt er ein Handy ans Ohr gepresst und redete leise hinein. Auf der Rückseite des Handys prangte ein grüner Streifen.

Jimmy zwängte sich in seinen Taucheranzug. Es war ein normaler Neoprenanzug, aber aus dickerem Gummi und mit einer Kapuze, die Jimmys Kopf bedeckte. Die CIA hatte es geschafft, einen Anzug in Jimmys Größe zu besorgen. Er war sogar ein bisschen zu klein. Die Handschuhe dagegen waren viel zu groß und fielen immer wieder ab, daher ließ Jimmy sie auf dem Tisch liegen.

Für jeden normalen Menschen wäre ein solches Unternehmen ohne einen absolut wasserdichten und beheizten Taucheranzug völlig undenkbar gewesen. Doch Jimmy wollte nur eine extra Isolationsschicht, um seine natürlichen Abwehrkräfte zu verstärken, während er unter Wasser war. Schließlich wollte er nicht auch noch gegen die Kälte ankämpfen müssen, wenn er gegen die britische Navy antreten musste.

»Sie werden überall Kameras haben«, sagte Kapitän Peck rasch.

Er zog eine schwarze Leinentasche unter dem Tisch hervor. Darin befand sich eine Taucherbrille. »Die wirst du brauchen. Schau.« Er drehte die Maske um. Es war keine normale Taucherbrille. In ihrem Inneren befand sich ein Drahtgewirr, sodass sie eher wie ein Folterinstrument aussah.

»Ölplattformen haben wärmesensitive Kameras mit einer Gesichtserkennungssoftware«, erklärte der Kapitän. »Das bedeutet, dass die Kameras durch Taucherbrillen und Skimasken hindurchsehen und die Form des Gesichtes rekonstruieren können.«

»Was?«, fragte Jimmy verwirrt. »Solche Kameras gibt

es auf dem Land aber nicht. Jedenfalls habe ich sie noch nie gesehen.«

»Sie dienten ursprünglich dazu, eine Datenbank von Umweltaktivisten und Saboteuren anzulegen. Eine amerikanische Waffenfirma hat die nötige Ausrüstung dafür geliefert.«

»Und was bewirkt diese Maske?«, fragte Jimmy. »Abgesehen davon, dass sie Drähte in mein Gesicht bohrt?« Er inspizierte das Innere der Taucherbrille genauer. »Und warum hat sie falsche Ohren?«

»Die Software wurde dazu entwickelt, normale Verkleidungen zu durchschauen – Masken, Bärte, Hautfarbe, solche Dinge. Stattdessen sucht sie nach etwas, das sich schwer verändern lässt – wie die Form deiner Augenbrauen oder deiner Ohren.«

Jimmy nickte und stülpte widerwillig die Maske über den Kopf. Sie bedeckte alles von seiner Oberlippe aufwärts und ließ nur den Mund und das Kinn frei. Die Drähte bohrten sich in sein Gesicht und zogen die Muskeln in alle möglichen ungewohnten Richtungen.

Jimmy entdeckte sein Spiegelbild im Fenster der Steuerkabine. Er war dünner als früher, auch wenn seine Schultern ein wenig breiter schienen. Aber am auffälligsten waren die falschen Ohren, die seitlich von seinem Kopf abstanden.

»Das ist lächerlich«, murmelte er. »Ich sehe aus wie ein Clown.«

»Du musst lauter sprechen, Jimmy«, kicherte Kapitän Peck. »Sonst kann ich dich nicht hören.«

Jimmy konnte es nicht fassen, dass er eine Raketenbasis ausschalten und dabei diese Maske tragen sollte, die spitze Drähte in sein Gesicht bohrte und Gummiohren hatte, die ihn wie Dumbo den fliegenden Elefanten aussehen ließen. Dabei würde ihn der NJ7 nicht nur an seinem Gesicht erkennen.

»Haben Sie irgendetwas, das mich weniger wie ein Dreizehnjähriger aussehen lässt?«

Kapitän Peck hörte auf zu lächeln.

Sie kannten beide die Grenzen von Jimmys Tarnung. Sobald man einen Jungen auf der Raketenbasis entdeckte, wüsste man genau, um wen es sich handelte.

»Besser, sie bemerken dich gar nicht erst, schätze ich.« Peck zuckte mit den Achseln.

Jimmy fühlte, wie die Angst in ihm emporstieg. Immer noch leicht schwindlig vom Rollen des Schiffs, fürchtete er sich jedes Mal zu übergeben, wenn er sich auf die vor ihm liegende Aufgabe konzentrierte. Es war allein seine Konditionierung, die ihn so ruhig wirken ließ.

»Geben Sie mir den Thunfisch«, befahl er.

»Hungrig, Jimmy?«, fragte Peck und öffnete mit einem rostigen Dosenöffner die große Büchse. »Du solltest vor deinem Tauchgang lieber nichts essen.«

Jimmy ignorierte ihn und schnappte sich die Dose. Und dann beschmierte er sich von Kopf bis Fuß mit Fischstückchen.

Habe ich mir das selbst ausgedacht?, überlegte er mit einem gewissen Stolz. Schwer zu sagen. Möglicherweise war es auch nur etwas, das ihn seine Konditionierung ganz automatisch tun ließ. Es wurde jeden Tag schwerer, zu unterscheiden, wo sein altes Selbst endete und die Agenteninstinkte übernahmen.

Wenige Minuten darauf ließ ein kleines Team von Mannschaftsmitgliedern Jimmy auf einer windgeschüttelten Plattform ins Wasser hinunter. Sie hatten außerdem das Flutlicht auf dem Schiff abgeschaltet, um ihm den Schutz absoluter Dunkelheit zu gewähren. Der Mond schien nur blass durch die Wolken und die Meeresgischt verschlechterte zusätzlich die Sichtverhältnisse.

Jimmy stieß sich von der Plattform ab. Zuerst war das Wasser kalt, doch er gewöhnte sich rasch daran und der Taucheranzug half ihm dabei.

Alles schien unnatürlich ruhig – er hörte nur den Wind und das Klatschen des Regens auf dem Wasser.

Jimmy schwamm hinaus in die Dunkelheit. Als er sich umblickte, war die *Risavottur* bereits verschwunden. Der Wellengang hob ihn über zwanzig Meter hoch und ließ ihn kurz darauf wieder in ein tiefes Tal stürzen. Er fühlte sich wie ein dünner Zweig, der auf der Wasseroberfläche tanzte.

Jimmy versenkte sich in sein Inneres, um seine Konditionierung zu aktivieren. Er musste so rasch wie möglich *Neptuns Schatten* erreichen. Dazu bündelte er seine ganze Kraft und schwamm mit der Strömung, mit ihrer Hilfe würde er nur etwa eine Stunde bis zur Basis benötigen. Doch jetzt erst wurde Jimmy klar, was für eine gewaltige Aufgabe das war.

Nach zwei Stunden fühlten sich Jimmys Brust- und Schultermuskeln an, als würden sie gleich ihre Arbeit für immer einstellen. Er biss die Zähne zusammen und verdoppelte seine Anstrengungen. Ohne sichtbare Markierungen war es unmöglich zu sagen, wie er vorankam. In der dichten Nebelsuppe über der Nordsee sah Jimmy nur die Schatten im Wasser unter sich.

Als er bereits zweifelte, ob er die Raketenbasis je finden würde, bemerkte er etwas. Einen Lichtschein. Jimmys Haut prickelte. Die Wolken waren zu dicht, als dass es ein Stern hätte sein können, und es befand sich zu knapp über dem Horizont, um ein Flugzeug oder ein Helikopter zu sein.

Je näher Jimmy kam, desto heller wurde dieser Bereich des Himmels. Der Nebel wurde von einem erstaunlichen Spektrum blauer, roter und weißer Lichter erhellt. Einige dieser Lichter blinkten; andere leuchteten konstant. Dann teilte sich plötzlich der Nebel und Jimmy bot sich ein überwältigender Anblick.

Ein gigantischer Turm erhob sich gegen den Nachthimmel, er war von Lichtern übersät und auf seiner Spitze drehte sich eine Art Warnlicht. Jimmy musste den Kopf ganz in den Nacken legen, um dieses Bauwerk betrachten zu können. Er hatte noch nie eine Bohrplattform gesehen, und diese hier musste eine der größten der Welt gewesen sein, bevor man sie in eine Raketenbasis umgewandelt hatte. Jimmy hatte keine Ahnung gehabt, dass sich da draußen im Meer Bauwerke befanden, die manchen Wolkenkratzer in den Schatten stellten.

Die Konstruktion von *Neptuns Schatten* wirkte, als wäre ein Gott herabgestiegen und hätte auf dem Meer eine gigantische Stadt aus *Lego* gebaut. Riesige Gerüste und Metallplattformen standen in ungewöhnlichen Winkeln hervor. Darüber ragten Kräne empor wie gewaltige Arme, die nach den Wolken griffen.

Er hatte sein Ziel erreicht. Es war an der Zeit, abzutauchen. Jimmy überprüfte den Sitz seiner Maske und zwang dann seinen Körper unter Wasser. Innerhalb von Sekunden war das Licht der Oberfläche verschwunden. Jimmy musste sich jetzt auf seine Nachtsicht verlassen. Doch das Wasser war trübe von schwarzen Algen. Seine Sichtweite betrug einen knappen Meter.

Bald war die Atemluft verbraucht und seine Brust krampfte sich zusammen. Das war der Moment, den er gefürchtet hatte. Jimmy schluckte Wasser. Er glaubte, sein Kopf würde explodieren. Das Salz kratzte in seiner Kehle und drang sogar in seine Nebenhöhlen, bis es in seinen Augen brannte. Er wollte sich übergeben, aber irgendetwas in seinem Inneren zwang ihn, das Unbehagen zu ignorieren. Er tauchte weiter, ohne viel zu sehen. Zweimal wäre er beinahe mit einem Schwarm Fische zusammengestoßen und musste im letzten Moment ausweichen.

Jimmy hatte keine Ahnung, was es ihm ermöglichte, unter Wasser zu atmen. Er fühlte lediglich, dass sein Zwerchfell heftiger arbeitete, um Wasser in seine Lungen zu saugen. Was in Wahrheit geschah, war, dass Hunderte von kleinen Bläschen in seiner Lunge sich mit Wasser füllten, ebenso wie sie es mit Atemluft getan hätten. Diese Bläschen waren wie bei einem normalen Menschen umgeben von blutgefüllten Kapillaren, aber Jimmys waren zusätzlich mit einem Extrafiltersystem ausgestattet, das den Sauerstoff aus dem Wasser spaltete und den Wasserstoff in Stickstoffhydrid umwandelte.

Auf den Meeresgrund hinabzutauchen war wesentlich anstrengender, als an der Oberfläche zu schwimmen. Jimmy konnte nicht länger die Strömungsverhältnisse nutzen, außerdem hatte er keine Gewichte, die ihm das Sinken erleichterten. Die Strömungen unter der Oberfläche waren zwar schwächer, aber dafür weit komplexer. Außerdem war es kälter dort unten. Je tiefer er kam, desto härter mussten seine Muskeln arbeiten, und das, obwohl sie bereits an ihrem äußersten Limit waren. Und dann bekam er die Auswirkungen des enormen Wasserdrucks zu spüren.

Es fühlte sich an, als würde er in eine gigantische Plastiktüte eingesaugt und von allen Seiten zusammengequetscht. Ein gewaltiges Gewicht lastete auf ihm. Seine inneren Organe wurden zusammengepresst und schon bald schrie jeder Zentimeter seines Körpers, dass er aufgeben solle. Aber er hatte keine Wahl. *Mach weiter*, mahnte er sich selbst. *Du musst die Bohrinsel erreichen.*

Er war schon über hundert Meter tief, als er schließlich das Gesuchte fand. Der Geruch aus der Thunfischbüchse war noch nicht komplett abgespült worden. Er war immer noch stark genug, um die Aufmerksamkeit eines gewöhnlichen Glattrochens auf sich zu lenken.

Geformt wie ein Stachelrochen, aber ohne dessen tödliches Gift, schwebte er aus der Dunkelheit auf ihn zu.

Erschrocken wich Jimmy aus. Aber dann wurde ihm klar, dass sein Plan aufging. Für einige Sekunden hörte er auf zu schwimmen, um den Fisch nicht weiter zu verscheuchen. Dann kehrte der Rochen zurück, angezogen von dem Geruch.

Er schwebte wie ein dunkler Schatten über Jimmy. Er hatte eine Spannweite von über zweieinhalb Metern und damit konnte er Jimmy leicht verdecken.

Vorsichtig begann Jimmy erneut zu schwimmen. Der Rochen blieb bei ihm und berührte mit seinen Schwingen leicht Jimmys Rücken. Wenn Jimmy nicht so angespannt gewesen wäre, hätte er gelacht. Es war ein absolut merkwürdiges Gefühl, aber es gab ihm Sicherheit.

Jimmy wusste, dass in der Umgebung der Bohrinsel jeder Zentimeter über und unter Wasser von Kameras beobachtet wurde. Die Tiefe bot ihm keinen Schutz. Aber solange der Rochen über ihm war, konnten sie Jimmy nicht sehen. Und falls er irgendwelche Sensoren auslöste, würde es die Sicherheitsmannschaft als Fehlalarm deuten.

Das Wasser um ihn herum wurde mit jedem Schwimmzug heller. Jimmy näherte sich den Pfeilern der Bohrinsel. Das Bauwerk war mit gewaltigen Stützen fest im Meeresboden verankert. An einem dieser Pfeiler würde Jimmy bis direkt ins Herz von *Neptuns Schatten* klettern können.

KAPITEL 17

Jimmys Finger waren so kalt, dass er sich nur mit Mühe an dem Metall festklammern konnte. Seine Hände waren nicht mehr rosa, sondern lila und diese Wahrnehmung lag nicht allein an der blauen Tönung seiner Nachtsicht. Trotzdem vertrieb er den Rochen und begann zu klettern.

Erst jetzt, wo er nicht mehr schwamm, bemerkte er die Vibrationen im Wasser. Das ganze Meer schien zu dröhnen. Wurden die Raketen bereits abgefeuert? Kam er zu spät?

Er beschleunigte sein Tempo, rutschte aber immer wieder an dem Metallpfosten ab. Noch immer waren seine Finger nicht richtig durchblutet. Er konnte zwar eine Faust machen, aber kaum richtig zupacken.

Während er kletterte, dauerten die Vibrationen unvermindert an. Allerdings wurden sie nicht stärker. Als Jimmy sich der Oberfläche näherte, ließen sie sogar nach. Es konnte also kein Raketenstart sein. Was aber dann?

Er versuchte, durch das Wasser über sich die gesamte Struktur der Bohrinsel zu erfassen. Die Konstruktion war so gewaltig, dass er die anderen drei Stützpfeiler nur schemenhaft ausmachen konnte. Zu seiner Rechten befand sich das Bohrgestänge der Insel und es bewegte sich: Die Plattform pumpte immer noch Öl.

Jimmy überlegte angestrengt. Warum arbeitete eine Raketenabschussbasis immer noch als Bohrplattform? Vielleicht war es einfach zu verdächtig, wenn eine der größten Anlagen der Welt kein Öl mehr förderte?

Auf den letzten Metern gab Jimmy noch mal richtig Gas. Dann brach er durch die Oberfläche, erleichtert, dass er noch am Leben war. Sofort würgte er einen großen Schwall Meerwasser hervor. Er hustete so heftig, dass er fürchtete, die Sehnen in seiner Kehle würden reißen. Die nächsten Atemzüge fühlten sich an wie Dolchstiche, aber gleichzeitig war es ein wunderbares Gefühl, dass wieder Luft in seinen Körper strömte. Er versuchte, sich den Schleim vom Mund zu wischen, aber mit der Rückseite seines Ärmels verschmierte er sein Gesicht nur noch mehr. Dann brach eine riesige Welle über ihm zusammen.

Das Flutlicht der Bohrplattform erleuchtete nun die ganze Gegend, daher schaltete sich seine Nachtsicht aus. Dennoch sahen Jimmys Hände nach wie vor blau aus. Die Spitzen seiner Finger wirkten sogar schwärzlich.

Und plötzlich wurde ihm klar, dass er niemals einen Taucheranzug hätte tragen dürfen. Dieser hatte Jimmys Programmierung über die wahre Temperatur des Wassers getäuscht und sein Kreislauf hatte sich nicht entsprechend auf die Kälte eingestellt. Jetzt musste er für diesen Fehler büßen. Der Schmerz war unvorstellbar. Er pochte durch seine Hände bis hinauf in die Ellbogen. Aber was noch schlimmer war, er konnte einige seiner Finger nicht mehr spüren.

Er blickte nach oben. *Neptuns Schatten* ragte bedrohlich über Jimmy auf und macht seinem Namen alle Ehre. Die eigentliche Plattform befand sich in halber Höhe. Er musste immer noch ein beträchtliches Stück an dem Stützpfeiler emporklettern. Ohne das Wasser, das Jimmy trug, schienen ihn gewaltige Bleigewichte nach unten zu ziehen, außerdem schränkte der Gummianzug seine Bewegungsfreiheit ziemlich ein.

Während des ersten Teils der Kletterpartie donnerten alle paar Sekunden Wellen gegen seinen Rücken. Danach zerrte der Wind an ihm und drohte, ihn zurück ins Wasser zu schleudern.

Jimmy klammerte sich verzweifelt fest. Er blickte erneut nach oben – bereits den halben Weg geschafft. Er fühlte sich seinem Ziel so nahe, dass er seine letzten Kräfte aufbot. Doch dann hörte er etwas, das ihm einen Stich mitten ins Herz versetzte.

»Keine Bewegung!« Es war die durch einen Lautsprecher verzerrte Stimme eines Mannes.

Jimmy war nicht auf das merkwürdige Gefühl vorbereitet, nach längerer Zeit wieder einen englischen Akzent zu hören. Sein Atem beschleunigte sich und ein eiskalter Schauder durchlief seinen Körper.

Ein Suchscheinwerfer traf seinen Rücken. Panisch blickte Jimmy sich um. Das Licht war so grell, dass er seine Quelle kaum ausmachen konnte. Er blinzelte rasch und erkannte die Silhouette eines kleinen Patrouillenbootes, auf dem sich zwei oder drei Personen befanden.

Sie haben mich, dachte er. *Es ist aus.*

Doch gleichzeitig regte sich tief in seinem Inneren eine

warme Energie. Sie schoss durch seine Muskeln, und als sie Jimmys Gehirn erreichte, glaubte er, seine eigene Stimme Befehle rufen zu hören. *Beweg dich!*, sagte er sich selbst. *Sie haben dich gesehen, aber sie wissen nicht, wer du bist, sonst hätten sie längst geschossen.*

Jimmy spürte neue Kräfte in sich, doch er war gefangen wie ein Insekt in einem Spinnennetz.

»Keine Bewegung!«, wiederholte der Lautsprecher. »Dies ist eine militärische Sperrzone unter Kontrolle der britischen Regierung! Keine Bewegung oder wir machen von der Schusswaffe Gebrauch.«

Jedes dieser Worte verstärkte Jimmys Entschlossenheit, die Plattform zu erreichen, bevor sie ihn stoppen konnten. Doch dann hörte er durch den Wind und das Dröhnen der Maschinen das Klicken eines Gewehrs. Sofort hakte er seinen Fuß in eine Öffnung des Stützpfeilers und ließ seinen Körper nach hinten fallen. Eine Kugel prallte surrend vom Metall ab, dort wo kurz zuvor noch Jimmys Herz gewesen war.

Jimmy spannte seine Oberschenkelmuskeln und schwang herum, sodass der Stützpfeiler sich jetzt zwischen ihm und dem Patrouillenboot befand. Jimmy agierte rasend schnell.

Der Suchscheinwerfer folgte ihm. Es krachten zwei weitere Schüsse. Beide trafen die Metallstreben direkt vor Jimmys Gesicht und Funken flogen gegen seine Taucherbrille.

Jetzt war es nur noch ein Meter bis zur Unterseite der Plattform. Jimmy sah jetzt direkt über sich das Stahlgerüst und darin eine Luke. Es blieb ihm nicht viel Zeit, darüber nachzudenken, was sich auf der anderen Seite befinden mochte.

Jimmy zog sich an dem Stahlgerüst empor. Ein harter Stoß mit dem Ellbogen und die Luke flog auf. Jimmy schlüpfte hindurch und rollte sich ab. Er fand sich in einem dunklen Metallkorridor wieder. Da Jimmy sich an einer Ecke der Bohrplattform befand, führte der Tunnel in zwei Richtungen.

Überall ertönten laute Rufe und das Trampeln von Stiefeln. Die Luft war so von Ölgeruch geschwängert, dass Jimmy fast das Gefühl hatte, er würde reines Öl einatmen. Aus beiden Richtungen tanzten jetzt Taschenlampen auf ihn zu. Unmöglich zu sagen, wie viele Männer sich dahinter verbargen – oder wie viele Schusswaffen.

Jimmy wartete nicht ab, was da auf ihn zukam. Es gab nur einen Ausweg – nach oben. Die Decke des Korridors war niedrig und mehrere Rohre liefen dort entlang. Jimmy sprang hoch, packte ein Rohr, spannte seine Bauchmuskeln und klemmte das Rohr zwischen die Knie. Dann schlug er gegen das Metallblech über sich – diesmal mit beiden Ellbogen gleichzeitig.

Eine Metallplatte in der Decke löste sich und Jimmy zwängte sich durch die Öffnung auf die nächste Ebene. Jetzt hatte er freie Bahn. Er flitzte den Korridor hinunter, der an einer Seite der Bohrinsel entlangführte. Die Gummisohlen seines Taucheranzugs quietschten auf dem Metall. Er spürte bei jedem Schritt einen harten Stoß. Um ihn herum donnerten Stiefel durch die Korridore auf der Jagd nach ihm. Sie näherten sich aus allen Richtungen.

Im Rennen suchte Jimmy seine Umgebung nach einem möglichen Versteck ab. Alle paar Meter blinkte das rote Licht einer Überwachungskamera. Es gab hier nirgendwo einen Unterschlupf.

Jimmys größte Befürchtung wurde wahr – er war noch nicht mal in der Nähe der Haupthalle und schon war er über ein Dutzend Mal von Kameras erfasst worden. Möglicherweise verbarg seine Maske sein Gesicht und verzerrte seine Züge, aber was half das, wenn er unverkennbar die Statur eines Jugendlichen hatte?

Jimmy schlüpfte um eine Ecke. Dort befand sich eine Türöffnung und er trat hindurch. Er befand sich jetzt nicht mehr in einem geschlossenen Korridor, sondern inmitten eines Labyrinths aus Laufgängen, Treppen und gewaltigen Metallstreben. Die Laufgänge waren nach allen Seiten offen, ihr Boden vergittert und sie hatten lediglich ein schmales Geländer, daher konnte er auf die anderen Ebenen hinauf und hinunter schauen.

Er schien sich im unteren Teil eines gigantischen Kubus' zu befinden, der nach allen Richtung hin gleich aussah. Das brachte ihn auf eine Idee. Er lehnte sich zurück und trat zweimal heftig gegen das Geländer. Eine Stange löste sich und Jimmy riss sie heraus, wobei ihn der Schmerz in seinen Fingern zusammenzucken ließ.

Dann holte er mit der Stange aus und zerschlug eine der Sicherheitskameras in tausend Stücke.

Er krabbelt über den Boden, wobei er sorgfältig alle Bruchstücke der Kameralinse aufsammelte. Es erforderte seine ganze Konzentration, um mit seinen steifen Fingern die winzigen Glassplitter zu fassen zu bekommen, aber es gelang.

»Keine Bewegung!«, rief es hinter ihm.

Jimmy machte sich nicht einmal die Mühe hinzuschauen. Immer noch auf allen vieren trat er nach hinten aus und traf das Fußgelenk des Mannes. Dann rammte er geduckt seine Schultern gegen die Knie des Agenten. Sein Gegner stürzte über ihn, taumelte von dem Laufweg und krachte ein Stockwerk tiefer auf einen Metallsteg.

Jimmy sprang auf und schoss zur nächsten Kamera. Ihm blieben nur wenige Sekunden, bevor weitere Sicherheitsleute auftauchen würden – und diesmal würden sie schießen.

Er stand mit dem Rücken zur Wand, die Kamera direkt über seinem Kopf. Dann langte er nach oben und stieß den größten Glassplitter seitlich in die Kameralinse. Rasch nahm er ein weiteres Stückchen Glas und befestigte es in einem rechten Winkel auf dem ersten.

Er benötigte zwei Anläufe, aber dann gelang es – jetzt hatte er den Blickwinkel der Kamera so abgelenkt, dass sie in die falsche Richtung den Laufgang hinuntersah. Beide Ansichten waren identisch, daher würde niemand auf dem Monitor den Unterschied feststellen können. Jimmy hatte dafür gesorgt, dass er auf einem kleinen Bereich des Laufweges nicht zu sehen war.

Und genau dorthin rannte er jetzt. Zunächst überprüfte er, ob dort nicht noch eine weitere Kamera angebracht war, dann ließ er sich vorsichtig über den Rand hinunter. Unter dem Laufweg verlief ein Stahlträger und zwischen dem Stahlträger und dem Boden des Laufganges war ein schmaler Spalt. Doch er reichte aus.

Jimmy zwängte sich in den dunklen Zwischenraum und lag dort flach auf dem Rücken.

Und genau in diesem Moment stürmten ein Dutzend Männer auf dem Steg direkt über Jimmys hinweg. Er konnte die Sohlen ihrer Stiefel durch die Löcher des Gitters sehen.

Doch die Männer konnten ihn nicht sehen. Für die Sicherheitsmannschaft der Basis war der Eindringling auf ebenso mysteriöse Weise verschwunden, wie er aufgetaucht war.

Und so konnte sich Jimmy für eine Weile dort verstecken und warten, bis seine Finger sich erholt hatten. Jetzt musste er nur noch einen Plan entwickeln, wie er seine Mission durchführen und anschließend lebend von *Neptuns Schatten* entwischen konnte.

KAPITEL 18

»Was meinen Sie damit, er ist verschwunden?«, fauchte Miss Bennett ins Telefon. »Wie kann ein Eindringling einfach so verschwinden? Überprüfen Sie sämtliche Überwachungsvideos!« Sie lauschte auf die ratlose Stimme am anderen Ende und ihr Gesicht verzog sich immer mehr zu einer wütenden Grimasse.

Eva tippte nervös auf ihrem Laptop. Jedes Mal, wenn Miss Bennett schlechte Nachrichten erhielt, musste Eva ihre miese Laune ausbaden. Und innerhalb der Betonwände des *NJ7*-Hauptquartiers konnte sie dem Ärger ihrer Chefin nirgendwo entkommen.

Miss Bennett hämmerte das Telefon auf die Dockingstation, hob es aber gleich wieder ab und wählte eine einzelne Nummer. »Informieren Sie den Premierminister, dass ich ihn sehen möchte«, schnauzte sie. »Nein – JETZT SOFORT!«

Erneut wurde der Hörer auf die Station gedonnert. Eva fragte sich, wie viele Telefone Miss Bennett wohl während ihrer Zeit beim Geheimdienst schon ruiniert hatte.

»Los, Eva«, knurrte Miss Bennett und sprang hinter ihrem Schreibtisch auf. »Wir haben einen Termin in der Downing Street Nummer 10.«

Mittlerweile war Eva daran gewöhnt, mit Miss Bennett Schritt zu halten, wenn diese durch die Gänge des *NJ7*-Hauptquartiers rauschte, und hielt sich einfach dicht hinter ihrer Chefin. Doch an eine Sache würde Eva sich wahrscheinlich nie gewöhnen: den Umstand, dass der Dad ihrer besten Freundin jetzt Premierminister war. Jedes Mal, wenn sie zu einem Termin in die Downing Street 10 gingen, glaubte Eva, den Druck kaum mehr auszuhalten. Aber sie durfte nichts davon nach außen dringen lassen.

Für sie alle hatte sich die Welt gewaltig geändert, seit sie damals alle zusammen im Haus von Georgie Coates abgehangen hatten. Inzwischen arbeitete Eva für den *NJ7* und musste sich entsprechend verhalten. Aber es fiel ihr unendlich schwer, Georgie aus ihren Gedanken verbannen zu müssen.

Gemeinsam traten Miss Bennett und Eva durch die schwere Metalltür, die den direkten Zugang der *NJ7*-Bunker zum Amtssitz des Premierministers bildete. Ein Assistent nahm sie in Empfang und eskortiert sie zum Arbeitszimmer des Premiers.

»Ich habe gerade einen Anruf vom Verteidigungsminister erhalten«, verkündete Miss Bennett, ohne sich lange mit einer Begrüßung aufzuhalten. »Einem Eindringling ist es gelungen, die Sicherheitsabschirmung von *Neptuns Schatten* zu überwinden.«

Ian Coates stand vor dem Fenster. Seine Silhouette zeichnete sich gegen das helle Tageslicht ab und wurde von dunkelgrünen blumengemusterten Vorhängen umrahmt.

»Klären Sie das mit dem Verteidigungsministerium«,

erwiderte er, ohne sich umzudrehen. Seine Stimme klang leicht verärgert. »Das ist kein Grund, mich in meinem Zeitplan zu stören.« Und nun wirbelte er auf dem Absatz herum und starrte sie an. »Ich sitze hier nämlich nicht herum, drehe Däumchen und warte darauf, dass Sie hier hereinschneien, verstanden.«

»Der Eindringling ist verschwunden«, erwiderte Miss Bennett. »Es war ein Jugendlicher.«

»Zafi?«, fragte Coates.

»Wer sonst?«

»Das war zu erwarten.« Ian Coates dachte einen Augenblick mit unverändert ärgerlicher Miene nach. Er sah von Miss Bennett zu Eva, und Eva schauderte leicht unter seinem Blick.

»Dann schicken Sie eben Mitchell«, sagte er schließlich mit einem Achselzucken.

»Natürlich schicke ich Mitchell«, schnappte Miss Bennett. »Er ist ohnehin auf Zafi angesetzt. Ich lasse ihn von einem speziellen *SAS*-Einsatzkommando begleiten.«

»Also, was wollen sie dann von mir – einen lobenden Klaps auf die Schulter?«

Ian Coates stampfte durch den Raum und nahm sich eine Tasse Tee von einem Tischchen, wobei er den Unterteller in einer Hand hielt, während er mit der anderen die dünne Porzellantasse an die Lippen führte.

»Erteilen Sie mir das Oberkommando über das Verteidigungsministerium«, forderte Miss Bennett.

Ian Coates hätte beinahe seinen Tee wieder ausgespuckt, doch er riss sich rasch zusammen.

»Oh, ich verstehe«, sagte er ruhig. »Sie haben also eigens mein wichtiges Meeting mit dem Informationsminister unterbrochen, um mich um eine Beförderung zu bitten?«

»Ich kann einfach nicht schnell genug reagieren, wenn mich wichtige Geheiminformationen nur mit großer Zeitverzögerung erreichen. Ich muss das Verteidigungsministerium unter die Kontrolle des *NJ7* stellen.«

Ian Coates hob eine Augenbraue. »Sie wollen Macht.«

»Ich *habe* Macht. Was ich brauche, ist *Effizienz*.«

Der Premierminister reagierte nicht.

Eva war überrascht, wie ruhig dieser Mann blieb. Er schien die Regierungsgeschäfte mit großem Selbstvertrauen zu führen. Vielleicht war es die gemütlich wirkende Umgebung, aber Eva konnte sich gut vorstellen, dass er ebenso locker einem Land den Krieg erklärte, wie er das Menü fürs Abendessen festlegte.

»Gehen Sie auf einen Drink mit mir aus«, sagte er schließlich mit leiser ausdrucksloser Stimme.

»Was?«, fragte Miss Bennett ungläubig.

»Gehen Sie auf einen Drink mit mir aus und Sie können die Kontrolle über jede militärische Einheit dieses Landes übernehmen.«

Es war das erste Mal, dass Eva Miss Bennett wirklich fassungslos erlebte. Ihr starrer Blick war verschwunden, stattdessen zuckten ihre Augen ziellos durch den Raum.

»Ich setze Mitchell in einen Hubschrauber«, verkündete sie und wandte sich zum Gehen. »Komm, Eva.«

Eva lächelte dem Premierminister verlegen zu und

folgte dann Miss Bennett aus dem Raum, während sie so rasch wie möglich auf ihrem Laptop tippte.

»Hör auf damit«, fauchte Miss Bennett Eva an. »Es gibt keinen Grund, Unterhaltungen dieser Art aufzuzeichnen.«

Die Assistentin des Premierministers schob ihren Kopf durch die Tür seines Arbeitszimmers. »Der Informationsminister ist immer noch hier, Sir«, sagte sie leise. »Möchten Sie, dass er noch wartet?«

»Nein«, murmelte Ian Coates und winkte sie mit einem Handwedeln hinaus.

Er starrte aus dem Fenster, während er seinen Tee zu Ende trank. Miss Bennett hatte für eine Unterbrechung in seinem Zeitplan gesorgt und unter seinem gefassten Äußeren überlegte er hektisch. Schließlich griff er in seine Hosentasche und drückte den Knopf einer winzigen Fernbedienung.

Einige Sekunden später glitt das Bücherregal im rückwärtigen Teil des Raumes zur Seite. Dahinter öffnete sich ein dunkler Durchgang. Aus dem Schatten trat ein gigantischer Mann. Das Licht fiel zuerst auf seinen markanten Unterkiefer und mit seiner respektgebietenden Erscheinung hätte er leicht ein römischer Imperator sein können, wenn er nicht eine moderne Militäruniform getragen hätte.

»Was meinen Sie dazu, Paduk?«, fragte der Premierminister.

»Ich denke, Sie sollten erst mit einer Dame per Du sein, bevor Sie diese auf einen Drink einladen, Sir.« Paduk konnte sich ein Lächeln kaum verkneifen.

»Das meinte ich nicht«, seufzte Ian Coates.

»Tut mir leid, Sir.« Das Lächeln verschwand. »Was ich eigentlich sagen wollte: Die *HMS Euphemus* ankert im Hafen von Vlissingen. Sie kann in fünfundvierzig Minuten dort sein.«

»Was hilft uns ein Kriegsschiff, wenn bereits jemand auf der Plattform eingedrungen ist?«, fragte Coates. »Nein. Mitchell ist die beste Waffe in so einer Auseinandersetzung.«

»Sir, bei allem Respekt, aber das Nachwuchsagenten-Projekt hat sich in letzter Zeit als ausgesprochen unzuverlässig erwiesen.«

Paduk klang ein wenig nervös. Er war es offenkundig nicht gewohnt, dem Premierminister zu widersprechen. »Mitchell zu diesem krisenhaften Zeitpunkt weiter einzusetzen, erscheint mir im besten Falle riskant und im schlimmsten Falle …«

»Im schlimmsten Falle, was?«

»Also …« Paduk zögerte, dann verkündete er: »Ich finde es grausam.«

»*Grausam?*« Ian Coates konnte kaum glauben, was er da hörte.

»Wir dachten, sie wären hochfunktionale Agenten«, beharrte Paduk, wobei er sorgfältig jeden Augenkontakt vermied. »Aber ich habe sie trainiert. Und ich habe sie bei der Arbeit beobachtet. In Zukunft werden sie vielleicht einmal Agenten und Killer werden. Aber im Augenblick ist Mitchell nur ein Junge.«

»Nur ein Junge?«, wütete Ian Coates. »Mitchell ist unsere stärkste Waffe. Und Zafi unsere größte Bedrohung.

Sie sollten eines nicht vergessen, auch ich habe sie bei der Arbeit beobachtet – und der andere hat mich beinahe getötet.«

»*Der andere?*« Paduk hätte bei diesen Worten beinahe einen Hustenanfall bekommen. »Sie meinen Jimmy?«

Der Premierminister schwieg. Dann wandte er sich ab.

»Oder erwähnen wir diesen Namen jetzt nicht mehr?«, flüsterte Paduk.

»Aufhören!«, befahl Ian Coates.

Paduks Gesicht zuckte und er stieß ein kaum vernehmbares Knurren aus.

»Falls Sie etwas über diesen Jungen zu sagen haben », knurrte der Premierminister und blickte dabei über seine Schulter, »dann behalten Sie es besser für sich.«

Paduk presste einen Moment lang die Lippen aufeinander, doch dann sprudelten die Worte einfach aus ihm heraus. »Wir haben ihn getäuscht, in eine Falle gelockt und abgeknallt. Als wäre er ein Tier. Durch seinen Tod wurden wir zu Monstern.«

»Aufhören!«, schrie Ian Coates und trat dicht an Paduk heran. »Das ist ein Befehl!«

Die beiden Männer standen sich jetzt Auge in Auge gegenüber.

Paduk senkte den Blick. Er atmete schwer. »Tut mir leid, Sir«, keuchte er. Dann trat er zurück und strich seine Uniform glatt.

Für einige Sekunden herrschte Schweigen. Die beiden Männer sahen einander nicht an. Schließlich ergriff der Premierminister das Wort und konnte dabei das Zittern in seiner Stimme kaum verbergen. »Die Operation in New York war ein voller Erfolg. Die Bedrohung wurde neutralisiert. Wir haben das für Großbritannien getan.«

»Und hat Großbritannien das verdient?«, flüsterte Paduk kaum hörbar.

Der Premierminister starrte ihn hasserfüllt an. »Manchmal müssen große Männer schreckliche Dinge tun, um höhere Ziele zu erreichen«, sagte er, als würde er etwas zitieren. »Das verleiht ihnen wirkliche Größe.«

Paduk erwiderte nichts und starrte nur hinab auf seine Schuhe.

Ian Coates zögerte einen Moment und schüttelte den Kopf, als wollte er einen unliebsamen Gedanken loswerden. Dann wandte er sich wieder an Paduk. »Aber in einer Hinsicht haben Sie recht. Wir dürfen kein Risiko eingehen. Und Mitchell hat schon einmal versagt. Also möchte ich, dass Sie ebenfalls dorthin gehen.«

Ein verwirrter Ausdruck huschte über Paduks Gesicht. »Sir, mein Job ist hier.«

»Ihr Job besteht darin, das Land zu schützen«, beharrte Ian Coates.

»Zweifeln Sie an meiner Loyalität?«

»Sollte ich das?«

Paduk antwortete nicht, daher fuhr der Premierminister fort: »Wenn irgendetwas auf *Neptuns Schatten* passiert …« Ian Coates sog scharf die Luft ein. »Nun, es steht außer Frage, dass dort etwas passiert. Falls Mitchell erneut versagt, sind Sie zu seiner Unterstützung dort und bringen den Job zu Ende.«

Er trat dicht vor Paduk und sorgte dafür, dass der Mann ihm direkt in die Augen sah. Dann flüsterte er: »Was auch immer geschieht, die Franzosen dürfen auf keinen Fall *Neptuns Schatten* sabotieren. Haben wir uns verstanden?«

Paduk holte tief Luft und knackte mit dem Kiefer.

»Ich werde gleich einen Militärhubschrauber herbeordern, Sir.«

KAPITEL 19

Mitchell hockte vorgebeugt und mit hochgeschlagenem Mantelkragen da. Er war die einzige Person auf einer Reihe von Bänken am Rande des Tjornin-Sees im Zentrum von Reykjavik. Er warf ein paar Brotkrumen auf den Beton zu seinen Füßen und war gleich darauf von Gänsen umgeben. Einige von ihnen waren so fett, dass Mitchell sich fragte, ob sie überhaupt noch fliegen konnten.

Alle paar Sekunden spähte er hinauf zum Gebäude der Stadtverwaltung und musterte die Menschen, die dort ein- und ausgingen. Es war ein beeindruckendes modernes Gebäude direkt am Wasser. Die steinernen Säulen passten perfekt zum Grau des Wassers. Eigentlich war alles an diesem See eintönig grau, abgesehen von den weißen Explosionen des Gänsekots auf dem Uferweg.

Zafi hätte Island unbemerkt verlassen haben können. Warum bin ich dann nicht auch längst von hier weg?, fragte sich Mitchell. Irgendetwas hatte ihn zurückgehalten, als könnte er Zafi in der kühlen isländischen Brise wittern.

Es musste einen Grund geben, warum sie auf ihrem Rückweg nach Europa auf Island gelandet war, überlegte er. Warum war sie nicht direkt nach Frankreich geflogen?

Und falls sie irgendeine Art von Operation in England plante, warum war sie nicht direkt dorthin gereist?

Mitchell hatte ihrer Spur nur deshalb nach Island folgen können, weil eine Ladenangestellte am John F Kennedy Airport beschuldigt worden war, aus der Kasse gestohlen zu haben. Als man den Fall überprüft hatte, war auf den Videoaufzeichnungen Zafi aufgetaucht und durch einen glücklichen Umstand war auch ein *MI6*-Agent dabei zugegen gewesen.

Zafi hätte jedes beliebige Land der Welt als Fluchtort wählen können. Also, warum war sie ausgerechnet hierher gekommen?

Mitchells Programmierung summte in seinem Inneren und wärmte sein Blut, lieferte ihm aber keine neuen Lösungen für diese Fragen. In diesem Moment hätte er am liebsten einige der körperlichen Agentenfähigkeiten gegen ein wenig mehr Denkkapazität eingetauscht.

Seine Überlegungen wurden von einem Vibrieren in seiner Jackentasche unterbrochen. Er zog ein silbernes Handy heraus und nahm den Anruf entgegen.

»Ich bin am Gebäude der Gemeindeverwaltung«, sagte er leise.

»Und ich bin am Ende meiner Geduld«, schnappte Miss Bennett am anderen Ende der Leitung.

»Nein, hören Sie », bat Mitchell. »Ich glaube nicht, dass sie das Land bereits verlassen hat. Ich vermute, sie kam aus politischen Gründen hierher. Sie wissen schon, um jemanden zu töten. Sie müssen mich über mögliche Anschlagsziele Frankreichs auf Island informieren.«

»Überlass mir die Politik«, fauchte Miss Bennett. »Dein Job besteht nicht im Nachdenken, für wie clever du dich auch halten magst. Du bist nicht dafür geschaffen, dir den Kopf zu zerbrechen. Du folgst einfach Befehlen. Meinen Befehlen und denen deiner Instinkte.«

»Aber das alles sagt mir mein Instinkt«, beharrte Mitchell.

»Dann ist es der falsche Instinkt. Deine Konditionierung muss dich ...«

»Das war nicht meine ...«, Mitchell unterbrach sich. Er wusste, dass er erneut versagt hatte. Er konnte es unmöglich vor Miss Bennett verbergen.

»Ein Hubschrauber wird dich abholen«, verkündete sie. »Deine Zielperson ist entdeckt worden.«

»Man hat sie entdeckt?« Mitchells Herz machte einen Sprung wie ein hungriges Raubtier. »Wo?«

»Mitten in der Nordsee.«

»In der Nordsee?«, fragte Mitchell ungläubig.

»Du erhältst weitere Informationen, sobald du dorthin unterwegs bist.«

»Aber das ergibt doch keinen Sinn«, protestierte Mitchell. »Wie hätte sie so schnell dorthin gelangen sollen? Ich versichere Ihnen, sie ist ganz bestimmt noch in Reykjavík.«

»Um jemanden zu töten?« Miss Bennett Stimme troff vor Sarkasmus.

»Na ja ... Vielleicht ... Ich weiß auch nicht. Möglicherweise ist sie geblieben, um hier Verbündete zu gewinnen. Deshalb versuche ich ...«

»Hör mir jetzt genau zu, Mitchell. Ein kleines französisches Flittchen wird niemals die isländische Regierung als Verbündeten gewinnen. Solange wir die Isländer in unseren Gewässern fischen lassen, sind sie auf unserer Seite. Und was die Idee betrifft, dass die Franzosen dort einen Anschlag verüben wollen...« Sie holte kurz Luft. Der Ohrhörer von Mitchells Handy schien zu glühen, so wütend klang ihre Stimme. »Auf welches mögliche Zielobjekt sollte sie es in Reykjavik abgesehen haben? Weißt du, wie groß die isländische Armee ist?«

Mitchell murmelte irgendetwas Unverständliches.

»Ein Mann«, fuhr Miss Bennett wütend fort. »Sie besteht aus einem *einzigen* Mann. Das war's. Und ich weiß zufällig, dass dieser Mann sich gerade in Barbados aufhält in Gesellschaft der Frau unseres Außenministers. Das sind übrigens Geheiminformationen, Mitchell. Niemand darf das wissen. Also, wenn du glaubst, er wird vielleicht eine Einmanninvasion starten wollen, dann...«

»In Ordnung, ich habe verstanden«, seufzte Mitchell.

Er schob die Gefühle der Schwäche und des Versagens beiseite. Es waren menschliche Schwächen. Er erhob sich und schleuderte den Rest seines Brotes ins Wasser, was einen wahren Aufruhr unter den Gänsen auslöste. Er mobilisierte die Konditionierung tief in seinem Inneren.

»Wo holt mich der Hubschrauber ab?«

Jimmy hatte keine Ahnung, wie lange er in seinem Versteck auf diesem Eisenträger gelegen hatte. Jedenfalls lange genug, damit seine Hände sich ein wenig erholen konnten. Unglücklicherweise kehrte mit dem Gefühl auch ein pochender Schmerz zurück. Er versuchte, seine Finger zu dehnen und hob so langsam wie möglich seinen rechten Arm. Jede Bewegung konnte sein Versteck verraten.

Durch das Metallgitter über sich sah er die Sicherheitsmannschaften entlangrennen und die Basis durchsuchen. Er hörte sie auch auf der Ebene unter sich vorbeimarschieren, wagte aber nicht, sich nach ihnen umzudrehen.

Sicher hatten sie sofort bemerkt, dass er die Überwachungskamera zerstört hatte, vielleicht hatten sie ihn sogar dabei beobachtet. Wie lange würde es dauern, bis sie herausfanden, welche Veränderungen er an der nächsten Kamera vorgenommen hatte? Bevor das geschah, musste Jimmy wieder in Topform und bereit für seine Mission sein.

Er überlegte, in welche Richtung die Haupthalle lag. Er schloss die Augen und ließ die Fotografien aus dem Spionageflugzeug vor seinem inneren Auge ablaufen. Doch es waren alles Außenaufnahmen. Sie verrieten ihm nicht, wohin er sich von seinem Versteck aus wenden musste.

Also versuchte er sich daran zu erinnern, welchen Weg er seit seiner Ankunft auf der Basis genommen hatte. Diese Gedanken lenkten ihn von seinen schmerzenden Fingern und den Drähten in seiner Maske ab, die sich in sein Gesicht bohrten.

Dir bleibt kaum noch Zeit, dachte er. *Vergiss den Schmerz. Beweg dich.*

Er schlug die Augen auf. Er hatte immer noch keine klare Vorstellung, wie er zu den Raketen gelangen sollte, aber er musste handeln. Er holte tief Luft. Der beißende Ölgeruch stieg ihm in die Nase. Er spähte durch das Gitter nach oben, ob der Laufweg frei war. Dann drehte er sich vorsichtig auf den Bauch. Der Stahlträger war etwa so breit wie seine Schultern und verlief über die gesamte Länge oberhalb des Laufweges. Solange Jimmy sich darauf fortbewegte, befand er sich außerhalb des Blickwinkels der Überwachungskameras auf der unteren Ebene und war durch den Laufweg verborgen vor den Kameras über ihm.

Er kroch auf dem Stahlträger entlang und erreichte schließlich das Ende des Korridors. Dort mündete der Träger direkt in der Wand.

Jimmy hatte jetzt die Wahl: Entweder er ließ sich auf die untere Ebene fallen oder er kletterte hinauf auf den Steg. In beiden Fällen würde er sofort von den Überwachungskameras entdeckt werden. Und auf beiden Ebenen befanden sich am Ende Metalltüren.

Plötzlich begann der Steg über ihm zu vibrieren.

Jimmy erstarrte. Dann flog die Tür auf dieser Ebene auf und etwa ein Dutzend Männer stampften heraus. Sie waren auf der Suche nach ihm. Und ihre Stiefel waren so dicht über Jimmys Nase, dass er auf ihren Ledersohlen die Schuhgröße ablesen konnte.

Jimmy fühlte, wie irgendetwas tief in ihm rumorte und seine Muskeln zucken ließ. Sein Körper hatte instinktiv eine Gelegenheit erkannt. Sobald der letzte Mann über ihn hinweggerannt war, packte Jimmy den Rand des Laufwegs über sich. Er zog sich daran hoch und rollte blitzschnell durch die Metalltür, kurz bevor sie zuschlug. Dabei schirmte ihn der Trupp Sicherheitsleute vor den Kameras ab. Er hatte es ungesehen durch die Tür geschafft.

Dummerweise war es die falsche Tür. Anstatt sich in einem weiteren Korridor wiederzufinden, der ihn direkt zum Mittelpunkt der Basis führte, stand Jimmy nun in einem unaufgeräumten und vollgestopften Aufenthaltsraum. Ein großer Tisch in der Mitte war übersät mit alten Zeitschriften und leeren Chipstüten und an den Wänden hingen überall Computermonitore. Auf einem der Bildschirme lief gerade das Spiel *Minesweeper*.

Jimmy blickte sich verzweifelt um. Was diesem Raum leider abging, war ein zweiter Ausgang. Er war eine Sackgasse. Und jede Sekunde konnte einer dieser Männer zurückkehren.

KAPITEL 20

Jimmy wollte wieder hinaus auf den Korridor stürmen, doch seine Finger zögerten auf dem Türgriff. Er wusste, es war die falsche Entscheidung.

Stattdessen drehte er sich um und musterte jeden Winkel des Raumes. Sein Blick fiel auf ein Handy, das neben einem aufgeschlagenen Magazin lag. Auch ohne seine Konditionierung wusste Jimmy, dass er es gut gebrauchen konnte – nur wusste er noch nicht genau, wofür.

Dann bemerkte er ein Kabel, das über der Tür in den Raum hineinführte, an der Wand entlang verlief und schließlich in einem gewöhnlichen Sicherungskasten mündete. Das Vorhängeschloss des Kastens war verrostet und Jimmy brach es ohne Probleme auf.

Im Inneren des Sicherungskastens befand sich eine komplizierte Schalttafel und darunter eine schwarze Box mit einer kurzen Antenne und einem roten Blinklicht. Jimmy war sofort klar, wohin das Kabel von hier aus führte – zu den Überwachungskameras.

Jimmy musste so breit grinsen, dass sich beinahe die Drähte in seiner Maske verbogen hätten. Es war ihm egal. Endlich spielte ihm das Glück in die Hände. Er war auf den Transformator gestoßen, der das Signal der Überwachungskameras per Funk ins Kontrollcenter schickte, wo das Sicherheitsteam vor den Monitoren saß.

Jimmy schnappte sich das Handy und suchte die Videofunktion. Dann zog er die Tür einen schmalen Spalt auf, hielt das Handy hinaus und filmte den Steg, solange es ihm risikolos möglich erschien. Einige Sekunden reichten aus. Er schloss die Tür wieder und löste die Plastikabdeckung von der Rückseite des Handys.

Dann wandte er sich dem Sicherungskasten zu und suchte in seinem Inneren nach Hilfe. Normalerweise konnte er sich auf seine Instinkte verlassen, wenn es um elektrische Systeme ging. Für seine Konditionierung war es ein Kinderspiel, die Schalttafel gedanklich neu zu programmieren und den Videoclip einzubauen. Doch für seine Hände war es nicht ganz so leicht. Es war ein Vorgang, der großes Fingerspitzengefühl erforderte, und seine Hände zitterten bei der Arbeit.

Er wischte sich den Schweiß von der Stirn. Er war immer wieder erstaunt, was seine Agenteninstinkte alles vollbringen konnten, ohne dass sein Verstand einen blassen Schimmer von technischen Vorgängen hatte. In der Schule war Physik eines seiner schlechtesten Fächer gewesen. Und nun hing sein Leben davon ab. Schließlich gelang es ihm, einen neuen Schaltkreis einzurichten. Er koppelte den tatsächlichen Input der Sicherheitskameras ab und ersetzte ihn durch eine Endlosschleife seiner eigenen Videoaufzeichnung des Laufganges.

Anschließend legte er das Telefon neben die schwarze Box und schloss vorsichtig den Sicherungskasten. Es war nicht perfekt – sobald jemand den Kasten genauer unter die Lupe nehmen würde, würden Jimmys Manipulationen auffliegen. Aber Jimmy hoffte, dass seine improvisierte Konstruktion zumindest solange ihren Dienst erfüllte, bis er die Raketen gefunden hatte.

Er stürmte hinaus auf den Korridor und rannte den Steg entlang. Er spannte jeden Muskel in seinen Beinen und zwang sich, immer größere Schritte zu machen, damit er die Raketen fand, bevor die Sicherheitsmannschaften ihn erwischten.

Wenn alles glatt ging, würde er in Kürze Großbritanniens gefährlichste Waffen entschärfen. Er stellte sich Miss Bennetts Gesicht vor, wenn sie davon erfuhr. Und was würde Ian Coates wohl sagen, wenn seine Pläne für den Krieg mit Frankreich sabotiert oder vielleicht sogar völlig vereitelt waren?

Vor Jimmys innerem Auge tauchte plötzlich Agent Bligh auf, kurz bevor er aus dem Flugzeug gestürzt war: die Glasscherbe in seiner Wange, die ruhige Resignation in seinem Blick. Erneut krampfte sich Jimmys Inneres zusammen. Auch für diesen toten Agenten war er hier, genauso wie für die Bevölkerung Großbritanniens und Frankreichs oder für seine eigene Familie und seine Freunde.

Jimmy schlüpfte durch eine Tür und fand sich in der riesigen Haupthalle der Bohrplattform wieder. Die Luft war hier deutlich wärmer. Das lag an der Maschinerie. Sechs gewaltige Metallzylinder summten laut. Jeder hatte einen Durchmesser von circa fünfzehn Metern und ragte hinauf bis zur Decke der Halle, die an die hundert Meter hoch sein musste.

Jimmy erkannte die Zylinder von den Spionagefotos wieder. Auf den Luftaufnahmen hatten sie wie sechs runde Flecken in der Mitte der Bohrinsel ausgesehen. Waren das die Raketen?

Jimmy rannte zu einem der Tanks und umrundet ihn, wobei er nach einer Art Steuermechanismus Ausschau hielt.

Dann spähte er an den Wänden des Zylinders empor. Entlang der Wände der Haupthalle verliefen Metallgerüste und auf jeder Ebene führte ein mit einer Art Kontrolleinheit bestückter Laufweg zu dem Tank. Ein leichter Sprühregen benetzte Jimmys Tauchermaske, während er versuchte, die Kontrolltafeln zu inspizieren.

Die Tanks sahen nicht aus wie erwartet. Aber schließlich war die Raketenbasis eine umgebaute Ölbohrinsel und immer noch als solche getarnt. Daher waren die Raketen möglicherweise in der Maschinerie verborgen, die früher zur Ölgewinnung verwendet worden war. Jeder dieser Zylinder war groß genug, um die gesamte Raketenbasis darin zu verbergen, und einige von ihnen enthielten möglicherweise auch noch Öl. Tatsächlich war der Ölgestank so heftig, dass Jimmy kaum Luft bekam.

Dann erschütterte etwas seinen Körper. Ein gewaltiges Knattern übertönte den Maschinenlärm. Besorgt blickte Jimmy nach oben.

Und da war er – ein großer Militärhubschrauber. Mit seinem Suchscheinwerfer leuchtete er die gesamte Haupthalle aus.

Dann fielen sechs schwarze Seilrollen aus dem Helikopter. Sie zischten durch die Luft, bis die Seilenden nur noch knapp fünf Meter über dem Boden tanzten. Dann tauchten die Umrisse von einem Dutzend kräftiger Männer auf, von denen jeweils zwei mit erstaunlicher Geschwindigkeit an einem Seil hinabrutschten. Mit ihren runden Rücken wirken sie wie gigantische Käfer – Käfer mit Schnellfeuergewehren.

Jimmy schluckte. Nun war ihm klar, warum die Sicherheitsmannschaften die Haupthalle geräumt hatten. Sie hatten Platz für das Einsatzkommando des *SAS* gemacht.

Jimmy war panisch. Er wollte weglaufen, war aber durch den Anblick der Soldaten wie gebannt. Für einen normalen Jungen hätte dies das Ende bedeutet. Doch ein normaler Junge wäre gar nicht erst hierhergekommen und Jimmy war nicht bereit aufzugeben.

Er spürte einen gewaltigen Energieschub in seinen Beinen. Plötzlich bewegte er sich wieder und diesmal mit der Präzision einer tödlichen Giftschlange.

Er schoss zu einer Seite der Halle und hangelte sich am Gerüst hinauf. Innerhalb von zwei Sekunden war er mehrere Meter über dem Boden und kletterte immer weiter. Dann spürte er den Strahl der Taschenlampen in seinem Nacken. Er wusste, was als Nächstes käme – die Feuerstöße aus den *SAS*-Maschinenpistolen.

Ohne sich umzublicken, stieß Jimmy sich mit solcher Kraft von dem Gerüst ab, dass sein Magen förmlich zusammengepresst wurde. Er streckte die Arme aus und packte eines der *SAS*-Seile.

Jimmy schwang sich einmal rund um das Seil. Jetzt war ein *SAS*-Mann über ihm und einer unter ihm. Das bedeutete, keiner von beiden konnte auf Jimmy schießen, ohne zu riskieren, dabei seinen Kameraden zu treffen.

Das Seil riss Jimmys Handflächen auf. Doch Jimmy zwang seinen Körper, den Schmerz zu ignorieren. In einer perfekt abgezirkelten Bewegung sauste er an dem Seil nach unten, rammte seinen Fuß ins Gesicht des einen Soldaten und verwendete ihn als einer Art Trampolin, um sich wieder nach oben zu katapultieren.

Der obere *SAS*-Mann sprang von dem Seil ab, bevor Jimmy ihn erreichte. Die anderen Soldaten folgten seinem Beispiel und kletterten nun an den Gerüsten rund um die Halle empor. Sie suchten nach dem perfekten Schusswinkel.

Jimmy war umzingelt. Er blinzelte nach oben. Durch das gleißende Flutlicht konnte er im Helikopter einen weiteren Scharfschützen erkennen.

Jimmy saß in der Falle.

Die roten Laserpunkte der Zielvorrichtungen bedeckten seinen Körper. Seine angespannten Nerven nahmen bereits den ersten Einschlag einer Kugel vorweg. Wie würde sich das anfühlen? Jimmy hatte schon ein paarmal geglaubt, er wäre getroffen worden, doch es war nie wirklich geschehen. Wie standen seine Chancen jetzt?

Und dann bemerkte Jimmy zu seinem Entsetzen, warum der Soldat im Helikopter noch nicht auf ihn geschossen hatte – er war damit beschäftigt, das Seil zu lösen. Wäre Jimmy erst in die Tiefe gestürzt und auf dem

Boden der Halle aufgeschlagen, böte er ein noch einfacheres Ziel.

Er angelte mit seinen Beinen nach dem Seilende unter sich, bis er es mit einer Hand packen konnte und schwang es wie ein Lasso, während er sich mit der anderen nach wie vor festhielt. Und genau in dem Augenblick, als sich das obere Seilende vom Helikopter löste, gelang es Jimmy das andere Ende in Richtung des nächstgelegenen Tanks zu schleudern.

Kurz bevor Jimmy kopfüber auf dem Metallboden der Halle aufschlug, wickelte sich das Ende des Seils um eine Gerüststrebe des Tanks. Es straffte sich und Jimmy schwang am anderen Ende aus, wobei seine Haare fast den Boden streiften.

Er hangelte sich schnell in eine aufrechte Position, nahm Anlauf und stieß sich vom Boden ab. Die Pendelwirkung des Seils nutzend, bewegte er sich jetzt mit gewaltigen Sprüngen zwischen den Wänden der Halle und trickste mit seinem Schwung die Schwerkraft aus.

Das war der Augenblick, in dem die *SAS*-Männer das Feuer eröffneten.

KAPITEL 21

Sturmgewehre bellten und übertönten den Maschinenlärm. Kugeln prallten von den Gerüsten ab, immer genau
dort, wo Jimmy noch vor wenigen Sekunden gewesen war.
Er durfte nirgendwo innehalten. Doch es gab ein Problem.

Die Kugeln, die an dem Metallgerüst abprallten, ließen
helle Funken sprühen – und die Luft war voller Öldämpfe.
Und kaum hatten die Soldaten mit Feuern begonnen, stellten sie es auch schon wieder ein. Ihrem Kommandanten
musste klar geworden sein, dass ein Funken von ent-
sprechender Größe wesentlich mehr Schaden anrichten
könnte, als Jimmy es je vermocht hätte.

Doch da war es bereits zu spät. Jimmy schwang sich an
dem Seil hin und her, stieß sich immer wieder an den
glatten Wänden ab, umrundete die gesamte Halle. Und als
er nach unten blickte, loderten bereits die ersten Flammen
empor.

Sofort begannen sämtliche *SAS*-Soldaten nach oben zu
klettern. Das Feuer breitete sich rasend schnell aus.
Innerhalb kürzester Zeit war der untere Teil der Halle ein
flammendes Inferno.

Die Hitze war so enorm, dass sie beim Luftholen das
Innere von Jimmys Mund verbrannte. Ohne Maske wäre

Jimmys Gesicht innerhalb kürzester Zeit verschmort. Die Flammen waren so hell, dass Jimmy nicht mehr nach unten blicken konnte. Sie beleuchteten die Rücken der schwarzen *SAS*-Gestalten, die eilig nach oben kletterten, um sich in Sicherheit zu bringen. Das Team britischer Elitesoldaten zog sich in seinen Hubschrauber zurück.

Als er schließlich doch nach unten schaute, wurde Jimmy sofort klar, warum sie sich plötzlich nicht mehr um ihn kümmerten, sondern ihr eigenes Leben zu retten versuchten. Die Flammen leckten an den Wänden der Speichertanks empor. Und wenn diese gigantischen Behälter in Wahrheit keine Raketen, sondern gewaltige Mengen von Öl enthielten, dann war das Ausmaß der anstehenden Katastrophe kaum absehbar.

Jimmy ließ das Seil los und zog sich auf das Gerüst. Er preschte auf den Stegen entlang und kletterte bei jeder Gelegenheit auf die nächsthöhere Ebene.

Seine einzige Chance bestand darin, irgendwie mit einem der Helikopter zu entkommen. Es war sicher keine leichte Aufgabe, in einem Hubschrauber voller Feinde zu fliehen. Doch es war immer noch besser, als sich im Zentrum eines ausbrechenden Vulkans zu befinden.

Jimmy wischte über das Glas seiner Tauchermaske. Die Ecken waren schon geschwärzt von den Flammen und die Sprinkleranlage, die sich automatisch eingeschaltet hatte, besprühte ihn mit Löschwasser. Dieser Regen war zwar nicht dazu imstande, die Flammen einzudämmen, bewirkte aber, dass Jimmy kaum noch sehen konnte, wo er sich hinbewegte.

Über ihm befanden sich jetzt nur noch zwei Ebenen. Er rannte weiter.

Durch das Tosen des Feuers ertönte eine Sirene. Jimmy blendete sie aus, um sich auf den gleichmäßigen Rhythmus seiner Schritte zu konzentrieren. Seine Lungen schmerzten. Überall war schwarzer Qualm und er wurde mit jeder Sekunde dichter.

Während er mühsam nach Luft rang, wurde Jimmy klar, dass er möglicherweise Tausende von Leben gerettet hatte. Er hatte immer noch keine Ahnung, ob die Raketen sich in diesen Tanks befanden. Aber wo auch immer sie versteckt waren, die Basis wäre nun schon viel zu beschädigt, um sie abzufeuern. Höchstwahrscheinlich würden die Raketen sogar komplett zerstört. Jetzt musste Jimmy nur noch einen Weg finden, sich selbst in Sicherheit zu bringen.

Er erreichte die oberste Ebene der Haupthalle und sah gerade noch, wie der letzte *SAS*-Soldat in den Hubschrauber kletterte.

Jimmy war sich unsicher, was er tun sollte. Hätte er sich an den Landekufen des Helikopters festgeklammert, hätte der *SAS* ihn sofort gesehen und erschossen.

Doch er hatte bereits zu lange gezögert. Man hatte ihn entdeckt.

Der Helikopter schwebte ein Stück nach oben und war jetzt gegen die Wolken kaum noch zu erkennen. Doch bevor er endgültig davonknatterte, sprang eine kleine Gestalt aus der Kabine und rollte sich gekonnt auf einem der größten Speichertanks ab. Sie steckte von Kopf bis Fuß in einem schwarzen Kampfanzug und ihr Gesicht war maskiert, aber an der Statur erkannte Jimmy sofort, um wen es sich handelte. Es war Mitchell.

»Komm her zu mir!«, schrie Mitchell.

Seine Worte waren in dem Lärm kaum verständlich. Der Qualm wurde jetzt immer dichter, aber als der Rotor des Helikopters ihn für einen Augenblick beiseite wirbelte, konnte Jimmy erkennen, dass Mitchell ihn direkt anblickte.

Die Soldaten konnten nicht auf Jimmy schießen – der Rauch war zu dicht, außerdem bestand ein großes Risiko, dabei die gesamte Basis in die Luft zu sprengen. Also war Mitchell heruntergekommen, um diesmal seine Mission ganz sicher zu beenden.

Er hob beide Hände und winkte Jimmy zu sich.

Kurz erzitterte Jimmys ganzer Körper. Doch es war nicht die Angst. Es war die Gewissheit, dass Mitchell ihn erkannt hatte. Möglicherweise war seine Tarnung bereits aufgeflogen, als der *SAS* ihn gesichtet hatte, aber jetzt bestand kein Zweifel mehr. Nun musste der *NJ7* wissen, dass Jimmy noch am Leben war.

Jimmy sammelte seine letzten Kraftreserven und schob alle Gefühle beiseite. Er rannte auf dem Steg von Mitchell weg. Hier, von der höchsten Ebene aus, sah er zu seiner Rechten das Feuer in der Haupthalle und zu seiner Linken das Meer.

Für einen kurzen Augenblick lichtete sich der Qualm und er konnte eine Reihe von kleinen Booten ausmachen. Darin befand sich die Mannschaft der Ölbohrinsel, die jetzt evakuiert wurde. *Wir sind die beiden Letzten auf der*

Bohrinsel, dachte er. *Jetzt muss ich also nur noch mich selbst in Sicherheit bringen.*

Jimmy drehte sich um und wollte über das Geländer des Laufgangs und von dort hinunter zum Wasser klettern. Doch irgendetwas packte sein Fußgelenk.

Es war Mitchells Hand.

An Bord des Helikopters klammerte sich das gesamte *SAS*-Team an den Haltegriffen fest. Sie hatten ihre Helme tief über die Augen gezogen und sich angeschnallt. Bei jeder Erschütterung des Helikopters verzogen sie das Gesicht und stöhnten.

Sie waren alle erfahrene Einsatzkräfte, die schon viele Male in Kriegszonen und Kampfsituationen gewesen waren. Aber heute Nacht flog ihr *EC7025 Cougar* über einem Hexenkessel. Heiße Luftströmungen schossen von unten empor und warfen den Helikopter hin und her. Dazwischen trafen sie einzelne Kälteströmungen aus dem Nichts und ließen sie nach unten sacken. Jede Sekunde konnte der Pilot die Kontrolle verlieren, entweder hinab in die Flammen stürzen, oder was mindestens genauso schlimm war, vom Wind hinaus aufs Meer geschleudert werden. Keiner aus dem *SAS*-Team hatte je einen so gefährlichen Flug erlebt.

Nur einer der Soldaten schien völlig gleichgültig gegenüber den Turbulenzen. Er war bei Weitem der größte unter ihnen. Die Kanten seines Kiefers standen markant hervor und ließen seine Skimaske wie eine schwarze Box aussehen, in der nur sein Augen funkelten.

Paduk war nicht mal angeschnallt. Er beugte sich aus der Kabine und starrte, ohne zu blinzeln, hinab in das Inferno. In dem ganzen Qualm versuchte er, einen Blick auf die beiden jugendlichen Agenten zu erhaschen, die unter ihm einen Kampf austrugen.

Er staunte über die Stärke und Beweglichkeit der beiden Gestalten – und wie ähnlich sie einander waren. Beide von Kopf bis Fuß schwarz gekleidet, konnte man sie kaum voneinander unterscheiden. Zwei Spiegelbilder schienen hier erbittert miteinander zu ringen.

Obwohl einer von ihnen ein wenig größer war, bewegten sie sich beide mit ungeheurer Präzision, steckten gnadenlose Treffer fast unbeeindruckt weg und beherrschten meisterlich sämtliche Tricks der Kampfkunst.

Es war fast so, als würde er einem Computerspiel zusehen, wo beide Charaktere etwas unterschiedlich aussehen, aber denselben Regeln und Gesetzmäßigkeiten folgen.

Natürlich, dachte Paduk. *Dieselbe Konditionierung.*

Mitchell wirbelte Jimmy über seinem Kopf im Kreis und ließ ihn dann los. Jimmy segelte durch die Dunkelheit, während gewaltige Flammen unter ihm emporzüngelten. Er landete mit einer improvisierten Rolle auf dem Dach eines der Tanks.

Mitchell folgte ihm und kam kaum zwei Meter neben ihm auf.

Jimmy sprang auf. Für den Bruchteil einer Sekunde verharrten beide bewegungslos und musterten ihren Gegner. Ebenso gut hätten sie die letzten beiden Menschen auf der

Welt sein können, die sich in diesem metallenen Ring von etwa fünfzehn Metern Durchmesser gegenüberstanden.

Dann stürzte Mitchell los.

Jimmy straffte seine Muskeln, machte sich bereit für die Attacke. Sein Angreifer stampfte aus dem schwarzen Rauch hervor wie ein Rhinozeros aus dem Dschungel.

Jimmy drehte die Hüften und nahm die Schultern leicht zurück. Sein rechtes Bein schnellte nach oben in Richtung von Mitchells Kopf.

Mitchell ließ sich zu Boden fallen, wo das Metall ölig und schlüpfrig war. Er schlitterte unter Jimmys Gegenangriff hindurch und rammte seinen Ellbogen in die Rückseite von Jimmys Knöchel.

Jimmy stürzte rückwärts, fing sich aber gerade noch rechtzeitig und vollführte einen eleganten Rückwärtssalto. Er landete sicher auf beiden Füßen.

Mitchell war im Qualm verschwunden.

Jede Faser in Jimmys Körper stand unter Hochspannung. Er wirbelte herum und versuchte, seinen Gegner zu erspähen.

Dann brach Mitchell plötzlich aus der Dunkelheit hervor.

Jimmy stemmte seine Fersen in eine Vertiefung im Metall und drehte seine Schultern, um den Angriff abzulenken. Mitchell donnerte direkt in ihn hinein. Es war, als würde Jimmy von einer Kanonenkugel getroffen. Sein gesamtes Knochengerüst erbebte. Er wurde über Mitchells Rücken geschleudert und krachte zu Boden.

Für einen Augenblick war er bewegungsunfähig. Selbst

seine Lungen weigerten sich weiterzuatmen. Der Schmerz in seinen Knochen verriet ihm, dass Mitchells Agentenkräfte in der kurzen Zeit seit ihrem letzten Kampf noch beträchtlich gewachsen waren.

Endlich hievte Jimmy sich hoch, aber er schwankte. Die Metallfläche unter ihm bewegte sich. Es war das Dach des gewaltigen Tanks, das jetzt rasch aufglitt.

Jimmy fiel auf die Knie. Dann schoss eine gewaltige Flamme empor und riss eine Lücke in den Qualm. Durch den orangefarbenen Blitz sah Jimmy, wie Mitchell von einem der Kontrollpunkte wegrannte. Er hatte den Tank geöffnet.

Rasch öffnete sich ein Abgrund zwischen Jimmy und Mitchell. Jimmy starrte hinab in den Tank. Trotz der Gefahr war ein kleiner Teil von ihm völlig fasziniert. Und noch bevor er es tatsächlich sehen konnte, war ihm klar, was der Tank enthielt. Die aufsteigenden Dämpfe schlugen Jimmy ins Gesicht.

Er hatte falsch gelegen.

In diesen Zylindern waren keine Raketen versteckt. Nur wenige Meter unter ihm lag wie ein großer glänzender Spiegel eine runde schwarze Scheibe. Es war die Oberfläche von Abertausenden Litern Öl. Es war wunderschön. Und es war tödlich.

In der Spiegelung sah Jimmy, wie Mitchell nach oben in den Himmel entschwand, eine Landekufe des Helikopters mit der Hand umklammernd. Jimmy blickte auf.

Der andere Junge winkte ihm mit einem überheblichen Ausdruck zu. Das machte Jimmy stinkwütend. Mitchell schrie irgendetwas. Bei all dem Lärm um sie herum fiel es Jimmy nicht schwer, Mitchells Worte zu überhören. Was sollte dieser miese Kerl ihm noch zu sagen haben?

Aber Mitchell genoss die Situation offensichtlich zu sehr und schrie daher weiter in voller Lautstärke.

Irgendetwas an seinen Worten ließ Jimmys Haut prickeln. Er lauschte aufmerksamer und versuchte, von Mitchells Lippen abzulesen, aber der andere entfernte sich zu rasch und der Qualm beeinträchtigte Jimmys Sicht.

Doch dann drang für einen kurzen Augenblick das Echo Mitchells höhnischer Worte zu ihm durch. Und Jimmy konnte kaum glauben, was er da vernahm.

»Auf Nimmerwiedersehen, Zafi!«

Jimmy spürte eine Welle der Erleichterung. Seine Hände griffen nach seiner Maske. Während des Kampfes hatte er ganz vergessen, wie gut er getarnt war.

Er biss die Zähne zusammen und fühlte sich von einer neuen Entschlossenheit erfüllt. Mitchell hatte ihn nicht erledigen können – wieder einmal. Wenn Jimmy jetzt die Flucht gelang, würde der *NJ7* immer noch davon ausgehen, dass er tot war.

Doch unglücklicherweise konnte Jimmy nirgendwohin fliehen. Der Boden unter seinen Füßen wurde immer weiter weggezogen und verschwand in einer Seite des Speichertanks. Er bewegte sich von dem Laufweg weg, von dem ihn zudem jetzt eine große Ölfläche trennte. Und auf der anderen Seite des Tanks konnte Jimmy nicht herunterspringen, denn selbst ohne das gewaltige Feuer dort unten wäre der Sturz zu tief gewesen.

Hilflos stand Jimmy da. Er nahm seinen ganzen Mut zusammen und machte sich bereit für einen Sprung über das Öl in Richtung Steg. Er konnte nur einen einzigen Schritt Anlauf nehmen.

Ich muss es tun, dachte er.

Er beugte die Knie, holte Schwung mit den Armen und sprang.

Jimmy spannte jeden Muskel und zwang seinen Körper, noch ein kleines Stückchen weiter zu fliegen. *Es ist nicht so weit*, versicherte er sich selbst. *Ich kann es schaffen.* Er streckte die Arme aus, um den gegenüberliegenden Rand des Tanks zu packen.

Aber die Entfernung war weiter als vermutet. Und Jimmy klatschte mitten in den schwarzen glibberigen Pool. Das Öl zog schwer an seinen Gliedern und war überraschend warm. Bei jeder Bewegung klebte die schwarze Flüssigkeit zäher an ihm.

Das ist in Ordnung, versicherte Jimmy sich. *Ich kann da durchschwimmen.*

Wenn er es bis zum Rand des Tanks schaffte, könnte er sich hochziehen und hinausklettern.

Doch Jimmy wusste, dass die gewaltigen Feuer den Tank von außen aufheizten. Reines Rohöl wäre nicht so gefährlich gewesen, aber dieses hier war bereits auf der Plattform raffiniert und dann zur Aufbewahrung in diesen Tank gepumpt worden. Sobald es heiß genug war, würde es sich selbst entflammen. Und wenn das geschah, hätte Jimmy ebenso gut in der größten Benzinbombe aller Zeiten schwimmen können.

KAPITEL 22

Paduk erinnerte sich an seine Trainingsläufe mit Mitchell. Es hatte ihn überrascht, dass dieser Junge, der in manchen Momenten so verletzlich erschien, kurz darauf zur tödlichen Maschine werden konnte. Während er ihn beobachtete, fiel Paduk auf, wie weit die genetische Konditionierung bei Mitchell bereits die Kontrolle übernommen hatte. Es stieß ihn ab. Er spuckte angewidert aus dem Helikopter.

Monster, dachte er. *Wir waren Monster, diese Wesen zu erschaffen und dann auch noch einen von ihnen zu töten.*

Seine Erinnerung gaukelte ihm Trugbilder vor. Anstatt Mitchell auf einem dieser Trainingsläufe zu sehen, sah er plötzlich Jimmy vor sich. Er stellte sich sogar vor, dass es Jimmy war, der da unten mit Mitchell kämpfte, und nicht Zafi. Die Ähnlichkeiten ihres Kampfstils waren verblüffend.

Mit einem tiefen Grunzen schüttelte Paduk seine Gewissensbisse ab. Er musste sich konzentrieren.

Seine Hauptaufgabe war der Schutz von *Neptuns Schatten* gewesen. Er hatte versagt. Das wusste er. Aber seine Mission war noch nicht beendet. Die Katastrophe wäre noch wesentlich größer, wenn jetzt auch noch Mitchell getötet wurde.

Andererseits gäbe es immerhin eine positive Sache zu

vermelden, wenn sie die französische Agentin eliminierten. Paduk wünschte nur, dass Mitchell nicht gegen seine Befehle verstoßen und Zafi im Alleingang angegriffen hätte. Aber vielleicht waren die jugendlichen Agenten einfach nicht dazu gemacht, Teil eines Teams zu bilden.

»Tiefer fliegen!«, brüllte Paduk in sein Headset. »Wir gehen wieder runter.«

»Vergessen Sie es!«, brüllte der Pilot zurück. »Wir können die Insel nicht mehr retten. Schauen Sie sich das Inferno an!«

»Ich weiß«, erwiderte Paduk. »*Neptuns Schatten* ist verloren. Aber wir müssen Mitchell helfen.«

»Sind Sie verrückt?« Der Pilot blickte hasserfüllt über seine Schulter. Er hantierte permanent mit den Kontrollinstrumenten des Hubschraubers und versuchte verzweifelt, den Flug zu stabilisieren. Es war ein aussichtsloser Kampf.

»Wenn wir da unten noch mal jemanden absetzen, dann kriege ich den *Cougar* nie wieder hoch. Dieser Junge war verrückt, da runterzuspringen. Wir dürften eigentlich gar nicht auf ihn warten. Und wenn ihm weitere Männer folgen, bedeutet das den sicheren Tod für alle, die hier oben auf ihre Rückkehr warten. Wenn der Junge nicht bald zurückkommt, werden wir ohnehin alle bei lebendigem Leib geschmort.«

»Also gehen wir besser runter und sammeln ihn auf, oder nicht?«

Der Pilot antwortete nicht, aber eine Sekunde später ging der Cougar in den Sinkflug über.

Paduk wandte sich wieder dem Schauplatz unter ihnen zu. Er sah Mitchell am Kontrollpult eines Speichertanks hantieren und gleich darauf begann sich das Dach des Tanks zu öffnen wie das Auge eines Zyklopen nach einem langen Schlaf.

»Los! Beeilung!«, schrie Paduk. »Noch ein Stück tiefer!«

Mitchell rannte auf sie zu, zum Absprung bereit.

»Tiefer können wir nicht gehen!«, brüllte der Pilot. Eine gewaltige orangefarbene Stichflamme schoss unter ihnen empor.

»Ich entscheide, wie tief wir gehen «, beharrte Paduk, dem der Schweiß über das Gesicht strömte. Er winkte Mitchell herbei. Dann, im letzten Augenblick, sprang Mitchell und erwischte die Landekufen des *Cougars* mit den Fingerspitzen.

Paduk seufzte erleichtert. Aber als er durch den Rauch zu dem geöffneten Öltank blickte, sah er wie der andere Agent in den schwarzen Pool sprang. *Ist das Zafis sicheres Ende?*, fragte sich Paduk. *Ist sie damit endgültig erledigt?*

Der Helikopter stieg wieder in den Himmel und nahm Tempo auf.

Aber Paduk starrte immer noch gebannt auf den Öltank. War das der Kopf des Agenten, der wieder an die Oberfläche kam?

Mitchell zog sich selbst hinauf in die Kabine und ließ sich dort zu Boden fallen. Er zerrte seine Skimaske herunter und ein Grinsen kam zum Vorschein.

Paduk konnte sein Lächeln nicht erwidern. »Los«, befahl er dem Piloten. »Wartet nicht auf mich. Bringt den Helikopter aus der Gefahrenzone.«

Der Pilot fuhr herum. Entsetzen stand ihm ins Gesicht geschrieben. »Sie gehen noch mal da runter?!«

»Ich bringe den Auftrag zu Ende.« Paduk starrte wütend zu Mitchell und dessen Lächeln verschwand sofort.

»Aber die Bohrinsel fliegt in Kürze in die Luft!«, schrie der Pilot. »Wie wollen Sie da wieder runterkommen?«

Paduk knackte mit dem Kiefer. »Ich finde schon einen Weg.«

Mit diesen Worten stürzte er sich selbst hinab in den schwarzen Rauch.

Wenn Mitchell versagt, dann habe ich auch versagt, dachte er. *Und wenn ich versage, dann ist mein Land in Gefahr.*

Niemand im Helikopter sah, wo er landete. Sofort drehte der Pilot seitlich ab und nutzte einen starken Aufwind, um sich hoch über die Wolken tragen zu lassen und dann zurück in Richtung Land zu fliegen.

Jimmy pumpte mehr Energie in seine Arme und Beine und schaffe es schließlich gerade so, gegen den Sog des Öls anzukämpfen. Doch genau in dem Moment begannen sich im unteren Teil des Tanks gigantische Schrauben zu bewegen und immer schneller und schneller zu rotieren.

Wie hat Mitchell diesen Mechanismus aktiviert? Kurz zuvor war die Oberfläche des Öls noch völlig ruhig und glatt gewesen. Jetzt war sie aufgewühlt wie ein Whirlpool.

Jimmy flehte seine Muskeln an, sich schneller und kraftvoller zu bewegen. Er paddelte jetzt inmitten des Tanks. Und er benötigte seine allerletzten Kraftreserven, um sich einfach nur an Ort und Stelle zu halten. Gleichzeitig beschleunigte das hydraulische System unter ihm immer mehr. Jimmy konnte kaum noch den Kopf über der Oberfläche halten. Die schwarze Flüssigkeit sog ihn nach unten, als wäre sie ein lebendiges Wesen.

Jimmy sah nichts mehr. Sein Körper wurde in alle Richtungen gewirbelt, bis er nicht mal wusste, wo oben und unten war. Er bekam keine Luft mehr.

Dann riss er sich zusammen und versuchte, seine Programmierung zu aktivieren. Er öffnete den Mund und ließ das Öl einströmen. Sofort zuckte sein ganzer Körper zusammen, als die starken Chemikalien eindrangen und ihn vergifteten. Jimmy wartete den Bruchteil einer Sekunde darauf, dass seine Lungen frische Energie aus der Flüssigkeit in seiner Umgebung ziehen würden. Doch seine Brust krampfte sich lediglich unter dem extremen Sauerstoffmangel zusammen.

Er packte seine Maske mit beiden Händen und riss sie sich vom Gesicht, so als wäre sie es, die seine Atemwege blockierte und ihn daran hinderte, unter Wasser zu atmen. Aber Jimmy war nicht unter Wasser. *Er war unter Öl.*

Jimmy wurde immer tiefer gezogen, Meter um Meter, schneller und schneller. Jetzt erst erkannte er, wie dumm er gewesen war. Öl und Wasser unterschieden sich ebenso sehr voneinander, wie Wasser und Luft. Wenn man in einem Element atmen konnte, bedeutete das noch lange nicht, dass man auch im anderen Luft bekommt. Jimmy schloss seinen Mund wieder. Aber es war zu spät. Er ging unter.

Seine Gedanken wurden wirr. Sein Gehirn erstickte. Erinnerungen an die Vergangenheit wirbelten durch sein Bewusstsein. Jimmy sah sich plötzlich im Schwimmbad seiner alten Schule, an einem heißen drückenden Sommertag. Er spürte wieder die intensive Angst davor, ins Wasser zu steigen. Die Farben in seinem Kopf waren leuchtend bunt und wurden mit jeder Sekunde greller, als würde die Hitze des Tages alles überblenden.

Nein, schrie Jimmy innerlich. *Es ist kein heißer Tag. Es ist ein Feuer. Du ertrinkst in einem Tank mit heißem Öl.*

Erneut drohten die Visionen ihn zu überwältigen, daher konzentrierte Jimmy sich auf die undurchdringliche Schwärze um ihn herum. Das war real. Alles andere führte direkt in den Tod.

Jimmy konnte spüren, wie sich seine Rippen gegen die Lungen pressten. Es fühlte sich an, als würden seine Knochen beim verzweifelten Ringen seines Körpers um Atemluft zerbrechen. Das bedeutete, er war noch bei Bewusstsein – aber sicher nicht mehr lange.

Plötzlich wurde Jimmy gegen die Seite des Tanks geschleudert. Der Zusammenprall mit dem Metall rüttelte ihn wach. Er umklammerte immer noch seine Maske. In der Dunkelheit fühlte er nach den Metallspitzen in ihrem Inneren. Alle Kraft schwand nun aus seinen Muskeln, doch er bündelte seine letzte Energie und brach eine der Spitzen ab. Er schloss die Augen. Erneut drehte sich alles in ihm. Ihm blieb nicht mehr viel Zeit. Sein Körper begann seinen Dienst einzustellen – für immer.

Wie benebelt stieß er den Arm mit der Metallspitze in die Seite des Tanks. Das war's. Er hatte seine allerletzte Kraft verausgabt. Er sank gegen die Wand des Tanks, alle seine Muskeln erschlafften.

Irgendetwas in Jimmys Unterbewusstsein nahm wahr, dass Öl rauschte, aber er ahnte nicht, dass es sich einen Weg durch das Loch bahnte, das er in den Tank gebohrt hatte. Das Feuer entzündete das Öl, das ausströmte. Dadurch erhöhte sich die Temperatur rund um den Tank beträchtlich, ließ das Metall weich werden und schwächte die Nahtstellen.

Öl und Flammen schossen heraus. Währenddessen hing Jimmy bewegungslos an der Innenseite des Reservoirs.

Endlich war der Ölstand so weit gesunken, dass sein Kopf darüber hinausragte. Aber es war zu spät.

Jimmys Augen waren geschlossen. Er atmete nicht mehr. Sein Herz war stehengeblieben. Um den Tank herum tobte ein Feuersturm. Jede Minute würden die Flammen durch das Loch in der Tankwand brechen. Jimmy würde verbrennen, und es gab nichts, was er dagegen unternehmen konnte.

KAPITEL 23

Jimmys Kopf pendelte hin und her. Sein Körper trieb in dem im Tank verbliebenen Öl und wurde von den rotierenden Schrauben zur anderen Seite geschoben. Er war völlig leblos. Kein Atem. Kein Puls.

Ein lodernder Feuerring peitschte an der Außenwand des Tanks empor. Und dann schlug das Feuer durch das Loch im Metall. Die Tankwand war gesprengt. Das verbleibende Öl im Inneren wurde entzündet. Und in Bruchteilen einer Sekunde breitete sich das Feuer auf der Oberfläche des Öls aus. In wenigen Sekunden würden alle Spuren eines Jungen namens Jimmy Coates für immer getilgt sein.

Doch da geschah in seinem Brustkorb etwas sehr Merkwürdiges. Seine Herzmuskeln hatten jetzt seit mehreren Sekunden ausgesetzt. Doch nun zogen sie sich plötzlich zusammen und stießen kleine Mengen Milchsäure aus. Diese Säure erzeugte eine chemische Reaktion namens *anaerobe Glykolyse*. Das Resultat waren Tausende submikroskopisch kleiner Wasserstoff-Ionen, die direkt in Jimmys Herz explodierten.

In einem Krankenhaus hätte ein Doktor vermutlich große Metallplatten auf Jimmys Brust gepresst und elektrischen Strom hindurchgejagt, in einem letzten Versuch, sein Herz wieder in Gang zu setzen. Doch Jimmy hatte ein weit effizienteres Notfallsystem. Seine Herzmuskeln funktionierten als hätten sie einen eingebauten Defibrillator.

Der ganze Vorgang hatte kaum eine Zehntelsekunde gedauert. Jimmys Oberkörper bäumte sich unter dem Stromstoß auf. Ein Impuls war genug.

Jimmy riss seinen Mund weit auf und saugte Luft ein. Seine Muskeln bewegten sich automatisch. Es ging alles viel zu schnell, als dass er es bewusst hätte miterleben können. Seine Augen öffneten sich und er sah das Feuer auf sich zuschießen.

Was ist das?, dachte er verwirrt. *Wo bin ich?*

Sein Herz pumpte mit hundert Schlägen pro Minute. Als würde ein Maschinengewehr in seinem Brustkorb rattern. Er spürte eine wilde, animalische Panik in sich aufsteigen, aber gleichzeitig auch die kühle, mechanische Ruhe seiner Konditionierung. Am entscheidenden Punkt hatte Jimmys Körper genau das getan, wozu er gemacht war.

Er streckte sich nach oben und packte eine Niete am Tank. Seine Arme zogen seinen übrigen Körper aus dem Öl. Seine Finger krallten sich an den Metallnieten fest. Doch sie troffen vor Öl und rutschten immer wieder ab. Er konnte sich nicht schnell genug bewegen. Mörderische Hitzewellen brandeten gegen seinen Rücken.

Jimmy kletterte verzweifelt weiter nach oben und klammerte sich dann am unteren Rand eines Laufgangs fest.

Er hing jetzt über dem Tank. Eine Stichflamme loderte direkt unter ihm empor. Das hydraulische System drehte sich immer noch und mit jeder Umdrehung schleuderte es brennendes Öl nach oben.

Jimmy wich den Flammen aus und wollte sich gerade nach oben auf den Steg ziehen, da sah er vor sich die Stiefelspitzen eines Mannes. Direkt über ihm erhob sich ein gewaltiger dunkler Schemen mit breiten Schultern und einem markanten Kinn.

Paduk.

Während Jimmy emporstarrte, fiel ihm ein, dass der Mechanismus im Speichertank sich erst in Bewegung gesetzt hatte, nachdem der *SAS*-Helikopter bereits abgeflogen war. Jetzt verstand Jimmy: es war Paduk, der das hydraulische System aktiviert hatte.

Jimmy zog sich weiter nach oben, bis er seine Ellenbogen auf dem Laufgang abstützen konnte. Eine kleine Kraftanstrengung noch und er wäre in Sicherheit. Doch so einfach würde es nicht werden.

Paduk starrte auf ihn herab. In seinen Augen spiegelte sich das Inferno unter ihnen. Wegen der Hitze hatte der Mann seine Skimaske abgezogen und jetzt sah sein Gesicht aus wie das eines der Hölle entstiegenen Dämons.

Der gewaltige Soldat griff an seinen Gürtel und zückte eine Pistole. »Du bist ein zähes kleines Mädchen, was?«, schrie er und zielte. »Mitchell muss endlich mal lernen, seine Aufträge ordentlich zu Ende zu bringen.«

Jimmy starrte wie gebannt in den Lauf von Paduks Waffe und hoffte auf ein weiteres Wunder. Seine Energie war verbraucht. Sein Herz klopfte immer noch rasend in seiner Brust. Es erforderte Jimmys ganze Kraft, bei

Bewusstsein zu bleiben und nicht wieder zurück in die Flammen zu stürzen. *Komm schon, nicht aufgeben. Du hast das alles nicht umsonst überstanden.* Aber so sehr er auch nachdachte, ihm fiel nichts mehr ein, womit er sich hätte retten können.

Er schüttelte den Kopf und seufzte. Ihm blieb nur noch, auf die tödliche Kugel zu warten. Er ließ den Kopf sinken, um sich mit dem Arm etwas von dem Öl aus dem Gesicht zu wischen.

»Du!« Paduk schnappte nach Luft.

Jimmy war plötzlich hellwach. Warum zögerte Paduk? Möglicherweise war er überrascht, Jimmy anstelle von Zafi zu sehen. Doch das war kein Grund, nicht zu schießen.

»Wie hast du das überlebt?« Paduks Gesicht wirkte entgeistert und sein Finger am Abzug zitterte.

Jimmy rätselte, was der Mann wohl dachte. Zweifelte er, ob er schießen sollte?

»Warum musstest du zurückkommen?«, schrie Paduk. »*Warum?*«

»Warum müssen Sie mich erschießen?«, erwidert Jimmy, gerade so laut, dass man ihn über das Dröhnen der Flammen hinweg hören konnte. Er wollte gelassen klingen, aber seine Nerven spielten verrückt.

Die Pistole war immer noch direkt auf seinen Kopf gerichtet. Wenn er versuchen würde, nach oben zu klettern und wegzurennen, würde er sofort erschossen. Aber wenn er hierblieb und weiter auf Paduks Entscheidung wartete, könnte er möglicherweise seiner ersten Kugel ausweichen, aber die zweite würde ihn mit Sicherheit treffen. Und die dritte und vierte …

Jimmys einzige Chance bestand darin, Paduk bei seinen Zweifeln zu packen.

»Erinnern Sie sich noch, wie sie mich trainiert haben?«, rief Jimmy.

Er erhielt keine Antwort.

»Sie haben mir mal gesagt, Großbritannien bräuchte Menschen wie uns, die das Land schützen. Wissen Sie noch?«

Paduk stand nach wie vor mit ausgestrecktem Arm da und zielte mit der Pistole.

»Das ist unsere Aufgabe, haben Sie gesagt, Ihre und meine. Wir schützen unser Land. Ich bin hierhergekommen, um mein Land zu schützen. Das Land, in dem meine Familie und meine Freunde leben. Schützen *Sie* jetzt Ihr Land, Paduk? Ist es wirklich zum Besten Ihres Landes, wenn sie mich erschießen? Es ist vielleicht gut für den *NJ7*, aber ist es auch gut für Großbritannien?«

Paduk öffnete den Mund, wollte etwas sagen, hielt dann aber inne.

Jimmy konnte die Qual im Gesicht des Mannes sehen.

»Ist diese dumme Neo-Demokratie wirklich so wichtig für Sie«, fuhr Jimmy fort. »Glauben Sie, ein System, das sein eigenes Volk belügt …« Jimmy unterbrach sich. Er zitterte. Er wusste, er hatte Angst um sein Leben, aber dies war etwas anderes. Da war eine Leidenschaft in seiner Stimme, die er nicht erwartet hatte.

»Ein System, das mich erschaffen hat!«, schrie er mit Tränen in den Augen. »Dieses System ist nichts als eine einzige große Lüge. Wenn Sie glauben, das ist es wert, dafür zu töten, dann erschießen Sie mich. Sie tun nur Ihre Pflicht.«

Jimmy presste die Augen zusammen und holte tief Luft.

PENG!

Jimmy zuckte zusammen. Aber er war nicht getroffen worden. Er öffnete die Augen.

Paduk stand immer noch über ihm, aber die Pistole war nicht länger auf Jimmy gerichtet. Stattdessen zielte er über Jimmys Schulter hinweg auf die Basis des Tanks.

Jimmy drehte den Kopf. Das Öl rann durch eine weitere Öffnung hinaus und der Pegel des Feuers unter ihnen sank.

Jimmy wäre beinahe abgerutscht. Aber dann spürte er, wie Paduk ihn unter dem Arm packte. Der gewaltige Mann zog Jimmy hoch und warf ihn auf den Laufgang. Mit verschwommenem Blick sah Jimmy die Umrisse von Paduks Gesicht. Dann drang dessen Stimme zu ihm durch. Über den Lärm hinweg verstand Jimmy nur einzelne Worte.

»Verschwinde von hier … die Tanks … los!«

In Jimmys umnebeltem Bewusstsein kämpfte sich sein menschliches Selbst hervor. Endlich richtete Jimmy sich auf und stützte sich auf das Geländer des Laufgangs. Er starrte in Paduks Gesicht.

»Verschwinde von hier!«, befahl der Soldat und deutete über Jimmys Schultern hinaus auf das Meer. »Und komm nie wieder zurück nach England.«

Jimmy brachte vor Verwirrung kein Wort heraus. Als er wieder sprechen konnte, hatte Paduk sich bereits umgedreht und rannte davon.

»Aber was wird jetzt mit Ihnen?«, schrie Jimmy ihm hinterher.

Paduks Antwort hallte von dem Metall des Laufgangs wider. »Ich kehre nie wieder dorthin zurück!«

»Paduk!«, schrie Jimmy.

Aber der Mann war bereits in der Dunkelheit verschwunden.

»Hey!«

Jimmys Stimme wurde von dem Geräusch des Infernos verschluckt. Er blickte sich verzweifelt um, suchte über sich nach einem freien Stück Himmel, aber er wusste, der Helikopter würde nicht mehr zurückkehren, um Paduk abzuholen. Der Qualm war viel zu dicht und die Flammen zu hoch.

Jimmy wurde aus seinen Gedanken gerissen, als er einen Mund voll Rauch schluckte. Er hustete heftig. Er stand jetzt ganz oben in der Haupthalle, aber in wenigen Minuten wurde auch dieser Bereich vom Feuer verschlungen werden.

Er wandte sich in Richtung Meer. Von hier oben war es sicher ein Zweihundert-Meter-Sprung hinunter ist Wasser. Es war Jimmys einzige Fluchtroute, doch er zögerte. Nie und nimmer würde er einen solchen Sprung überleben.

Die Hitze in seinem Rücken war mörderisch. Es war, als hielte jemand ein Schweißgerät gegen seine Haut. Er blickte sich ein letztes Mal um, blinzelte in die Flammenhölle. Ein Zweihundert-Meter-Sprung ins Wasser war allemal besser als ein Zweihundert-Meter-Sprung ins Feuer.

Seine Beine zitterten. War das die Angst oder war das

Gerüst unter ihm mittlerweile so instabil? Es fühlte sich an, als würde *Neptuns Schatten* vor Wut beheben.

Jimmy suchte nach dem innersten Kern seiner Kraft und versuchte, sie auf die höchste Stufe zu schalten.

Dann stieg er auf das Geländer, holte ein letztes Mal tief Luft und sprang.

Die Luft wurde sofort kühler. Wind peitschte in Jimmys Gesicht. Er krümmte sich und überlegte, wie er am besten landen sollte. In seiner Verzweiflung flehte er, ihm mögen Flügel wachsen, damit er über das Wasser hinwegsegeln könnte und nicht aufschlagen und den mörderischen Schmerz spüren müsste.

Instinktiv presste er seine Fußknöchel gegeneinander. Er verschränkte die Arme über der Brust. Blut stieg ihm in den Kopf. Kurz befürchtete er, dass er ohnmächtig werden oder seine Trommelfelle explodieren würden.

Er spähte nach unten, doch als er sah, wie tief er noch stürzen würde, wurde ihm übel. Auf den Aufprall zu warten, war wie eine lange, schreckliche Folter. Er versuchte die Kontrolle zu behalten, hörte sich aber selbst laut aufschreien.

Und dann erregte plötzlich etwas seine Aufmerksamkeit.

Dort oben über ihm auf dem Laufweg stand eine dunkle Gestalt. Es waren die Umrisse eines riesigen Mannes, der die Hände in die Hüften gestemmt hatte und hinter dem sich ein gewaltiges orangefarbenes Leuchten erhob. Es musste Paduk sein. Aber warum sprang er nicht? Warum stand er einfach nur da?

Jimmy legte den Kopf in den Nacken und versuchte,

weiter nach oben zu schauen, aber er stürzte einfach zu schnell in die Tiefe.

Jede Sekunde würde er auf dem Wasser aufschlagen und es wäre hart wie Beton.

Da wurde er plötzlich von einem gewaltigen weißen Blitz geblendet. Er war überall um ihn herum, als würde die ganze Welt erleuchtet. Eine Sekunde lang flammte er grell in der Stille, gerade lange genug, damit Jimmy erkennen konnte, dass sich auch die letzten fünf Speichertanks entzündet hatten.

BOOM!

Jimmy fühlte sich, als würde sein Innerstes nach außen gestülpt. Sein Gehirn bebte in seinem Schädel. Die gewaltige Explosion traf ihn wie ein Bulldozer. Er wirbelte durch die Luft und wusste nicht mehr, wo oben und unten war. Aber immerhin war sein rasender Sturz ins Meer gebremst worden. Die Explosion hatte ihn vor einem Fall bewahrt, der seine sämtlichen Knochen in tausend Stücke zerschmettert hätte.

Seine Arme und Beine schlugen um ihn herum, er hatte jede Kontrolle über sie verloren. Er konnte nichts mehr sehen, spürte aber, wie er von brennenden Trümmern getroffen wurde.

Oh nein, ich bin doch bedeckt mit …

Aber es was war zu spät. Das Öl auf seinem Taucheranzug entzündete sich. Jimmy schrie auf vor Schmerz. Für einen Augenblick segelte er wie eine brennende Lumpenpuppe durch die Luft.

Und dann, endlich, stürzte er ins Meer.

KAPITEL 24

Felix schlängelte sich durch die Menge, wobei er mit einer Hand geschickt sein Essenstablett balancierte und sich mit dem Ellbogen des anderen Armes die Menschen vom Leib hielt.

Als er einen Platz fand, ließ er sich nieder und begann, sofort sein Essen in sich hineinzuschaufeln. Es war ihm egal, wo er saß oder wer ihm gegenüberhockte. Er schaffte es, seine Umgebung vollständig zu ignorieren, selbst wenn er angesprochen wurde.

Felix wollte nicht reden oder irgendjemanden kennenlernen. Aus den Augenwinkeln hatte er immer diesen Mann im Blick – einen großen Mann, in einem schwarzen Anzug und mit einem kurzen buschigen Schnurrbart, der ihm ein permanent genervtes Aussehen verlieh.

Die Agenten arbeiteten in Schichten. Aber für Felix sahen sie alle gleich aus. Sie verschmolzen zu einem einzigen hässlichen, schlecht gelaunten Mann mittleren Alters.

Felix war klar, wie frustriert sie davon sein mussten, beim Geheimdienst angeheuert zu haben und dann für eine solch erbärmliche Mission abkommandiert worden zu sein.

Plötzlich hämmerte jemand ein weiteres Essenstablett ihm gegenüber auf den Tisch.

»Als wir noch auf der Flucht waren, war das Essen deutlich besser«, verkündete Georgie.

Auf ihrem Tablett lag ein einsamer Apfel. Sofort grub sie ihre Zähne hinein.

Felix zuckte mit den Achseln und musterte die braune Pampe auf seinem Teller. Es waren irgendwelche schlappen Nudeln, unter denen welkes Gemüse hervorlugte. Er fand es ganz in Ordnung.

»Bäh!«, fuhr Georgie fort. »Wie kannst du nur sowas essen?«

Felix grinste und ließ etwas von der Bolognese-Sauce von seinen Lippen zurück auf den Teller tropfen.

Georgie verzog angewidert das Gesicht und blickte beiseite.

Felix kicherte zufrieden.

»Hör zu«, sagte Georgie rasch. »Wir haben keine Zeit für solche dummen Scherze. Ich bin nur gekommen, um dir zu sagen ...«

Sie angelte ihre schwarze mit Stickern übersäte Umhängetasche vom Boden. Sie öffnete eine kleines Seitenfach, warf dann einen raschen Blick zu dem *NJ7*-Agenten und wartete darauf, dass sich irgendjemand zwischen sie und den Mann schob.

Als genau das passierte, zeigte sie Felix rasch ihr Handy.

»Hey, hast du ...?« Felix unterbrach sich und versuchte, seine Aufregung zu verbergen.

»Ja«, erwiderte Georgie, stellte eilig ihre Tasche wieder

ab und wandte sich ihrem Apfel zu. »Ich habe die SIM-Karte ausgetauscht. Du musst dir jetzt meine neue Nummer einprägen und das alles, aber zumindest werde ich jetzt nicht mehr abgehört. Ich benutze immer noch dasselbe Handy, also bekommen sie hoffentlich nichts davon mit.«

»Und was, wenn sie jetzt stattdessen die Gespräche von jemand anderem belauschen?

Georgie zuckte mit den Achseln. »Das Mädchen, mit dem ich getauscht habe, telefoniert kaum. Sie schickt nur SMS-Nachrichten. Daher wird es ihnen nicht auffallen.«

Felix nickte beeindruckt. Jetzt konnten sie miteinander sprechen, ohne dass der *NJ7* ihnen zuhörte. Und was noch wichtiger war, sie könnten auch mit Eva reden.

»Hast du ihr schon eine SMS geschickt?«, fragte Felix. »Du weißt schon, der *Tante*?«

Georgie lächelte. Ihre dunkelbraunen Augen glitzerten im hellen Licht der Halle.

»Klar«, flüsterte sie. »Ich denke, sie und ich können uns auf diese Art bestens verständigen.«

»Jedenfalls solange sie nicht, du weißt schon …«

»Sag das nicht.« Georgies Gesicht wurde plötzlich ernst.

»Habe ich ja nicht.« Felix rutschte verlegen auf seinem Sitz hin und her. »Aber du weißt schon, wenn sie auffliegt …«

»Halt den Mund! Ich hab dir gesagt, du sollst nicht darüber reden!«

Felix zuckte mit den Achseln. »Also, was gibt es bei der Tante zum Tee?«, fragte er.

»Was?«

»Du weißt schon, bei der Tante …?«

»Klar, aber was soll das mit dem Tee?«

Georgie starrte ihn an, als ob er bescheuert wäre. Aber Felix war solche Blicke gewöhnt.

»Ich meine, was hat sie für uns«, erklärte er. »Du weißt schon, was für Intros?«

»Du meinst, welche Infos?« Georgie hob eine Augenbraue.

»Okay, wie auch immer. Info ist auch okay. Schätze ich.«

Georgie schüttelte verzweifelt den Kopf. »Wie auch immer«, seufzte sie. »Jetzt hör genau zu …«

»Du wurst uts numlutsch nur unsmul sugen …«

»Was redest du da?!« Georgie warf entgeistert die Hände in die Höhe. »Du bist manchmal so nervig. Warum lässt du mich nicht einfach erzählen, was sie mir gesagt hat? Das ist der einzige Ort, wo wir uns verständigen können, ohne dass uns jemand belauscht, und du verschwendet unsere Zeit mit blödem Quatsch.«

Felix riss die Augen weit auf und legte eine Hand über seinen Mund. Unglücklicherweise hielt er in dieser Hand immer noch seine Gabel und schmierte sich auf die Art eine Ladung Bolognese-Sauce in seine Haare.

Georgie ignorierte es und fuhr fort.

»Ich habe die Tante wegen der Männer gefragt, die uns folgen. Sie meint, es sind nicht mal richtige Agenten. Miss Bennett hält uns nicht für wichtig genug, um uns von echten Agenten beschatten zu lassen. Diese Typen sind also nur ganz normaler Wachleute, oder sowas.«

Sie nickte in Richtung des Mannes mit dem Schnurrbart, der in seine Tagträume versunken an der Wand lehnte.

»Aber offensichtlich hält Miss Bennett selbst das noch für reine Geldverschwendung, also wird der Grad der Überwachung mit jedem Tag weniger. Am Ende werden wir wahrscheinlich nur noch von einem der Lehrer hier beobachtet.«

Felix ballte triumphierend eine Faust.

»Ja, geht mir auch so«, stimmte Georgie ihm diesmal zu. »Und die Tante wird für uns herausfinden, welcher Lehrer es ist.«

»Die sind so bescheuert«, sagte Felix leise. »Dabei sollten sie uns besser die ganze Zeit beschatten.«

»Warum das?«, fragte Georgie. »Was sollen wir schon groß anstellen? Die Regierung übernehmen, ohne dass sie es bemerken?«

Felix dachte einen Moment darüber nach.

»Das können wir nicht«, fügte Georgie hinzu. »Wenn wir irgendetwas anderes tun, als zur Schule zu gehen und von dort wieder nach Hause, werden sie es mitbekommen. Und die Tante sagt, sie überwachen immer noch unsere komplette elektronische Kommunikation, für den Fall, dass ...«

Sie senkte die Stimme und legte die Hand über den Mund. »Für den Fall, dass Jimmy doch nicht tot ist und mit uns in Kontakt treten will.«

»Nur dass sie jetzt dummerweise das falsche Telefon überwachen.«

Georgie strahlte stolz, aber ihr Lächeln verschwand rasch wieder.

»Die einzige Person, die sie rund um die Uhr bewachen, ist Mum«, fuhr sie fort. »Sie vermuten, dass sie nach Chris sucht und alle seine möglichen Verstecke kennt.« Sie zögerte, dann fügte sie hinzu: »Ich schätze, das trifft auch zu.«

»Was?«

»Mum kennt vermutlich wirklich Chris' sämtliche Verstecke und die Orte, wo er möglicherweise nach Saffron sucht. Aber Mum kann weder dorthin, noch mit ihm in Kontakt treten, denn das würde Miss Bennett direkt auf seine Spur führen.«

»Woher soll sie wissen, wo er steckt?«, fragte Felix mit hoher, quiekender Stimme. »Chris ist doch komplett durchgedreht, als Saffron angeschossen wurde. Vielleicht ist er ja wieder nach Kasachstan abgehauen.«

»Er ist nicht total durchgedreht«, widersprach Georgie. »Er wollte einfach nur Rache. Und das kann ich gut verstehen.«

»In Ordnung. Schon gut. Tut mir leid. Vergiss das mit Kasachstan.«

»Und sie haben zusammengearbeitet, als sie beim *NJ7* waren, oder? Also schätze ich, sie weiß genau, wo er steckt, und es muss irgendwo in London sein.«

Nun, da sie das klargestellt hatte, lehnte sich Georgie zufrieden zurück.

»Hast du den einen heute Morgen vor unserer Wohnung gesehen?«, fragte Felix, um das Thema zu wechseln.

»Den Agenten meinst du?«

»Ja, den fetten.« Felix grinste. »Wie hat der es bloß zum *NJ7* geschafft? Der ist so kugelrund wie der Mond.«

Georgie musste lächeln. »Möglicherweise, weil er nicht genug trainiert«, kicherte sie. »Er verbringt ja seine ganze Zeit vor dieser Wohnung.«

»Wenn er heute Nachmittag noch da ist, dann bringe ich ihm ein Stück Kuchen und eine Tasse Tee.« »

»Warum willst du so nett zu ihm sein?«

»Du hast wahrscheinlich meinen Tee noch nicht gekostet, oder?«

Georgie musste laut lachen und hätte dabei beinahe den letzten Bissen ihres Apfels verschluckt.

Als sie sich wieder beruhigt hatte, warf sie das Apfelgehäuse quer durch den Saal und duckte sich dann rasch hinter ihrer Tasche.

Es traf ihren Bewacher direkt an der Schulter. Er zuckte zusammen und blickte sich rasch um, woher der Angriff gekommen war.

»Übrigens«, sagte Felix, nachdem er sich von einem heftigen Kicheranfall erholt hatte. »Wir sollten uns einen neuen Codenamen für Du-weißt-schon-wen überlegen.«

»Für wen?« Georgie wischte sich mit dem Handrücken über die Augen.

»Du weißt schon … für *sie*.«

»Nein, weiß ich nicht, du Genie. Denn wenn ich eine Ahnung hätte, dann hätte ich ja wohl ganz sicher nicht gefragt: ›Für wen?‹, oder?«

Felix beugte sich vor und hätte dabei beinahe sein

Hemd in die Reste seines Mittagessens getunkt. »Miss Bennett«, murmelte er. »Lass sie uns von jetzt an *Groß-mutter* nennen, einverstanden?«

Georgie stützte den Kopf in die Hände. »Du bist echt durchgeknallt«, seufzte sie. »Wozu brauchen wir Code-namen, kannst du mir das verraten? Wenn sie uns irgend-wann abhören, sind wir sowieso geliefert. Und wenn sie es nicht können, wozu brauchen wir dann Verschlüsselungen? Es ist einfach nur albern. Außerdem würden wir auf die Art wahrscheinlich bald eine riesige Familie von fal-schen Tanten, Onkels, Großmüttern und Stiefgroßnichten haben.«

Felix wollte protestieren, doch Georgie hatte sich bereits erhoben.

»Vergiss es«, sagte sie, hängte sich ihre Tasche über die Schulter und gab ihm mit einem Handwedeln zu ver-stehen, dass er schweigen sollte. »Wir sehen uns dann zu Hause.«

KAPITEL 25

Jimmy zitterte und kratzte sich an der rechten Schulter. Hinter ihm fiel Licht durch ein großes Fenster mit altmodischen Vorhängen. Es war so hell im Raum, dass Jimmy kaum die Augen offenhalten konnte. Er wollte nur noch in irgendein Bett krabbeln, vorzugsweise in ein warmes, weiches, und wenn möglich vorher ein leckeres Essen verputzen, doch im Moment war er da nicht besonders anspruchsvoll.

Stattdessen hockte er auf einem unbequemen Schaukelstuhl im Wohnzimmer eines heruntergekommenen zweistöckigen Gebäudes. Er steckte wieder in den alten Klamotten, die er getragen hatte, bevor er in einen Taucheranzug geschlüpft war. Eine abgewetzte Kapuzenjacke, Jeans und Turnschuhe – alle gestohlen auf seiner Reise von Texas nach New York.

Von den *CIA*-Agenten, die ihn hierher gebracht hatten, wusste er, dass er sich irgendwo in einer Wohngegend Brooklyns befand. Aber das war ihm gleichgültig. Jimmy wusste nicht einmal, ob er besonders erfreut darüber sein sollte, die Explosion in der Nordsee überlebt zu haben.

Ihn schauderte bei der Erinnerung an seinen Aufprall auf dem Wasser. Das brennende Öl auf seinem Taucheranzug war schnell erloschen, aber Jimmy hatte davon überall Brandblasen zurückbehalten. Jeder Zentimeter seines Körpers schmerzte. Am liebsten hätte er ihn durch einen komplett neuen ersetzt. Vorzugsweise durch einen, der zu hundert Prozent menschlich war.

Jedes Mal, wenn er die Augen schloss, verwandelte sich die Schwärze in ein orangefarbenes Glühen, vor dem sich die schwarze Silhouette eines Mannes erhob, der einfach nur dastand und auf seinen Tod wartete.

Jimmy war so durcheinander wegen Paduk, dass er es wie einen physischen Schmerz in seinem Inneren spürte. So, als wären in seinem Körper zwei wilde Hunde eingesperrt und würden einen blutigen Kampf austragen.

Paduk hat dich gerettet, bellte der eine. *Aber er ist nur zurückgekommen, um sicherzustellen, dass du tot bist*, knurrte der andere.

Jimmy bedrückte es, dass nach den beiden *CIA*-Agenten bei dem Flugzeugabsturz nun noch ein weiterer Mensch wegen ihm gestorben war. *Aber das hier ist eine andere Geschichte*, protestierte es in ihm. Hier war ein Feind gestorben, außerdem hätte Paduk sich selbst durchaus retten können. Doch er hatte sich dagegen entschieden.

Jimmy stützte den Kopf in die Hände und rieb sich die Schläfen, als könnte er so das wütende Streitgespräch in seinem Kopf zur Ruhe bringen. Ihm war klar, dass Paduk am Ende kein Feind mehr gewesen war.

Warum hatte er Gewissenbisse? Der Job war erledigt. Es war schmerzhaft gewesen. Es war blutig gewesen. Paduk war in die Luft gesprengt worden. Mehr brauchte man dazu nicht zu sagen.

Jimmys Schädel pochte und er dachte: *Wenn das nicht sofort aufhört, raste ich aus und reiße die Wände ein.*

Wenigstens hatten sich seine Hände gut von den Auswirkungen der Unterkühlung erholt. Aber das schien unbedeutend im Verhältnis zu allem anderen.

Die Strömung hatte Jimmy zu dem Treffpunkt mit dem Schiff getragen. Ein *CIA*-Arzt hatte ihn untersucht und die Verbrennungen notdürftig behandelt, auch wenn Jimmy bezweifelte, ob der Mann wirklich eine große Hilfe gewesen war. Von dem Schiff aus hatte man ihn direkt zurück nach New York geflogen. Aber er hatte bereits gründlich die Nase voll von diesem Ort.

Ich warte nicht länger, dachte er. Er stieß sich so heftig von dem Stuhl ab, dass dieser nach hinten umkippte. Jimmy hatte keine Ahnung, wo er hingehen sollte, aber er musste einfach hier raus.

Bevor er die Tür erreichte, flog diese auf und herein spazierte Oberst Keays, wie üblich in Militäruniform und die Mütze unter dem Arm.

Jimmy blieb wie angewurzelt stehen. Er spähte zum Fenster. Draußen stand eine lange schwarze Limousine, deren Motor noch lief.

»Das wird vermutlich nur ein Kurzbesuch, oder?«, fragte Jimmy.

»Setz dich«, befahl Keays. Seine Stimme war ernst und seine finstere Miene verunsicherte Jimmy. »Ich sagte, setz dich hin!«

Jimmy schlurfte zurück zu seinem Stuhl. Er stellte ihn langsam wieder auf und ließ sich dann hineinfallen, wobei er Keays wütend anfunkelte.

»Haben sie dich dort erkannt?«, begann Keays unvermittelt.

»Nein«, erwiderte Jimmy. »Sie haben mich zwar gesehen, aber sie haben gedacht, ich wäre Zafi.«

»Aha.«

»Bis auf einen«, fügte Jimmy hinzu. »Paduk.«

Es war das erste Mal seit langer Zeit, dass er den Namen dieses Mannes laut aussprach. Aus irgendeinem Grunde kam er ihm nur schwer über die Lippen.

»Er hat mich ohne Maske gesehen, aber dann ...« Jimmy zögerte.

»Flog er in die Luft wie ein Neujahrsfeuerwerk«, unterbrach ihn Keys. »Ha!« Die Spur eines Lächelns kroch über sein Gesicht.

Jimmy schauderte bei der Kaltschnäuzigkeit des Mannes.

»Mitchell war dort«, fuhr Jimmy fort, unfähig Keays in die Augen zu schauen. Die Erinnerung an diese Nacht war zu stark. Seine Muskeln verspannten sich, während die Szenen durch sein Bewusstsein zuckten. »Aber er nannte mich Zafi. Er wird zum *NJ7* zurückkehren und berichten, dass sie es getan hat.«

»Wenigstens eine Sache, die du richtig gemacht hast«, sagte Keays barsch.

Jimmy fühlte sich verletzt. Er verlangte ja keinen Orden. Er wollte lediglich, dass irgendjemand vom *CIA* ihm bestätigte, dass er seine Arbeit gut gemacht hatte.

»Ich habe genau Ihre Anweisungen befolgt«, protestierte Jimmy. »Sie haben selbst gesagt, dass diese Mission beinahe aussichtslos ist – und das war sie auch. Aber ich habe es trotzdem geschafft. Niemand wird Verdacht schöpfen, dass Amerika in irgendeiner Form an dieser Aktion beteiligt war. Ich habe mein Leben riskiert, um Sie und Ihre blöde Politik zu schützen.«

»Nein, du hast es getan, weil Großbritannien sonst diese Raketen abgefeuert hätte, und deine Schwester, deine Mutter und dein kleiner Freund Felix bei dem Vergeltungsschlag Frankreichs in tausend Stücke zerfetzt worden wären.«

»Na gut, was spielt das für eine Rolle? Ich habe es getan, oder etwa nicht? Es wurde auf mich geschossen, ich bin beinahe in Öl ertrunken, wurde in die Luft gesprengt und in Brand gesteckt, aber ich habe es erledigt. Ich habe *Neptuns Schatten* zerstört.«

»Das war aber nicht deine Mission.«

»*Was?*« Jimmys Gedanken rasten und er versuchte zu ergründen, warum Oberst Keays sich deswegen so aufregte.

»Wer hat dir den Auftrag gegeben, *Neptuns Schatten* in die Luft zu sprengen?«, fuhr Keays fort.

»Ich konnte die Raketen nicht finden«, murmelte Jimmy. »Sie waren nicht dort, wo ich sie vermutet hatte.«

»Dann hättest du eben noch etwas gründlicher suchen müssen.«

Jimmy kochte vor Wut. Er funkelte Keays wütend an, kein bisschen eingeschüchtert durch den Rang und die Machtposition des Mannes.

»Hören Sie«, schnappte er, »wo liegt da der Unterschied? Die Raketen sind zerstört worden. Es ist vorbei. Was ist Ihr Problem?«

»Mein Problem ist, dass du die Basis so neutralisieren solltest, dass ich ein Team dorthin schicken, aufräumen und sie anschließend übernehmen kann. Aber du bist da reingestürmt und hast das ganze verdammte Ding in die Luft gejagt! Hast du irgendeine Idee, welche Umweltschäden entstehen, wenn du eine Raketenbasis auf der zweitgrößten Bohrplattform der Welt sprengst?«

»Umweltschäden?«, schrie Jimmy. »Wollen Sie Umweltschäden sehen?« Er zog seinen Kapuzenpullover über den Kopf und hob sein T-Shirt hoch. Sein ganzer Bauch war voller hässlicher Brandwunden.

Keays verzog das Gesicht und blickte beiseite. »In Ordnung«, grunzte er. »Ich hab's gesehen. Und was soll ich jetzt tun? Heulen?«

Jimmy zog sein T-Shirt wieder runter. Alle Energie war aus seinem Körper gewichen. Er hatte nicht mal mehr Kraft, weiter zu streiten.

»Und was geschieht nun?«, murmelte er.

»Ich hatte versprochen, dass wir uns um dich kümmern«, erwiderte Keays. »Und ich habe vor, mein Wort zu halten. Der Agent da draußen wird dich zu einem weiteren sicheren Unterschlupf bringen.«

Großartig, dachte Jimmy. *Ein weiterer sicherer Unterschlupf.*

»Und anschließend«, fuhr Keays fort, »werde ich ein Flugzeug organisieren, das dich sobald wie möglich außer Landes bringt.«

Jimmy brauchte nicht eigens etwas zu sagen. Seine gewaltigen Zweifel waren bestens von seinem Gesicht abzulesen.

»Keine Sorge«, beruhigte ihn der Oberst. »Ich sorge dafür, dass diesmal alles glatt verläuft.«

Jimmy nickte. Was blieb ihm auch anderes übrig? Er fühlte sich komplett ohnmächtig. Er hatte keine andere Wahl, als sich völlig auf Oberst Keays und die *CIA* zu verlassen, obwohl sie bewiesen hatten, wie unzuverlässig sie waren. Das Letzte, was Jimmy wollte, war, erneut aus einem abstürzenden Flugzeug springen zu müssen, während zwei weitere Agenten um seinetwillen sterben mussten.

Oberst Keays fixierte Jimmy. »Dir wird es gut gehen, Jimmy«, verkündete er und setzte dann seine Mütze auf. »Du stehst unter unserem Schutz.«

Mit diesen Worten marschierte er aus dem Raum.

Jimmy hörte, wie er sich mit dem Agenten im Flur leise unterhielt, während sich draußen der Fahrer des Wagens bereit machte.

Du stehst unter unserem Schutz, wiederholte Jimmy voller Zorn in seinem Kopf. So war es ihm nicht gerade vorgekommen, als er da draußen auf der Nordsee war und mutterseelenallein einem *SAS*-Einsatzkommando gegenüberstand, das ihn töten wollte.

Jimmy stampfte auf. Und in einem plötzlichen Wutausbruch sprang er auf und schleuderte seinen Stuhl an die gegenüberliegende Wand. Er zersplitterte in tausend Stücke. Dann ließ er seine Faust folgen. In seinem Inneren verschmolzen seine Wut und seine Agentenkräfte miteinander. Gebündelte Energie schoss in Jimmys Arm. Ein einzelner seiner Schläge hatte eine Kraft von nahezu vierhundertfünfzig Kilo, etwa so viel wie ein Vorschlaghammer. Und das war auch der Effekt, den er auf die Wand hatte.

Es war keine solide Außenwand. Es war einfach nur der Gipskarton zwischen zwei Räumen. Grüne Farbe bröselte zu Jimmys Füßen.

Automatisch rieb er sich die Knöchel, aber es war ihm egal, dass sie rot waren und brannten. Er hatte ein Loch von der Größe eines Baseballs in die Wand geschlagen und blickte nun hindurch in das hintere Zimmer des Hauses. Es war ebenso leer und öde wie der Raum, in dem Jimmy stand.

Seine Augen richteten sich auf das Fenster des Raumes. Und der Atem gefror ihm in den Lungen.

Ebenso wie im Wohnzimmer hingen dort Vorhänge vor der Fensterscheibe, doch sie ließen an einer Seite einen kleinen Spalt frei. Und Jimmy konnte sehen, was sich in der Gasse hinter dem Haus abspielte.

Dort wartete eine weitere schwarze Limousine. Aber in dieser saß ein Phantom. Zumindest war das die einzige Erklärung, die Jimmy hatte. Denn auf dem Beifahrersitz des Wagens, tief in den schwarzen Ledersitz gesunken, saß ein Mann mit dunkler Hautfarbe und einer frischen Narbe unter dem Auge.

Jimmy sah noch genauer hin. Er bewegte den Kopf, um einen besseren Blickwinkel zu bekommen.

Und dann fuhr der Wagen los. Der Mann war verschwunden.

Doch Jimmy hatte nur eine Sekunde gebraucht, um sich zu vergewissern, um wen es sich handelte.

In Jimmys Gedächtnis blitzte das Gesicht des Mannes auf, den er zuletzt mit einer unter seinem Auge hervorstehenden Glasscherbe gesehen hatte. Sein Todesschrei hatte sich tief in Jimmy eingegraben.

Aber dieser Mann war gar nicht tot. Er befand sich hier in Brooklyn. Jetzt. Jimmy hatte ihn erkannt.

Er war sich ganz sicher, dass er gerade eben Agent Bligh gesehen hatte.

KAPITEL 26

Jimmy rannte hinaus in den Flur. Die ganze Welt schien sich um ihn zu drehen. Sah er Gespenster? Wie war es möglich, dass Bligh noch am Leben war? Der Mann war ein paar hundert Meter über der Erde aus einem Flugzeug geschleudert worden. Und Jimmy war der Einzige mit einem Fallschirm gewesen. Froy und Bligh mussten tot sein. Aber jetzt schien es so, als hätte der Flugzeugabsturz niemals stattgefunden. Jimmy fürchtete, den Verstand zu verlieren.

»Er war es!«, keuchte er.

Keays war bereits verschwunden, aber der andere *CIA*-Agent war noch da, jener Mann, der Jimmy nach Brooklyn gebracht hatte.

»Bligh! Bligh lebt!«

Der Agent starrte ihn irritiert an. Er war ein weiterer großer, schlanker Mann, so wie alle diese amerikanischen Agenten, denen Jimmy bisher begegnet war. Er hatte graue Haare und dicke, hängende Lippen, die ihn irgendwie wie einen Karpfen aussehen ließen.

»Bligh ist tot«, grunzte er und zuckte mit den Achseln. Er sprach mit einem breiten New Yorker Akzent »Is' aus'm Flugzeug gefallen.« Seine Stimme war emotionslos, aber er schmatzte laut, während er auf seinem Kaugummi kaute.

»Sie verstehen nicht«, protestierte Jimmy. »Ich habe ihn gerade gesehen. Hinter dem Haus, in einem Auto. Sie arbeiten doch mit ihm zusammen, oder?«

Einen Augenblick lang sah der Agent über Jimmys Kopf hinweg. Er hatte den Schaden entdeckt, den Jimmy in der Wand angerichtet hatte. »Vergiss es«, sagte er. »Du bist durcheinander. Ein Trauma, oder sowas. Lass uns von hier abhauen.«

Er trat hinaus auf die Straße und öffnete die Hecktür der schwarzen Limousine.

Jimmy starrte die Straße entlang. Alles schien so ruhig. Dann erhascht er einen Blick auf das Heck eines Wagens, der um die Ecke bog. War das Blighs Auto? Es hätte jedes Auto der Welt sein können, aber in Jimmys Kopf löste es größte Verwirrung aus.

Wusste die *CIA* überhaupt, dass Bligh noch am Leben war? Aber wenn Bligh nicht als Teil seiner *CIA*-Einheit hier war, als was sonst?

Er ist meinetwegen hier, dachte Jimmy. Sein Magen krampfte sich zusammen. Warum hätte der Mann sonst hinter einem x-beliebigen Haus in Brooklyn warten sollen? Arbeitete Bligh etwa für den *NJ7*? Es klang absurd, aber nicht weniger absurd als die Vorstellung, dass Bligh den Flugzeugabsturz überlebt haben könnte.

Jimmy stellte in seinem Hinterkopf instinktiv Berechnungen an. Seine Konditionierung versuchte zu ergründen, mit welchen Arten von tragbaren Abhörvorrichtungen man eine Unterhaltung in einem Haus belauschen konnte, wie groß die Reichweite solcher Apparaturen war, wie viel möglicherweise abgehört oder gar aufgezeichnet worden war. Am Ende blieb ihm nur eine Schlussfolgerung: Bligh musste seine Unterhaltung mit Keays belauscht haben. Da war er sich ganz sicher. Aber warum? Für wen arbeitete er? Jimmy musste es herausfinden.

Er schlurfte hinaus zum Wagen. Sein ganzer Körper bebte, als er sich auf dem Rücksitz niederließ. Die Tür wurde zugeschlagen und sein Begleiter setzte sich neben den Fahrer auf den Beifahrersitz.

»Hören Sie zu«, flehte Jimmy. »Wenn Sie nichts über Blighs Anwesenheit in Brooklyn wissen, dann hält er Sie alle zum Narren. Ich habe ihm gesehen. Er lebt.«

»Jetzt entspann dich mal«, erwiderte der Agent. »Du solltest dich nicht so gehen lassen. Du siehst Gespenster.«

Jimmy ballte die Fäuste. »Nein!«, beharrte er. »Sie müssen Keays verständigen. Über Funk oder wie auch immer. Informieren Sie ihn, dass Bligh den Absturz überlebt hat.«

Jimmys Stimme wurde immer schriller und panischer. »Erklären Sie ihm, dass Bligh für den *NJ7* arbeitet! Und er ist hier! Er ist in Brooklyn!«

Die Agenten auf den Vordersitzen warfen sich einen kurzen Blick zu und machten dann laute, abschätzige Geräusche.

Jimmy ließ sich zurücksinken. Sein Herz pochte heftig in seinem Brustkorb.

Der Wagen fuhr los. *Wir fahren in die falsche Richtung*, schrie eine Stimme in Jimmys Kopf. Blighs Wagen war in die entgegengesetzte Richtung unterwegs.

Jimmy rutschte auf dem Leder hin und her, während sie

auf die Hauptstraße einbogen. Er sah, wie Schaufenster-scheiben vorbeiglitten und sie sich immer mehr von Bligh entfernten.

»Alles in Ordnung bei dir da hinten?«, erkundigte sich der Fahrer nach einem Moment des Schweigens.

»Klar«, sagte Jimmy leise. »Das sind nur die Gefühle, die verrückt spielen. Muss wohl ein Trauma sein.«

Der Fahrer und der andere Agent wechselten erneut Blicke.

»Hey«, rief Jimmy plötzlich. »Ich habe Hunger. Halten Sie hier an.« Jimmy deutete auf einen der Läden. »Ich hole ein paar Bagels. Wollen Sie auch was?«

Der Fahrer musterte Jimmy misstrauisch im Rückspiegel.

»Was soll er schon groß anstellen?«, brummte der andere Agent. »Dich mit einem Bagel erwürgen?«

Der Fahrer zuckte mit den Achseln und hielt an der nächsten Straßenecke.

Jimmy wollte gerade rausspringen, da hielt er inne.

»Ich brauche Geld«, verkündete er und streckte eine Hand aus.

»Du bleibst hier«, antwortet der Agent ungeduldig. »Wenn du einen Bagel willst, dann hole ich ihn für dich.« Er zog seinen Geldbeutel heraus und sah nach, wie viel er enthielt. »Willst du auch was?«, fragte er den Fahrer.

Der Fahrer zuckte mit den Achseln. »Kaffee«, erwiderte er.

Der Agent seufzte und packte den Türgriff.

Jimmy war so schnell, dass er den Mann völlig überrum-pelte. Er packte den Geldbeutel mit seiner linken Hand während er gleichzeitig mit seiner Rechten die Wagentür aufriss.

»Hey!«, schrie der Agent.

Doch in dem Augenblick schoss Jimmy bereits um die Ecke.

Der Wagen verfolgte ihn mit kreischenden Reifen und geöffneter Hecktür.

»Verständigen Sie Keays über Funk und folgen Sie mir dann!«, brüllte Jimmy und rannte in den nächsten Laden, ein Internetcafé. Er sprang mit einem Satz über die Theke. Alle Gäste im Café schrien auf. Doch Jimmy bahnte sich bereits einen Weg durch den hinteren Teil des Lokals. Er stürzte durch den Notausgang wieder hinaus, ohne sein Tempo zu verlangsamen.

Währenddessen arbeitete sein Gehirn auf Hochtouren. Er hatte gesehen, in welche Richtung Bligh am Anfang gefahren war. Aber wie viele Male mochte er seitdem die Richtung geändert haben? Jimmy musste Blighs Position anhand der ursprünglichen Richtung und seiner wahrscheinlichen Geschwindigkeit berechnen. Wenn ihm das gelang, konnte er ihn einholen, indem er quasi in Luftlinie diagonal durch die Straßen und sämtliche Gebäude und Hinterhöfe rannte.

Er stürmte durch einen Drogeriemarkt und war aus dem Hinterausgang wieder hinausgewitscht, bevor irgendjemand in dem Geschäft hatte auch nur Luft schnappen konnte. Seine Instinkte leiteten ihn und verliehen seinem Körper die nötige Energie. Seine Beine pumpten mit wilder Kraft und in regelmäßigem Rhythmus.

Er erreichte die Hauptstraße. Vor ihm erhoben sich die gewaltigen Bögen der Brooklyn Bridge gegen den Himmel wie ein gotisches Monument. Der Verkehr floss jetzt nur noch langsam, bis er vor der Brücke fast gänzlich zum Stillstand kam.

Jimmy blieb stehen und musterte die Autos. Eine lange schwarze Limousine reihte sich gerade in die Schlange ein.

Jimmy warf einen Blick über die Schulter. Er rechnete jeden Moment mit dem Auftauchen seiner CIA-Eskorte. Wenn Jimmy sie direkt zu Bligh führte, dann würden sie etwas unternehmen müssen.

Er rannte zwischen den langsam fahrenden Wagen hindurch und schwenkte dabei die Arme über dem Kopf. Von einem wilden Hupkonzert begleitet, riss Jimmy die Tür eines gelben Taxis auf.

»Folgen Sie diesem Wagen«, befahl Jimmy mit ruhiger, aber entschlossener Stimme.

Der Fahrer hätte sich fast verschluckt. »Im Ernst?«, fragte er. Er hatte ein faltiges Gesicht und seine Haut hatte jede nur erdenkliche Braunschattierung.

Jimmy blickte ihn fest an.

»In Ordnung«, erwiderte der Fahrer in einem Akzent, der sicher nicht amerikanisch war, den Jimmy aber nicht zuordnen konnte.

Die Autoschlange vor ihnen bewegte sich nur schleichend vorwärts. Blighs Limousine wechselte von Spur zu Spur und gelangte so langsam aber kontinuierlich über die Brücke. Auf der anderen Seite war es äußerst schwierig, sie im Chaos des Lastwagenverkehrs und der Straßenschilder im Blick zu behalten.

»Da ist er!«, schrie Jimmy. »Dort! Er blinkt nach links.«

»Ich sehe ihn ja. Ist gut«, beruhigte ihn der Fahrer.

»Dann verlieren Sie ihn nicht!««

»Woher kommst du?«, erkundigte sich der Fahrer und musterte Jimmy im Rückspiegel.

»Das ist doch völlig unwichtig«, schnappte Jimmy. Er konnte sehen, wie das Heck von Blighs Limousine um eine Ecke im Tribeca-Viertel Manhattans verschwand. Zwischen ihnen waren jetzt sechs oder sieben Autos. Jimmy zappelte nervös auf seinem Sitz. »Schneller!«, drängte er ungeduldig.

»Bist du aus Australien?«, fragte der Fahrer.

»Fahren Sie einfach!«, rief Jimmy.

Der Fahrer schüttelte den Kopf. »Wohin soll ich denn fahren?« Er wedelte mit der Hand in Richtung Straße, wo jetzt mehrere Autos den Verkehr völlig blockierten. »Australier. Immer ungeduldig.«

Das reichte. Jimmy hatte genug. Wenn er Bligh jetzt verlor, dann würde er ihn wahrscheinlich nie wieder finden. Jimmy rüttelte an der Tür. Sie war versperrt.

»Lassen Sie mich raus!«, schrie er. Er kochte innerlich.

Der Fahrer zuckte erneut mit den Achseln und drückte ein paar Knöpfe auf dem Taxameter. Langsam rollte er an den Straßenrand und nannte Jimmy den Preis.

Jimmy hörte kaum zu. Der Fahrer agierte so langsam, dass Jimmy versucht war, die Plexiglasscheibe zwischen ihnen einzutreten und den Mann zu würgen.

Reiß dich zusammen, ermahnte er sich. *Beruhig dich.*
Er warf dem Fahrer durch die Öffnung eine Handvoll Dollarscheine hin und sprang dann hinaus auf die Straße. Er preschte an dem Verkehr vorbei und um die Ecke. Keine Spur von Bligh. Jimmy rannte weiter. Der Wagen musste doch irgendwo sein. An der nächsten Kreuzung spähte Jimmy in alle Richtungen.

An der Kreuzung der 18ten Straße und der 6sten Avenue herrschte ein Chaos aus Menschen, Autos und Straßenbauarbeiten – nur der gesuchte Wagen war nirgendwo zu sehen.

»Nein!«, schrie Jimmy. Er beugte sich vor und hämmerte mit den Fäusten auf seine Knie. »Ich hab ihn doch gesehen. Er war da!«

Er versuchte, klar zu denken, doch die Paranoia kroch in ihm hoch. Wenn Bligh tatsächlich für jemand anderen arbeitete, galt das dann auch für die anderen *CIA*-Agenten? Hatten sie deshalb gezögert, Oberst Keays über Funk zu verständigen?

Während Jimmy in seinem Kopf die Fakten sortierte, wurde er immer fassungsloser. Die Agenten hatten bei seiner Verfolgung keine Verstärkung angefordert. Warum?

Jeden Augenblick mussten sie ihn einholen. Bisher war es Jimmys Plan gewesen, sie zu Bligh zu führen. Aber Jimmys Vertrauen in diese Männer war gründlich erschüttert.

Und in diesem Moment beschloss er, Bligh auf eigene Faust zu stellen.

Plötzlich fühlte Jimmy, wie ihn ein Schauder überlief.

Er bekam eine Gänsehaut auf Armen und Nacken. Sein Blick wanderte zum Wolkenkratzer gegenüber. Es war ein gewaltiges Gebäude, das komplett schwarz verglast war. Es stand an der Ecke eines Häuserblocks und vor dem Eingangsbereich öffnete sich ein kleiner Platz. *Nach was suche ich eigentlich?*, fragte sich Jimmy. Irgendetwas an diesem Gebäude schien ihn magnetisch anzuziehen.

Und dann entdeckte er es. Oben auf dem Gebäude prangte ein gewaltiges Logo: ein fettes schwarzes *S* auf einem grauen Kreis. Ein Wolkenfetzen trieb daran vorüber und für einen Moment hatte Jimmy das Gefühl, als würde sich alles um ihn drehen. Ihm wurde schwindlig und er blickte zurück zum Eingang des Gebäudes.

Und direkt über dem Eingang unter einem Mast mit der amerikanischen Flagge entdeckte er erneut das Logo.

Es war dasselbe schwarze *S*, dass Jimmy auf der Seite der *Risavottur* gesehen hatte. Er erinnerte sich an das, was Kapitän Peck ihm erzählt hatte. Damals war es ihm unbedeutend erschienen – sie hatten einen Öltanker ausgeliehen von einer kleinen US-Ölfirma namens ...

Jimmy suchte nach dem Namen. Syn-irgendwas.

Er schloss die Augen und schmeckte wieder das Salz der Nordsee. Dann fiel es ihm wieder ein. Seine Konditionierung schrie es ihm förmlich zu: *Synperco*. Das Ölunternehmen. Doch warum war ein toter *CIA*-Agent zu ihren Büros gefahren, nachdem er Jimmy ausspioniert hatte?

Es gab nur einen Weg, das herauszufinden.

KAPITEL 27

Jimmy überquerte die Straße zum *Synperco*-Gebäude, hielt sich aber von dem Platz vor dem Haupteingang fern. Er wollte außer Sichtweite der Sicherheitskameras bleiben. Er lief mit gesenktem Kopf und blickte nicht einmal durch die Glasfassade der Lobby. Stattdessen beobachtete er den Eingangsbereich des Gebäudes in der Spiegelung eines Autofensters.

In kürzester Zeit hatte er die Anzahl der Wachmänner und ihre Positionen ausgemacht. Es waren eindeutig zu viele. Außerdem gab es überall elektronische Überwachungssysteme und weitere Sicherheitsmaßnahmen an den Türen und an den Aufzügen. Durch die Lobby führte für ihn ganz sicher kein Weg in dieses Gebäude.

Langsam schlenderte Jimmy weiter und umrundete das Gebäude. Die Straße war voller Menschen, die eilig unterwegs waren und Business-Kleidung und Aktenkoffer trugen. Für einen Augenblick kamen Jimmy Zweifel. Bei all diesen Menschen wäre es doch absolut möglich gewesen, dass Bligh einfach irgendwo in der Menge untergetaucht war. War es vielleicht einfach nur ein Zufall, dass Jimmy ihn vor dem *Synperco*-Gebäude verloren hatte?

Nein, dachte er. *Das wäre einfach ein zu großer Zufall.*

Selbst wenn er Bligh hier nicht entdeckte, musste irgend-wo in diesem Gebäude die Antwort auf die Frage zu finden sein, was für ein merkwürdiges Spiel dieser Mann trieb.

Er erreichte die Einfahrt zu den unterirdischen Parkdecks. Dort stand ein Pförtnerhäuschen mit einem Wachmann, außerdem gab es weitere Kameras und eine doppelte Schranke.

Ein Cadillac kam um die Straßenecke und setzte den Blinker. Ganz offensichtlich wollte er in die Parkgarage abbiegen. Jimmy fühlte einen Druck in seiner Brust. Seine Konditionierung hatte sich eingeschaltet. Der Wagen ver-langsamte die Fahrt und das Fenster auf der Fahrerseite wurde hinuntergelassen.

Das ist deine Chance, rief es in Jimmys Kopf. *Beweg dich!* Aber seine Programmierung blockierte jede Be-wegung seiner Muskeln, bis der perfekte Augenblick ge-kommen war. Genau in dem Moment, als der Wachmann auf den Ausweis des Fahrers blickte, warf Jimmy sich zu Boden und rollte unter den Wagen. Er krallte seine Finger am Bodenblech des Wagens fest und obwohl er nie vollstän-dig zum Stillstand kam, hatte Jimmy festen Halt gefunden, sobald die Schranke sich hob.

Staub wurde ihm in Mund und Augen gewirbelt. Seine Absätze schleiften auf der Betonrampe der Einfahrt, aber er ließ nicht los. Das Sonnenlicht verschwand und wurde durch die Neonlichter der Parkgarage ersetzt. Jimmy hus-tete und spukte wegen der Abgase des Cadillacs. Außer-dem war es so heiß, als würde er langsam in einem Ofen geröstet. Doch es war nichts im Vergleich zu den Torturen, die Jimmy erst kürzlich auf der Bohrinsel überstanden hatte.

Ich sollte mich eigentlich daran gewöhnt haben, dachte er. Den Impulsen seiner Agentenfähigkeiten folgend hatte er sich inzwischen schon ein paar Mal unter Autos festgekrallt, doch es fühlte sich immer noch nicht wie ein normaler Weg der Fortbewegung an.

Jimmy wartete, bis der Wagen eingeparkt hatte, dann ließ er sich zu Boden fallen. Noch während der Motor lief, rollte er sich unter den benachbarten Wagen und legte sich flach auf den Bauch. Er wollte sehen, wohin der Fahrer ging, nachdem er ausgestiegen war.

Die polierten Schuhe eines Mannes tauchten auf und marschierten quer über den Asphalt. Ihre Geräusche hallten schmerzhaft in Jimmys Ohren wieder. Er musste an diese Nacht denken, als der *NJ7* ihn hatte mitnehmen wollen. Damals hatte er sich unter dem Auto seiner Familie versteckt, während die Agenten seine Eltern abgeführt hatten.

Jimmy wünschte, er hätte seine Erinnerungen abschalten oder sie ganz aus seinem Gehirn verbannen können. Manchmal waren sie einfach nur störend. Seine Konditionierung kannte keine Erinnerungen. Sie war rational. Sie reagierte einfach nur. Sie war verlässlich. Manchmal kam sie an ihre Grenzen, aber Jimmy konnte sich darauf verlassen, dass der Agent in ihm auf jede Herausforderung mit mathematischer Präzision und ohne Gefühle reagieren würde. Menschen waren nicht so zuverlässig.

Jimmy spie einen Mund voll Staub auf den Asphalt.

Meine DNA ist in dieser Spucke, dachte Jimmy. Er stellte sich vor, wie ein *NJ7*-Wissenschaftler aus der DNA in seiner Spucke ein weiteres Exemplar von ihm rekonstruierte. Würde es völlig identisch sein? Was, wenn sie zwei von ihm gemacht hatten? Oder eine ganze Armee?

Aber bevor seine Gedanken ganz abdrifteten, trat der Cadillac-Fahrer durch eine Tür auf der anderen Seite der Parkebene. Jimmy setzte sich in Bewegung. Immer zwischen den geparkten Wagen verborgen kroch er auf die Tür zu, öffnete sie und schlüpfte hindurch. Er befand sich jetzt in einem Raum mit fünf Aufzügen.

Irgendeiner dieser Fahrstühle würde hinauf zu *Synperco* führen. Aber welcher? Der Lift in seiner Nähe war einladend geöffnet. Aber an der Innenseite der Kabine war eine Schalttafel mit über hundert Knöpfen. Er konnte einen davon nach Zufallsprinzip auswählen, aber was brachte ihm das? Es war ein riesiger Wolkenkratzer und es würde ewig dauern, jeden Raum in jedem Stockwerk zu durchsuchen. Und er wusste ja nicht einmal, wonach er schauen sollte.

In ihm tobte der Kampf zwischen dem verunsicherten menschlichen Jungen und dem kühl berechnenden Agenteninstinkt. Er wusste, mit jeder Sekunde würde der menschliche Anteil in ihm weiter zum Schweigen gebracht.

Anstatt in den Lift zu springen und das Gebäude zu durchkämmen, schlich Jimmy sich zurück auf die Parkebene. Tief geduckt schlüpfte er zwischen den Reihen von Autos hindurch. Nach was suchte er? Er konnte seine Kräfte in sich vibrieren fühlen.

Er brauchte ein paar Minuten, um herauszufinden, was sein Unbewusstes suchte. Dann entdeckte er es – es war Blighs Auto. Die lange schwarze Limousine stand wie ein schwarzer Panther in einer Reihe mit anderen Wagen.

Jimmy schlich geduckt neben das Auto. Und plötzlich holte sein Bein aus und trat gegen den Wagen daneben. Jimmy dachte erst, er hätte einen Krampf, aber dann bemerkte er, dass er die Radkappe losgetreten hatte. Er griff nach unten und entfernte die Plastikabdeckung. *Was mache ich da?*, dachte er. Und seine Verwunderung wurde noch größer, als er mit den Fingernägeln über die Bremsen des Rades kratzte.

Dann zog er seine Hand zurück. In seinen Fingern hielt er ein kleines Häufchen Bremsstaub. *Einen anderen Wagen zu beschädigen, wird dir jetzt auch nicht weiterhelfen*, dachte er. Aber dann öffnete er seine Handfläche direkt neben dem Griff der Beifahrerseite von Blighs Limousine und pustete vorsichtig.

Eine kleine Wolke Staub legte sich auf den Türgriff. Erst jetzt begann Jimmy zu kapieren, was er da tat. Allerdings hatte er immer noch keine Ahnung, was ihm das helfen sollte.

Er langte auf seinen Kopf und packte ein paar Haare. Sein Haar war fettig und wirr. An einigen Stellen waren die Spitzen immer noch gelb von der Bleiche, aber die Farbe war nach den ständig neuen Verkleidungen kaum mehr sichtbar. Nur die Haare dicht über der Kopfhaut zeigten noch Jimmys natürliches helles Braun.

Zu seiner eigenen Überraschung riss er heftig an seinem Haar. Das Wasser stieg in die Augen, aber er ließ sich davon nicht aufhalten. Und dann verwendete er die ausgerissenen Haare wie einen Pinsel, mit denen er sorgfältig den überzähligen Staub wegwischte. Zurück blieb ein schmieriger schwarzer Fleck auf dem glänzenden Chrom des Wagens.

Jimmy starrte den Fleck an. *Das ist lächerlich*, dachte er. Aber dann fühlte er, wie die Muskeln um seine Augen sich spannten und sein Gehirn ansprang. Er näherte sich, bis seine Nase fast die Autotür berührte. Und langsam konnte er im Staub Linien erkennen, feine Wirbel, wie ein Labyrinth. Und dort, wo die Linien sich krümmten, schien sein Gehirn eine Art Marker zu setzen, wie Stecknadeln auf einer Landkarte. Und was zuerst wie ein schwarzer Dreckfleck erschienen war, wurde nun zu einem perfekten Fingerabdruck.

Hätte er ihn auch ohne seine Programmierung erkennen können? Er wusste es nicht, aber jedenfalls blieb ihm keine Zeit, den Abdruck länger zu studieren. Er schoss zurück zu den Aufzügen, immer noch etwas von dem Bremsstaub in der Hand, und den Kopf unterhalb der Autodächer geduckt.

Die Muskeln in seinem Nacken verspannten sich. Er wusste, er befand sich jetzt im Blickwinkel der Kameras. *Bloß nicht aufschauen*, ermahnte er sich selbst, obwohl sein Körper dies ohnehin nicht zugelassen hätte, selbst wenn er es gewollt hätte.

Er rief mit einem Knopfdruck die Aufzugkabinen zu

sich herunter und die erste Tür öffnete sich mit einem *Ping*. Jimmy trat ein.

Rasch blies Jimmy Bremsstaub über die schimmernde Messingschalttafel. Dieser Aufzug war makellos gepflegt. Die Spiegel an den Wänden glitzerten. Alles musste an diesem Morgen frisch poliert worden sein, und Jimmy vermutete, dass niemand außer der Reinigungskraft seither diesen Lift benutzt hatte.

Er wischte mit seinem Haarpinsel über die Knöpfe. Es blieb nur ein einziger Daumenabdruck. Jimmy schloss ihn sofort aus. Die Form der Linien war komplett falsch.

Im nächsten Lift gab es mehr zu tun. Über den Knöpfen entstand ein wildes Durcheinander von schmierigen schwarzen Flecken. Zahlreiche Abdrücke überlagerten einander, jeder verlangte nach Aufmerksamkeit. Jimmys Schläfen pochten. Er konnte die Augen nicht von den Knöpfen wenden und stemmte seinen Fuß zwischen die Türen, um sie am Schließen zu hindern.

Es war fast unmöglich, so viele Informationen gleichzeitig zu verarbeiten. Es war ja schon nicht ganz einfach, die Form der Wirbel und die Konturpunkte des gesuchten Fingerabdrucks im Kopf zu behalten.

Er wandte sich dem nächsten Lift zu. Geräusche drangen aus der Parkgarage. Jede Sekunde konnte jemand eintreffen und Jimmys Arbeit stören. Er hatte fast keinen Bremsstaub mehr und sein Mut sank. Was ihm zuerst lächerlich und dann ungemein clever erschienen war, kam ihm jetzt wie der idiotischste Plan vor, den sich je jemand ausgedacht hatte.

Er wischte seine Hände sauber, ballte eine Faust, und wollte sie wahllos gegen die Knöpfe hämmern. Es war ihm egal, wohin ihn der Lift bringen würde. Langsam zweifelte er überhaupt an dem Sinn, in dieses Gebäude einzudringen.

Doch er stoppte im letzten Moment. Da war er, auf Knopf 57. Leuchtend wie ein schwarzer Diamant im grauen Fels prangte da ein Abdruck, der genau mit dem in Jimmys Kopf übereinstimmte. Er schloss die Augen, um ihn erneut mit seiner Erinnerung abzugleichen und nach Übereinstimmungen mit jedem Detail des Abdrucks auf der Tür der Limousine zu suchen. Und als er die Augen wieder öffnete, sah er die genaue Entsprechung vor sich.

»Hallo, Bligh«, murmelte er lächelnd.

KAPITEL 28

Während Jimmy nach oben fuhr, sah er über der Lifttür die Nummern der Stockwerke aufleuchten. Er fühlte sich von den Überwachungskameras beobachtet. Zwar war nirgendwo eine Kamera zu sehen, aber das machte es nur noch schlimmer – es bedeutete, dass sie auf Augenhöhe hinter den Spiegeln angebracht waren. Nun reichte es nicht mehr, einfach nur den Kopf gesenkt zu halten.

Jimmy konnte förmlich die Computer rattern hören, die einen Identitätscheck seines Gesichtes durchführt. Wobei das im Grunde gar nicht nötig war. Jeder, der auch nur einen oberflächlichen Blick auf die Videos warf, würde erkennen, dass Jimmy hier nichts zu suchen hatte. Erstens trug er keinen Sicherheitsausweis und zweitens beschäftigten Ölfirmen keine dreizehnjährigen Jungen.

Bis zum 14. Stockwerk war Jimmy allein im Lift, dann hielt er an und eine Gruppe von Geschäftsleuten trat ein. Sie warfen ihm komische Blicke zu, aber keiner sagte ein Wort. Jimmy vermied jeden Augenkontakt und setzte ein unbeteiligtes Lächeln auf. Doch in seinem Inneren raste sein Herz. In Kürze würden diese Menschen den Sicherheitsdienst alarmieren.

Das 20. Stockwerk flog vorbei. Im 25. stiegen ein paar

Leute aus und eine Reihe neuer Anzugträger wieder zu. Auch sie musterten Jimmy skeptisch. Im 30. Stockwerk hatte ihn immer noch niemand angesprochen, aber er war überzeugt, dass inzwischen längst die Wachleute verständigt waren.

Und wenn der Sicherheitsdienst wusste, wer er war – und was er war –, dann würden sie mit Hochdruck nach ihm suchen. Wenn sie ihn allerdings für einen gewöhnlichen Jungen hielten, der sich irgendwie ins Gebäude geschlichen hatte, oder für den Sohn eines hier arbeitenden Angestellten, der sich nur in den Gängen verlaufen hatte, dann sah es bedeutend besser für ihn aus.

Im 33. Stock stiegen alle aus, bis auf Jimmy und einen Mann mittleren Alters in einem grauen Nadelstreifenanzug. Die Lifttüren glitten wieder zu. Und dann im allerletzten Augenblick schob sich eine Hand hindurch und zwang sie wieder auf.

Jimmys Muskeln zuckten, als hätte man einen elektrischen Stromstoß hindurchgejagt. Der Mann, der jetzt den Lift betrat, war groß und sehnig. Er hatte ein kleines Bärtchen, trug einen hellblauen Anzug, der ihm nicht wirklich passte, und auf der Brust ein silbernes Abzeichen. Ohne aufzublicken, konnte Jimmy die Wölbung unter seinem Jackett erahnen, dort wo der Mann eine Pistole an seinem Gürtel trug.

Der Mann starrte Jimmy aus kalten grauen Augen an. Die Türen schlossen sich hinter ihm und der Lift trug sie hinauf in den 57. Stock. Der Mann fixierte Jimmy unverwandt.

»Alles in Ordnung bei dir, mein Junge?«, fragte er mit einem breiten New Yorker Akzent.

Jimmy vermied es immer noch, ihn direkt anzuschauen. Stattdessen zählte er schweigend die Stockwerke und wartete auf den richtigen Moment, um zuzuschlagen. 37, 38, 39 … Er stand völlig unbeweglich, doch seine Muskeln luden sich mit Energie auf. Er war bereit. *Es sind nur zwei Gegner*, hörte er in seinem Kopf. *Leichtes Spiel. Entwaffne den Wachmann. Erschieß beide Männer.* Er ballte die Fäuste und versuchte verzweifelt, die mörderischen Gedanken zu unterdrücken.

42, 43, 44 … Schweiß rann seinen Nacken hinab. Er schloss die Augen. Doch dadurch trat der tödliche Kampf, den seine Instinkte forderten, nur noch klarer vor sein inneres Auge: *Ein Tritt gegen Hände des Wachmanns. Ein Schlag in den Solarplexus. Seine Waffe herausreißen, solange sie noch im Halfter steckt. PENG!* Jimmy zuckte zusammen und öffnete seine Augen.

»Alles in Ordnung?«, fragte der Wachmann und beugte sich zu Jimmy hinüber. »Hast du dich verlaufen?«

Jimmy konnte ihn kaum hören. Er wollte den Wachmann anschreien, er solle ihn in Ruhe lassen, fürchtete aber, seine Muskeln dadurch so weit zu lockern, dass seine Agenteninstinkte die Oberhand bekämen und sich die Waffe schnappen würden. *PENG! PENG!*

Bei den Geräuschen in seinem Kopf zuckte Jimmy erneut zusammen. Sie wirkten so real. Er konnte sogar die dumpfen Schläge hören, mit denen die beiden Körper auf dem Teppichboden landeten.

49, 50, 51 … Jimmy konzentrierte sich auf die Zahlen. Er stand aufrecht da. Jede Regung seines Körpers wurde in seinem Gehirn tausendfach verstärkt. Jede konnte der erste Impuls zu einem Mini-Blutbad sein.

53, 54, 55 … Jimmys Herz schien zu schrumpfen. Aber er musste sich zusammenreißen. Er durfte nichts von seinem inneren Kampf nach außen dringen lassen. Wenn er jetzt explodierte, würde es das sichere Ende dieser beiden Männer bedeuten.

Schließlich hob Jimmy langsam den rechten Arm. Er war sich selbst nicht sicher, was er tun würde. Der Lift war zum Stillstand gekommen. Die Türen glitten auf. Jimmy zwang sich, seine Lippen zu bewegen.

»Komm, Dad.« Er sprach plötzlich mit einem breiten Brooklyn-Akzent. Er packte den Mann im Nadelstreifenanzug am Handgelenk und marschierte aus dem Lift.

Der Mann war völlig verblüfft. Er versuchte seinen Arm zu befreien und Jimmy abzuschütteln, aber der umklammerte ihn zu fest. Jimmy zog den Mann rasch weg vom Lift.

»Was zum Teufel …?«, schrie der Geschäftsmann.

Jimmy schnitt ihm das Wort ab. »Tut mir leid, Dad«, erwiderte er laut.

Der Mann ließ seinen Aktenkoffer fallen und versuchte, Jimmys Griff zu lösen.

Jimmy spähte über die Schulter. Die Lifttüren schlossen sich wieder. Beobachtete sie der Wachmann noch?

Jimmy hatte sich nur ein paar Meter vom Lift entfernt. Doch nun war der Weiterweg versperrt. Vor ihm befand sich eine verschlossene Glastür mit einem Schlitz für einen Sicherheitsausweis.

Jimmy wartete noch einen kurzen Moment, bis die Türen des Aufzugs sich endgültig geschlossen hatten.

»Öffnen Sie die Tür«, befahl Jimmy und seine Finger gruben sich tief in das Handgelenk des Mannes.

»Wer bist du?«

Jimmy funkelte ihn wütend an und verstärkte seinen Griff noch. »Öffnen Sie die Tür!«, wiederholte er.

Der Mann blickte jetzt nicht mehr verwirrt, sondern wütend.

»Ich kann nicht«, erwiderte er. »Mein Ausweis funktioniert auf dieser Etage nicht. Lässt du mich jetzt endlich los?«

Jimmy ließ das Handgelenk des Mannes fallen. »Tut mir leid«, murmelte er.

Doch dann schob der Mann mit einer einzigen raschen Bewegung seine Hand ins Jackett, zückte eine Ausweiskarte, zog sie durch den Schlitz und schlüpfte blitzschnell durch die Glastür. Er schlug sie sofort wieder hinter sich zu und grinste Jimmy hämisch durch das Sicherheitsglas an.

Jimmy starrte ihn mit offenem Mund an, geriet aber kein bisschen in Panik. Seine Körperkräfte hätten es ihm ohne Weiteres erlaubt, durch die Glastür in diese Büros zu einzubrechen. Aber das wollte er gar nicht.

Er hörte den Geschäftsmann durch die Korridore rennen und nach dem Sicherheitsdienst schreien. In weniger als einer Minute würden diese Gänge von Wachleuten wimmeln.

Glücklicherweise war es die falsche Etage. Da er im Lift den Überwachungskameras nicht hatte ausweichen können, hatte er den Knopf mit der 56 gedrückt – nicht die 57. Jetzt musste er nur noch in das Stockwerk darüber gelangen, ohne dabei von irgendwem beobachtet zu werden.

Er sah sich um. Der kahle weiße Raum wies nur die fünf Lifttüren und die einzelne Glastür auf. Es führte kein anderer Weg hinaus. Das Treppenhaus befand sich offensichtlich irgendwo anders im Gebäude. Und es gab nur eine einzelne Überwachungskamera in der Ecke über der Tür.

Jimmy begann gegen die Tür zu treten, als wolle er durchbrechen. In Wahrheit zog er jedoch nur eine Show für die Kamera ab. Bewusst verbarg er seine wahre Kraft. Beim nächsten Tritt tat er, als hätte er sich den Fuß verletzt. Mit schmerzverzerrtem Gesicht hüpfte er herum und hielt seinen Fuß umklammert.

Schließlich ließ sich auf den Boden fallen und zog seinen Turnschuh aus. Er hoffte, der Sicherheitsmann, der die Überwachungsmonitore beobachtete, würde auf seine Kosten lachen. Doch schon bald würde er eine ziemliche Überraschung erleben.

Plötzlich erhob Jimmy sich wieder und tat, als würde er sich erneut auf die Tür stürzen. Dabei schleuderte er seinen Schuh durch die Luft. Er traf die Sicherheitskamera in einem perfekten Winkel und schob sie ein Stück beiseite. Gleichzeitig bog Jimmy in letzter Sekunde von seinem Kurs ab und rannte zu dem letzten Lift in der Reihe, wobei er unterwegs seinen Schuh auflas.

Wenn alles glattgegangen war, hatte die Kamera nun einen blinden Fleck genau dort, wo Jimmy sich befand. Er schlüpfte wieder in seinen Turnschuh, was ihn allerdings eine Extrasekunde kostete, da er eine Nummer zu klein war.

Dann sprang er nach oben und packte den Vorsprung über den Aufzugtüren. Er zog sich daran hoch. Dabei konnte er die Vibrationen des Lifts spüren, der sich näherte. Wie viele Wachleute hatten sie wohl geschickt?

Er kletterte an der Wand empor, bis er die Decke des Raums erreichte, wobei seine Zehenspitzen genau dort balancierten, wo sich gerade noch seine Finger festgekrallt hatten.

Mit einem scharfen Stoß löste er eine Platte in der Deckenverkleidung. Er hievte sich hoch und kroch ein Stück zwischen Deckenverkleidung und Betondecke entlang. Dabei berechnete er sorgsam, wie weit er kommen musste, um hinter die Sicherheitstür zu gelangen.

Am richtigen Punkt angelangt, hämmerte er ein Loch durch die Betondecke ins nächste Stockwerk, wo er unter einer Bodenplatte und einem Teppich hervorschlüpfte.

Seine Position war perfekt. *Wer braucht denn schon eine Ausweiskarte*, dachte er und klopfte den Staub von seinen Kleidern. Dann trat er die Bodenplatte wieder zurück an Ort und Stelle und glättete den Teppich mit den Füßen.

Vor ihm lag ein langer Korridor mit Büros zu beiden Seiten. Jedes hatte ein großes Fenster zum Korridor, aber glücklicherweise war Jimmys kleine Instandsetzungsmaßnahme unbemerkt geblieben. Alle hielten die Köpfe gesenkt und waren in Aktenberge oder Computerbildschirme vertieft.

Jimmy war klar, dass er jetzt wieder von den Kameras aufgezeichnet wurde. Dagegen gab es kein Mittel. Aber solange die Sicherheitsmannschaften im unteren Stockwerk nach ihm suchten, blieb ihm ein wenig Zeit, wenn er nur schnell genug war.

Jimmy eilte an den Büros vorbei. Wie lange würden die Sicherheitsmannschaften brauchen, um das Stockwerk unter ihm zu durchkämmen? Wie lange hätte er Zeit, bevor sie erneut die Überwachungsaufzeichnungen kontrollierten und Jimmys wahre Position entdeckten? Er hatte keine Ahnung.

Er spähte in jedes Büro. Sie sahen alle gleich aus – ein Fenster, Regale mit Aktenschränken und Handbüchern, ein großer hölzerner Schreibtisch mit einem Computermonitor darauf. Einige Räume waren ein wenig größer und in einigen gab es höhere Aktenstapel oder auch ein paar Topfpflanzen, aber das war auch schon alles.

Nach was suche ich eigentlich? Ich muss verrückt sein, dachte er bei sich. *Ich habe die Decke zum 57. Stockwerk eines Bürogebäudes durchbrochen und habe keine Idee, wonach ich eigentlich suche.*

Er straffte seine Schultern und konzentrierte sich wieder auf seine Aufgabe: Bligh finden. *Ich habe mir nicht nur eingebildet, dass er hier sein muss*, beruhigte sich Jimmy. *Ich habe sein Auto gesehen. Ich habe seine Fingerabdrücke genommen.*

Aber natürlich wusste er, dass all das im Grunde nichts bedeutete. Das schwarze Auto und der Fingerabdruck, die ihn in den 57. Stock geführt hatten, hatten womöglich gar nichts mit Agent Bligh zu tun. Vielleicht lag Bligh in Wahrheit doch am Grunde des Meeres. Jimmy musste an die merkwürdige Gelassenheit des Mannes denken, als er mit dem Glassplitter in der Wange aus dem Flugzeug gerissen wurde.

Jimmy biss die Zähne zusammen und sagte sich erneut: *Er ist am Leben. Er ist hier.* Der *CIA*-Agent hatte den tödlichen Flugzeugabsturz ganz sicher überlebt, war nach New York zurückgekehrt und hatte ihn ausspioniert.

Nur hatte Jimmy keinen blassen Schimmer, *warum.*

KAPITEL 29

Jimmy flitzte durch die Büroetage. Er hatte bisher keine Vorstellung davon gehabt, wie unendlich viele Büros sich auf so einem Wolkenkratzerstockwerk befanden. Die Flure schienen endlos, ebenso wie die im unterirdischen Hauptquartier des *NJ7* in London. Nur war es hier still, hell erleuchtet und es gab einen eleganten blauen Teppichboden, anstatt der nackten, kahlen Betonböden. Doch trotz dieses Unterschieds war die Luft hier ebenso stickig.

Jimmy bog um eine Ecke und hielt sich immer unterhalb der Sichtlinie der Bürofenster zum Flur geduckt. Plötzlich weckte etwas seine Aufmerksamkeit. Beim nächsten Büro waren die Jalousien herabgelassen, aber nicht vollständig geschlossen.

Durch die Lamellen erspähte Jimmy einen Mann, der über seinen Laptop gebeugt dasaß und offenbar in Arbeit vertieft war.

Seine Silhouette zeichnete sich vor seinem Bürofenster ab, das einen fantastischen Blick auf die 6te Avenue und den Finanzdistrikt New Yorks bot. Das Gesicht des Mannes wurde vom Display des Laptops beleuchtet. Er hatte krauses schwarzes Haar, dunkle Haut und eine frische Narbe auf der Wange, genau unter einem Auge.

Jimmys Herzschlag beschleunigte sich. Er hatte Bligh gefunden.

Sein erster Impuls war, in das Büro zu stürmen und den Mann zur Rede zu stellen. Aber was würde ihm ein Kampf bringen?

Der Agenteninstinkt in Jimmy arbeitete bereits an einer Alternative. Am Ende des Flures befanden sich ein Wasserspender und die Türen zu den Toiletten. Geduckt huschte Jimmy dorthin.

Schweiß tropfte von Lex Blighs Stirn und klatschte auf seine Tastatur. Er fluchte leise und lehnte sich in seinem Stuhl zurück. Er konnte sich unmöglich konzentrieren, wenn es so heiß war. In den letzten paar Minuten hatte die Klimaanlage verrückt gespielt, und im 57. Stockwerk eines Wolkenkratzers kann man nicht mal eben ein Fenster öffnen, um frische Luft zu schnappen.

Er telefonierte mit dem Gebäudemanagement. Sie versprachen ihm, sich der Sache noch vor Ende des Tages anzunehmen. *Bis dahin bin ich geschmolzen*, dachte Bligh, und legte wütend auf.

Er stieß sich von seinem Schreibtisch ab und rollte mit dem Bürostuhl einen halben Meter rückwärts. Dann wischte er sich das Gesicht mit seiner Krawatte ab und sprang auf, um einen Becher Wasser vom Wasserspender am Ende des Flurs zu holen.

Er hatte bereits drei Schlucke getrunken, da bemerkte er den seltsamen Beigeschmack. Er wischte sich über die Lippen und nahm unsinnigerweise einen weiteren Schluck, um den schlechten Geschmack hinunterzuspülen. Dazu legte er den Kopf in den Nacken und stürzte den Rest des Bechers hinunter. Und erst beim letzten Tropfen bemerkte er das Regal über dem Trinkbrunnen. Dort lag eine offene Flasche mit Chlorbleiche auf der Seite – und sie war leer.

Für einen Augenblick starrte Bligh auf den fett gedruckten Warnhinweis auf der Flasche: ACHTUNG GIFTIG! AUSSER REICHWEITE VON KINDERN AUFBEWAHREN!

Bligh musste würgen und hustete. Er stolperte vorwärts, hielt sich am Wasserspender fest. Der fiel um und eine Kaskade von Wasser ergoss sich in den Flur.

Bligh schleppte sich keuchend zur Toilette.

In der Zwischenzeit war Jimmy rasch in Blighs Büro geschlüpft, wo er jetzt die Aktenschränke durchsuchte. Seine Finger bewegten sich mit erstaunlicher Geschwindigkeit. Auf seinem Gesicht lag ein Ausdruck entspannter Konzentration.

Er machte sich keine Sorgen um Blighs Gesundheit. Er hatte lediglich ein paar Tropfen gewöhnlicher Seife ins Wasser gemischt, damit Bligh nach ein paar Schlucken den veränderten Geschmack bemerkte, hatte aber nichts wirklich Giftiges hineingetan. Dann war Jimmy in die Reinigungskammer eingebrochen, hatte die Flasche Chlorbleiche herausgeholt und deren Inhalt ins Klo gekippt. Die leere Flasche hatte er auf das Regal über den Wasserspender gelegt.

Am schwersten war es gewesen, die Flasche so zu platzieren, dass Bligh sie sehen und die entsprechenden Schlussfolgerungen ziehen würde. Jimmy hatte instinktiv einen alten Agententrick entdeckt: Manchmal ist es wirksamer, Menschen glauben zu lassen, man hätte ihnen geschadet, als ihnen wirklich Schaden zuzufügen.

Jimmy fuhr sich mit dem Ärmel übers Gesicht. Es war schweißüberströmt. Bligh aus seinem Büro zu kriegen, war der leichteste Teil seines Plans gewesen. Über den Deckenpanelen im Korridor verlief die gesamte Stromversorgung des Gebäudes. Ein einzelnes Kabel führte zu dem Thermostat, der die Temperatur in Blighs Büro regulierte. Jimmy hatte den Thermostat problemlos neu eingestellt. Nun war es unmöglich, sich länger als ein paar Minuten in diesem Raum aufzuhalten, ohne einen Schluck Wasser zu benötigen.

Jimmy hoffte, dass Bligh lange genug auf der Toilette festhängen würde, bis er selbst irgendetwas gefunden hatte. Jimmy nahm sich zunächst die Aktenschränke vor, die nicht verschlossen waren. Was ihn vermuten ließ, dass sie nichts Wichtiges enthielten. Und er hatte recht.

Er holte einen Stapel Geschäftsberichte und Hochglanzbroschüren über *Synperco* hervor und blätterte darin. Seitenweise verbreitete sich das Management darin über Expansionspläne und Wachstumschancen. Für Jimmy hörte sich das alles wie unverständliches Kauderwelsch an. Falls es sich bei den Unterlagen um geheime Informationen handelte, waren sie zu gut codiert, als dass Jimmy sie hätte entschlüsseln können.

Außerdem enthielten die Unterlagen eine Reihe von

Fotos – die Eröffnung einer neuen Ölbohrinsel und der Stapellauf eines neuen Tankers. Jimmy studierte die Bilder eingehend, erkannte aber keines der Gesichter darauf wieder.

Er spähte durch die Jalousie hinaus auf den Korridor. Bligh konnte jederzeit unbemerkt zurückkehren. Rasch zog Jimmy an einer Schnur, um die Jalousie ganz zu schließen. So konnte er zumindest unbeobachtet mit seiner Arbeit fortfahren. In seinem Kopf stellte er fortwährend Berechnungen an: Wie viele Schritte waren es von der Toilette zum Büro? Wie lange würde Bligh brauchen, bevor er entweder herausfand, dass er gar nicht vergiftet worden war, oder bis er seinen ganzen Mageninhalt von sich gegeben hatte?

Jimmys Gehirn arbeitete auf Hochtouren. Seine Zweifel an Blighs Glaubwürdigkeit hatten sich noch vertieft. Der Mann stand ganz sicher nicht mehr in den Diensten der *CIA*, wenn er es denn je getan hatte. Möglicherweise hatte er von Anfang an für *Synperco* gearbeitet und war als Spion beim *CIA* eingeschleust worden. Vielleicht hatte er nach dem Angriff auf das Flugzeug bewusst alle in dem Glauben gelassen, er wäre tot, um weiteren Ermittlungen durch die *CIA* zu entgehen.

Stopp, befahl Jimmy sich selbst. Seine Fantasie ging mit ihm durch. Was sollte eine kleine US-Ölfirma mit *CIA*-Geheimnissen anfangen? Und wenn Bligh tatsächlich den Anschlag des *NJ7* für die Inszenierung seines Todes benutzt hatte, warum sollte er Jimmy anschließend weiter nachspionieren? Das ergab keinen Sinn. Viel wahrscheinlicher war es, dass Bligh für den *NJ7* arbeitete. Jimmy lief ein kalter Schauer den Rücken hinunter.

Aber wenn das tatsächlich zutraf, wie passte dann *Synperco* ins Bild?

Jimmy ließ von dem Aktenschrank ab und wandte sich stattdessen Blighs Schreibtisch zu. Er wirkte weit vielversprechender.

Jimmy hockte sich in den weichen Leder-Bürosessel und durchforstete die Papiere auf dem Schreibtisch, sorgsam darauf bedacht, sie wieder an Ort und Stelle zu legen. Soweit er es überblicken konnte, betrafen sie alle finanzielle Vorgänge. Lange Listen von mehrstelligen Zahlen in winziger Schrift, bei denen nur die Initialen darauf hinwiesen, was sie bedeuteten. Aber woher sollte er wissen, für was diese Initialen standen?

Er stieß einen verzweifelten Seufzer aus. Dann erstarrte er. Waren das Schritte draußen auf dem Flur?

Die Geräusche verstummten wieder. Jimmy atmete tief durch und beschleunigte seine Suche. Jede Sekunde konnte Bligh zurück sein, oder schlimmer noch, die Sicherheitsmannschaft des Gebäudes konnte seine Spur aufgenommen haben.

Jimmy klickte sich rasch durch die Ordner auf Blighs Laptop. Dazu brauchte er keine besonderen Agentenfähigkeiten. Es war dasselbe Betriebssystem, das Jimmy selber seit Jahren verwendete. Bligh hatte ein Dokument geöffnet gelassen. Es trug die fette Überschrift *Direktor*, dann folgte eine lange Zahlenkolonne, dann das Wort *Flug*. Jimmy hatte keinen Schimmer, was das bedeuten sollte. Es musste irgendein Flugplan sein, aber Jimmy hatte kein Interesse an Reiseterminen oder privater Ferienplanung. Er schob das Dokument beiseite und betrachtete die Liste kürzlich geöffneter Dokumente.

Die Ordnernamen waren alle verschlüsselt. Jeder bestand aus fünf Großbuchstaben. Ein paar Sekunden lang rätselte Jimmy über Namen wie XPTYU und PGIWV. Es war sinnlos. Er würde niemals herausfinden, was sie bedeuteten, und als er sie zu öffnen versuchte, verlangte der Computer ein Passwort.

Jimmy hämmerte mit der Faust auf den Tisch. Seine Hände waren so verschwitzt, dass er kaum den Cursor bedienen konnte. Doch endlich entdeckte er eine Lücke in den Sicherheitsmaßnahmen. Obwohl die Dokumentnamen verschlüsselt waren, schienen es die Ordner, in denen sie sich befanden, nicht zu sein. Und einer weckte Jimmys Aufmerksamkeit: NEP.SHA.

Mit quälender Langsamkeit stellte Jimmys Gehirn Verbindungen her. Es gab einfach zu viele Lücken in seinem Wissen. Es war, als würde er im Dunkeln versuchen, ein Kartenhaus zu bauen.

NEP.SHA. NEP.SHA. Jimmy wiederholte die Buchstabenfolgen wieder und wieder. Es musste *Neptuns Schatten* bedeuten. Er spürte eine gespannte Erregung, durchmischt mit den schrecklichen Erinnerungen an seine Nacht in der Nordsee.

Er ermahnte sich, ruhig zu bleiben und alles Stück für Stück zusammenzufügen: Er befand sich in den Büros einer Ölfirma. *Neptuns Schatten* war die zweitgrößte

Ölbohrinsel der Welt gewesen, bevor sie explodiert war. Und jetzt dieser Ordnername – ganz offenkundig hing das alles zusammen. Aber wie?

Und dann erinnerte sich Jimmy an eine weitere Sache – der Mann, dem dieser Computer gehörte, hatte ihm als Erster von *Neptuns Schatten* erzählt.

»Komm schon«, flüsterte Jimmy. »Denk nach!«

Er stützte den Kopf in die Hände und suchte verzweifelt nach einer Lösung. Aber das Ergebnis waren lediglich Kopfschmerzen. Er war nie besonders gut beim Puzzeln oder Rätseln gewesen. Er brachte einfach nicht die nötige Geduld mit. Sein Vater hatte ihm immer erklärt, er müsse »um das Problem herum denken«, aber Jimmy hatte keinen Schimmer, was das bedeuten sollte. Rasch schob er diese Erinnerung wieder beiseite. Dass Ian Coates ihm all die Jahre vorgespielt hatte, er wäre sein Vater, war im Augenblick kein wirklich hilfreicher Gedanke.

Um sich abzulenken, googelte er *Neptuns Schatten*. Es gab Tausende von Seiten über die Ölplattform. Jimmy scrollte sich durch, bis alles vor seinen Augen verschwamm. Es war sinnlos. Er war so viele Treffer nicht gewohnt, in Großbritannien wurden die Treffer staatlich zensiert.

Dann versuchte er *NEP.SHA* zu googeln, aber diesmal kam nur eine einzige Seite und sie war auf Finnisch. Jimmy hatte keine Zeit zu überprüfen, ob er diese Sprache verstehen würde.

Es sah ganz so aus, als wären die einzigen Menschen, die ihm mehr über *Neptuns Schatten* erzählen könnten, vom *CIA* und von *Synperco*. Seine Gedanken drehten sich im Kreis. Er saß bereits zu lange in diesem Büro. Ihm blieb keine Zeit, komplizierte Rätsel zu lösen. Er brauchte Informationen.

Frag doch den NJ7, ging es ihm plötzlich durch den Kopf. Diesmal sprach allerdings nicht seine Programmierung, sondern sein gesunder Menschenverstand zu ihm, der erkannte, dass sehr wohl noch jemand anderes außer der *CIA* und *Synperco* über *Neptuns Schatten* Bescheid wusste – der britische Geheimdienst.

Und nun erst wurde Jimmy klar, welche unglaubliche Chance sich ihm gerade bot. Zum ersten Mal seit seiner Ankunft in Amerika hatte er Zugang zum Internet. Und er hatte noch etwas: Eine Freundin beim *NJ7*, die ihn möglicherweise über diese merkwürdigen Vorgänge aufklären konnte. Innerhalb der nächsten Sekunden musste Jimmy einen Weg finden, mit Eva zu kommunizieren, bevor Bligh oder der Sicherheitsservice durch diese Tür stürmten.

Er rutschte nach vorne an den Rand des Bürostuhls und seine Knie zuckten nervös auf und ab. Seine Hände schwebten wie Geier über der Tastatur. Aber er hatte keine Ahnung, wie er vorgehen sollte. Natürlich konnte er nicht einfach eine E-Mail schicken. Selbst wenn seine alte Mailadresse noch funktionieren würde, ihr Auftauchen im Netz hätte dem *NJ7* sofort verraten, dass er immer noch am Leben war. Außerdem kannte er Evas Mailadresse nicht mal.

Seine einzige Chance bestand darin, irgendwo in einem Forum oder Chatroom eine Nachricht zu hinterlassen. Doch es gab Millionen davon und Jimmy hatte nur Zeit für eine einzige Nachricht. Er hatte früher schon zu diesem Trick gegriffen. Als er Georgie und Felix dazu auffordern wollte, zu ihm nach London zu kommen, hatte er sämtliche Seiten besucht, auf denen sich seine Schwester vielleicht tummeln könnte. Es hatte funktioniert, doch Jimmy wusste immer noch nicht, auf welcher Seite sie die Nachricht gefunden hatte.

Plötzlich bekam er eine Gänsehaut. Zwar konnte er nicht in Kontakt mit ihnen treten, aber sie hatten ihm ja bereits eine Nachricht geschickt.

Jimmy griff in die Gesäßtasche seiner Jeans. Er war immer noch da, dieser Zettel mit den Geburtstagsgrüßen seiner Schwester und seines Freundes. Jimmy glättete das zerknitterte Papier auf dem Schreibtisch. Das musste der Schlüssel sein. Es war mehr als nur ein Geburtstagsgruß. Sie hatten versucht ihm irgendetwas mitzuteilen.

Doch bevor Jimmy die Nachricht studieren konnte, war seine Zeit vorüber. Leise quietschend öffnete sich die Bürotür.

KAPITEL 30

Jimmy sprang auf. Er klappte den Laptop zu, klemmte ihn unter den Arm und schnappte sich mit der anderen Hand seine Geburtstagsnachricht. Dann kletterte er über den Schreibtisch und stürzte auf die Bürotür zu.

Im Vergleich zu seinem enormen Tempo schien sich die Tür in Zeitlupe zu öffnen. Der eintretende Wachmann hatte keine Chance, sich gegen den auf ihn zuschießenden Gegner zu wappnen.

Jimmy senkte eine Schulter und donnerte direkt in die Magengrube des Mannes. Der Wachmann klappte zusammen und fiel auf den Teppich.

Doch im Korridor draußen wartete bereits eine ganze Truppe bewaffneter Sicherheitsleute.

Mit gesenktem Kopf schoss Jimmy durch die winzige Lücke zwischen den Uniformierten und wich blitzschnell ihren zupackenden Händen aus.

Er preschte den Flur hinunter. Das Poltern von Schritten hinter ihm war mittlerweile ein vertrautes Geräusch und konnte ihn nicht bremsen. Ebenso wenig wie die wütenden Aufforderungen, er solle sofort stehen bleiben, oder das Knacken ihrer Walkie-Talkies.

Ein Blick auf eine Tafel an der Wand verriet ihm den

richtigen Weg. Es war ein Plan der Fluchtwege in diesem Stockwerk. Jimmy prägte sich die Richtungspfeile exakt ein und folgte ihnen durch die Korridore zu einem Notausgang. Er riss die Tür auf und fand sich selbst in einem Treppenhaus wieder.

Jimmy warf einen Blick über das Geländer. Er blickte auf eine sich 56 Stockwerke spiralförmig in die Tiefe windende Treppe. Sie schien schier unendlich zu sein. Dort hinunterzurennen war sinnlos. Etwa auf der Hälfte würde er es vermutlich mit einer ganzen Armee von Sicherheitskräften zu tun bekommen und im Erdgeschoss außerdem mit seiner *CIA*-Eskorte.

Also wirbelte Jimmy auf dem Absatz herum und rannte nach oben. Er nahm immer zwei Stufen auf einmal, niemals eine und niemals drei. Der regelmäßige Aufprall seiner Füße auf den Betonstufen klang wie ein Trommelfeuer.

Er presste den Arm mit dem Laptop darunter eng an sich, doch das bremste sein Tempo nur unwesentlich. In der anderen Hand hielt er Georgies und Felix' Zettel.

Sein Blick fiel auf die letzte Zeile von Felix' Nachricht: *Deine Schwester hat dir 'nen guten Tipp gegeben. Halt dich besser dran.*

Einen Tipp?, dachte Jimmy. Rasch überflog er Georgies Zeilen über Felix' Gekritzel:

Alles Gute zum Geburtstag! Tut mir leid, dass ich kein Geschenk für Dich habe. Eigentlich wollte ich ein Buch oder sowas für Dich besorgen, aber ich habe keine Ahnung, auf was

*Du so stehst, obwohl Du natürlich genau weißt, auf was ich
stehe. Wir werden uns noch mal darüber unterhalten müssen,
und zwar gründlich, oder? Jedenfalls, ich vermisse Dich bereits ziemlich. Aber ich weiß, wir werden uns wiedersehen.
Das verspreche ich. Ich werde alles dafür tun, dass es klappt.
Wir denken an Dich.*

Welcher Tipp?, überlegte Jimmy erneut.

Georgie hatte kein einziges Wort über einen Tipp geschrieben, und doch war es fast das Einzige, was sein
bester Freund erwähnte.

Er las Georgies Teil wieder und wieder, schneller und
schneller, während seine Beine ein weiteres Stockwerk
hinaufstampften und er sich der Spitze des Gebäudes
näherte. Hinter ihm ertönten das Gebrüll und die Schritte
von Dutzenden von Wachleuten.

Jimmy blendete den Lärm aus und konzentrierte sich
ganz auf die Worte seiner Schwester. Er hinterfragte jede
einzelne Zeile.

Ein Buch? Was für ein Buch? Warum schrieb sie etwas
über ein Buch? Das schien ihr besonders wichtig zu sein.

»*Obwohl Du natürlich genau weißt, auf was ich stehe*«,
las Jimmy laut. Ja, natürlich wusste er das. Eine der Web-
seiten, auf denen Jimmy seine Schwester das letzte Mal zu
kontaktieren versucht hatte, war die Webseite ihres Lieblingsautors. Und plötzlich ergab die Nachricht einen Sinn.

Natürlich, das war es! Sie wollte, dass er online ging, die
Seite ihres Lieblingsautors aufrief und dort im Forum mit
ihr Kontakt aufnahm.

Jimmy grinste breit, während er seinen Muskeln Höchstleistungen abverlangte. Jetzt wusste er genau, wo er eine Nachricht für Georgie und Felix hinterlassen musste. Er konnte nur hoffen, dass er über die beiden auch Zugang zu Eva und den streng geheimen *NJ7*-Informationen über *Neptuns Schatten* und die Verbindung zu *Synperco* erhalten würde.

Er brach durch eine Feuertür am Ende des Treppenhauses und stürmte hinaus aufs Dach. Das Licht und die Kälte trafen Jimmy wie ein Schlag ins Gesicht. Seine Atmung ging etwas rascher, aber immer noch regelmäßig. Seine Lungen schienen wie zwischen einer Art gut gepolstertem Blasebalg zu stecken, der jeden Atemzug sanft regulierte.

Auf dem Dach breitete sich eine ganze Landschaft aus Betonblocks, Ausgängen, Ventilatoren, Röhren und Mobilfunkmasten aus. Außerdem ragte da ein gewaltiger Blitzableiter empor ebenso wie ein rot-weißer Mast mit einem Warnlicht für Flugzeuge an der Spitze.

Der Wind fegte in alle möglichen Richtungen und zerrte an Jimmy, während er rannte. Er fühlte sich wie im Mittelpunkt eines Tornados.

Er preschte quer über das Dach bis zum Rand des Gebäudes. Dort ragte eine Art hohes Gerüst auf. Es war die Rückseite des *Synperco*-Logos, das er von der Straße aus gesehen hatte.

Jimmy zögerte nicht. Er spähte über den Rand und studierte die Position der breiten Metallträger, mit denen das Logo an der Außenseite des Gebäudes befestigt war. Jeder Träger ragte etwa einen halben Meter aus dem

Gebäude. Es war nur ein Sturz von wenigen Metern, trotzdem gähnte ein gewaltiger Abgrund unter Jimmy. Wenn er daneben sprang, war es das Ende.

Vorsichtig kletterte er über den Rand, wobei er mit Mühe den Laptop umklammert hielt. Dann ließ er sich fallen. Für den Bruchteil einer Sekunde krampfte sich sein Herz zu einem winzigen Ball zusammen. Aber dann landeten seine Füße genau in der Mitte eines Metallträgers.

Jimmy brauchte einen Moment, um das Gleichgewicht wiederzufinden, dann hockte er sich hin. Genau rechtzeitig, denn in diesem Moment ertönten durch den heulenden Wind die knatternden Rotoren eines Helikopters. Jimmy presste sich mit dem Rücken an das Gebäude. Für den Augenblick zumindest war er zwischen der Wand und dem gewaltigen *Synperco*-Zeichen verborgen.

Während Jimmy den Laptop hochfuhr, kreiste der Hubschrauber über ihm. Jimmy hörte die Schreie der Sicherheitsleute, die jeden Zentimeter des Daches über ihm absuchten. Für sie gab es nur eine Erklärung für Jimmys Verschwinden: Er musste vom Dach gesprungen sein.

Jimmy nutzte das WLAN und ging direkt auf die Seite des Forums. Er meldete sich mit dem Benutzernamen *JawG* an, so wie er es schon beim letzten Mal getan hatte. Georgie würde das Kürzel sicher wiedererkennen. Er hatte nicht viel Zeit, lange über seine Nachricht zu grübeln. Also hämmerte er sie rasch in die Tastatur, wobei er leise murmelte, während er tippte:

Neptuns Schatten – Ölbohrinsel mit geheimen Rake-
ten (bis ich sie in die Luft gejagt habe). Jetzt hänge
ich fest. Frag deine Freundin, was dieses Ding mit
Synperco zu tun hat und bestätige Identität eines
Mannes namens Bligh. SUPERDRINGEND. Ant-
wort schnell schicken, oder ich krieg sie nicht.

Dann hielt er kurz inne. Seine Finger schwebten über den Tasten. Schließlich fügte er hinzu: *Danke. Vermiss dich – und sag F Hallo.*

Er drückte die Return-Taste und hörte das Geräusch, mit dem seine Nachricht verschickt wurde. Dann ließ er sich wieder gegen das kalte Glas des Gebäudes fallen und versuchte zu berechnen, welche Tageszeit es wohl gerade in England war. Ihm blieb nicht viel übrig, als hier zu warten und auf eine Antwort zu hoffen. Wenn die Sicherheitskräfte tatsächlich davon ausgingen, dass er vom Gebäude gesprungen war, würde ihm zumindest etwas Zeit bleiben, bevor sie die Suche wieder aufnahmen.

Doch dann blickte Jimmy sich um, und ihm dämmerte, dass er ein gewaltiges Problem hatte, ob er nun gefunden wurde oder nicht: Er hatte keine Ahnung, wie er wieder zurück auf den Boden gelangen sollte.

Ian Coates stürmte aus dem Konferenzraum und seine Assistenten konnten kaum mit ihm Schritt halten. Er stapfte durch die Korridore von Downing Street Nr. 10 direkt zum Eingang des NJ7-Bunkers. Er hatte diese Tür inzwischen häufiger benutzt als jeder andere Premierminister vor ihm – selbst als Ares Hollingdale. Vor dem Eingang blieben seine Assistenten stehen und ließen ihn alleine weitergehen.

»Miss Bennett!«, brüllte er, während er die kahlen grauen Korridore durcheilte. Seine Stimme hallte von den Wänden wider. Nur wenige Sekunden trennten ihn von ihrem Büro.

Eine große englische Flagge bedeckte die Wand hinter dem Schreibtisch und in der Mitte des rot-weiß-blauen Musters prangte ein breiter grüner Streifen. Miss Bennett stand zwischen der Flagge und ihrem Schreibtisch.

Direkt neben dem Eingang saß Eva, sie trug dasselbe schwarze Business-Kostüm wie Miss Bennett, nur ein paar Nummern kleiner. Außerdem hatte sie versucht, ihre Frisur zu imitieren, was ihr aber nur bedingt gelungen war.

»Miss Bennett!«, schrie Coates erneut.

Er blickte von Miss Bennett zu Eva und versuchte, seine Autorität zu unterstreichen, indem er das Kinn hob und die Brust herausdrückte.

»Haben Sie den Eindruck, ich sei taub?«, fragte Miss Bennett mit demonstrativer Gelassenheit.

Ian Coates kochte innerlich. »Sie sollten Ihren Einfallsreichtum weniger auf das Ersinnen cleverer Sprüche und mehr auf Umsetzung der Interessen unseres Landes verwenden.«

Miss Bennett versuchte, ihn zu unterbrechen, aber der Premierminister polterte weiter.

»Ich habe Ihnen doch erklärt, dass der Schutz von *Neptuns Schatten* höchste Priorität hat.«

»Wir haben es versucht«, erwiderte Miss Bennett knapp. »Aber wir sind gescheitert.«

»Das reicht mir nicht als Erklärung«, knurrte Ian Coates. Er trat dicht vor Miss Bennetts Schreibtisch. Es befand sich jetzt etwa noch ein Meter Leder und Holz zwischen den beiden und für Eva wirkten sie wie zwei wilde Tiere, die jeden Moment über einander herfallen und sich verschlingen könnten.

»Ich hatte gerade eine Unterredung mit dem Finanzminister«, fuhr Coates fort. »Und er hat mir einen Bericht vom Handelsministerium übergeben.«

Durch das Anheben einer Augenbraue forderte Miss Bennett ihn auf fortzufahren.

»Es ist noch schlimmer, als ich vermutet hatte. Die Ölbohrinsel *Neptuns Schatten* brachte dem Staat jährlich mehrere Milliarden Pfund ein, außerdem sorgte sie für etwa 40 % unserer nationalen Energieversorgung. Mit einem einzigen Schlag hat Frankreich unsere gesamte Ökonomie sabotiert. Plötzlich haben wir keine Einkünfte mehr und die englische Bevölkerung wird bald ihre Häuser nicht mehr heizen können.«

»Dann hoffen wir mal, dass wir warmes Wetter bekommen«, erwiderte Miss Bennett mit unterkühlter Miene. Sie stützte sich auf ihren Schreibtisch und ihr Gesicht befand sich jetzt dicht vor dem des Premierministers.

»Wie können Sie einfach dastehen und so tun, als gehe Sie das alles nichts an?«, fragte Coates. »Als wären Sie nicht mitverantwortlich für diese Katastrophe?«

»Natürlich geht mich das etwas an«, protestierte Miss

Bennett. »Es geht mich etwas an, dass dieses Land viel Geld verloren hat. Und es geht mich etwas an, dass wir einen guten Mann verloren haben. Paduk war ein Held. Er starb in Aufopferung für sein Land und ich werde ihn für eine posthume Ehrung vorschlagen. Aber wenn wir uns weiterhin jedes Mal anschreien, sobald wir eine Niederlage erleiden – ja, auch eine große Niederlage wie diese –, wie sollen wir dann dieses Land effektiv regieren? Eva und ich waren gerade dabei ...«

»Sie regieren dieses Land nicht, Miss Bennett«, unterbrach sie der Premierminister eisig. »*Ich* regierte das Land. Sie leiten den *NJ7*.«

»Ja, Herr Premierminister«, stimmte Miss Bennett zu.

Eva fragte sich, ob ihre Chefin durch die Autorität seiner Stimme eingeschüchtert war oder ob sie einfach nur so tat. Es war schwer auszumachen.

»Und jetzt beweisen Sie mir, dass Sie fähig sind, Ihren Job zu erledigen«, befahl Coates. »Die Franzosen haben gerade unser Land schwer getroffen und sie haben diese Regierung geschwächt. Ohne Öl steckt unsere Wirtschaft in massiven Schwierigkeiten. Die Menschen werden sich fragen, ob wir die richtigen Anführer sind. Sie werden das ganze neodemokratische System infrage stellen.«

»Danke für diese politische Lektion, Herr Premierminister, aber ...«

»Planen Sie einen Vergeltungsschlag gegen Frankreich«, beharrte Coates mit rauer Stimme. »Irgendetwas Geheimes und Schnelles – aber Vernichtendes.«

Eva drückte sich in ihre Ecke und wäre am liebsten

verschwunden. Sie hatte noch nie eine so angespannte und unerfreuliche Unterhaltung erlebt, bei der das Leben so vieler Menschen auf dem Spiel stand.

»Und die Konsequenzen?«, fragte Miss Bennett und nun kam etwas Bewegung in ihre kühle Miene. »Das könnte Krieg bedeuten.«

»Die Konsequenzen sind folgende«, erwiderte Coates, »Das englische Volk wird erfahren, dass Frankreich der wahre Gegner ist und nicht ich. Ein kleiner Krieg zum richtigen Zeitpunkt wird klarstellen, dass Großbritannien eine fähige Regierung hat, jetzt und in Zukunft.«

Als der Premierminister geendet hatte, studierte er Miss Bennetts Gesicht auf eine Reaktion hin, doch es war nichts darauf abzulesen. Dann stapfte er aus dem Raum, ohne Eva eines Blickes zu würdigen.

KAPITEL 31

Georgie stützte den Kopf in die Hände und ihre Ellbogen ruhten auf dem Tisch. Sie tat, als würde sie in einem Schulbuch lesen, doch in Wahrheit galt ihre Aufmerksamkeit ausschließlich ihrem Handy, das auf ihrem Schoß lag. Alle paar Sekunden vibrierte es, wenn eine weitere Textnachricht eintraf.

Georgie hatte die Fähigkeit entwickelt, neue Textnachrichten rasch zu überblicken, ohne groß auf ihre Inhalte zu achten. Es waren keine Nachrichten von Freunden, sondern nur automatische Hinweise darauf, dass irgendwer eine neue Nachricht in einem Chatroom gepostet hatte.

Es war die letzte Schulstunde dieses Tages und um diese Zeit summte ihr Handy am häufigsten. Georgies Augen waren schon ganz müde vom Überfliegen der Nachrichten, aber ihr durfte keine einzige entgehen, für den Fall, dass sie von ihrem Bruder kam.

Natürlich war die Wahrscheinlichkeit gering, dass Jimmy die Geburtstagsgrüße von ihr und Felix erhalten hatte. Und selbst wenn er sie bekommen hatte, würde er ihre Aufforderung verstehen? *Natürlich wird er das*, dachte Georgie.

»Georgina Coates«, rief ihr Lehrer, ein junger übergewichtiger Mann mit einem schütteren schwarzen Bart. »Bist du bei uns?«

Georgie blickte betont langsam auf. Sie war an solche Fragen gewöhnt. »Ich?«, fragte sie unschuldig. »Tut mir leid, ich war einfach nur in eine total interessante Stelle in meinem Schulbuch vertieft, ich habe Sie nicht richtig gehört.«

Ihre Klassenkameraden brachen in Lachen aus.

Georgie versuchte sich ein Lächeln zu verkneifen, während ihr Lehrer sie wütend anfunkelte. Sie beide wussten, dass sie wahrscheinlich nicht mal den Titel des Schulbuches kannte – der Sozialkundeunterricht war immer langweiliger geworden, seit die Regierung neue Lehrpläne erlassen hatte.

Georgie wartete nicht auf die Antwort ihres Lehrers. Sie hatte diesen kleinen Zweikampf gewonnen. Erneut vibrierte ihr Handy und sie senkte beiläufig den Kopf, während sie ein paar Seiten im Schulbuch umblätterte. Aber sobald sie die Worte auf dem Display erkannt hatte, schnappte sie nach Luft. Eine Nachricht von *JawG*.

Rasch überflog sie die Mitteilung.

»Es reicht, Georgie!«, verkündete ihr Lehrer. »Du bleibst zum Nachsitzen.«

Georgie blickte erschrocken auf. »Aber …«, protestierte sie.

»Genug!«, schrie ihr Lehrer. »Die Verbrechen, die im Namen der Demokratie begangen wurden, sind kein Grund, so zu tun, als würde man nach Luft schnappen.«

Georgie zitterte leicht. Sie bekam keinen Ton heraus.

Ausgerechnet in diesem Moment, wo ihr Bruder sie dringend brauchte, musste so etwas passieren.

»Ich kann heute nicht Nachsitzen, Sir«, sagte sie kleinlaut, während sie verzweifelt nach einer Ausrede suchte.

»Was meinst du damit, du *kannst* nicht nachsitzen?« Der Kopf des Lehrers war knallrot. Er sah ein bisschen aus wie ein Schweinchen mit Sonnenbrand.

Georgie beschloss ihn von jetzt an Mister Piggy zu nennen, zumindest in ihrem Kopf.

»Es ist meine … meine Tante«, stammelte Georgie. »Sie ist krank und erwartet mich nach der Schule.«

»Dann bitte ich jemanden im Sekretariat, sie anzurufen und ihr Bescheid zu sagen, dass du später kommst.« Er wandte sich wieder der Tafel zu.

»Nein!«, beharrte Georgie.

Ihr Lehrer wirbelte herum und starrte sie an. Georgies Stimme war lauter gewesen, als sie es geplant hatte.

»Sie hat kein Telefon.«

»Sie hat kein Telefon?«, quiekte der Lehrer. »Welcher Mensch hat den heutzutage kein Telefon?«

»Ein tauber Mensch«, erwiderte Georgie sofort. »Aber mein Freund Felix kennt sie gut. Er kann ihr eine Nachricht von mir bringen. Bitte lassen Sie mich mit ihm sprechen, nur kurz.«

Es entstand eine lange Pause. Georgies Lehrer runzelte die Stirn und musterte sie eingehend.

»Bitte lassen Sie mich kurz mit Felix sprechen«, bat Georgie leise, »und dann können Sie mich meinetwegen nachsitzen lassen, solange Sie möchten.«

»Nein.« Mister Piggy wandte ihr wieder den Rücken zu und fuhr damit fort, eine lange Liste historischer Daten an die Tafel zu schreiben.

Jimmy hatte geschrieben, dass er eine schnelle Antwort brauchte. In welcher Gefahr schwebte er? Georgie malte sich in ihrer Fantasie die schlimmsten Dinge aus und Panik ergriff sie. Wenn sie nicht vor Ende der Schulstunde handelte, dann war es möglicherweise zu spät.

Rasch lernte sie Jimmys Nachricht auswendig, dann tippte sie mit den Daumen etwas in ihr Handy.

Jedes Mal wenn Mister Piggy zur Klasse aufblickte, hielt sie kurz mit klopfendem Herzen inne. Schließlich drückte sie *Senden* und Jimmys Nachricht wurde Wort für Wort an Eva übermittelt.

Für den Rest der Stunde konnte Georgie nicht ruhig sitzen. Jeder ihrer Muskeln vibrierte vor Spannung. Die Geräusche im Klassenzimmer traten in den Hintergrund. Doch ihr blieb nichts anderes übrig als zu warten.

Mister Piggy behielt Georgie nach der Schule etwa zehn Minuten länger da, aber es kam ihr wie Stunden vor. Als sie schließlich aus dem Schultor rannte, wartete Felix dort auf sie.

»Was ist passiert?«, fragte er.

»Lange Geschichte«, sagte Georgie. »Aber schau mal.« Sie zeigte ihm Jimmys Nachricht.

»Das muss von ihm sein!«, rief Felix und hüpfte auf und ab. »Er hat ein paar geheime Raketen in die Luft gejagt! Das ist so cool!«

»Hey!«, zischte Georgie. »Geht's noch ein bisschen lauter?«

»Tut mir leid.« Felix schnappte sich erneut das Handy und studierte Jimmys Nachricht. »Was ist *Synperco*?«, flüsterte er.

Georgie zuckte mit den Achseln.

»Hast du das an die Tante weitergeleitet?«, fragte Felix.

»Natürlich, und hältst du jetzt endlich mal die Klappe?«

Felix nickte hektisch und verschloss seine Lippen mit einem imaginären Reißverschluss.

»Ach«, fuhr Georgie fort. »Und falls irgendjemand in der Schule nachfragt, meine Tante ist taub.«

»Was?«, erkundigte sich Felix verdutzt. Er beugte sich zu Georgie hinüber, während sie nebeneinander her liefen. »Eva ist taub geworden?«

»Nein, du Blödmann. Aber sag einfach, dass meine Tante taub ist, wenn dich irgendjemand nach ihr fragt.«

Felix überlegte einen Augenblick, dann fragte er: »Hast du wirklich eine Tante?«

»Na ja, schon«, seufzte Georgie. »Klar habe ich eine. Das ist ja keine vom Aussterben bedrohte Spezies. Aber sie ist nicht taub. Jedenfalls, du weißt, was ich meine.«

Die beiden schwiegen eine Weile. Aber als sie die Bushaltestelle erreichten, konnte Felix seine Verwirrung nicht mehr für sich behalten.

»Also warte«, platzte er heraus. »Ist sie es jetzt oder nicht, du weißt schon, taub, meine ich?«

Georgie boxte ihn gegen die Schulter.

Eva bemerkte, dass Miss Bennett in ihre Richtung starrte, aber sie musste darauf vertrauen, dass ihre Chefin keinen Verdacht geschöpft hatte. Eva übertrug weiter Informationen von *NJ7*-Computern auf ihr Smartphone. Ruhig bleiben, ermahnte sie sich. Verhalte dich völlig natürlich. Das ist ganz normal. Gleichzeitig pochte ihr Herz wie verrückt. Wenn Miss Bennett bemerkte, was Eva hier tat, wäre sie erledigt.

Miss Bennett seufzte. »Ich bin froh, dass ich meinen Instinkten dich betreffend vertraut habe, Eva«, verkündete sie zufrieden. »Und ich habe hier einen Bericht vorliegen, dass auch die Ausbildung deiner beiden Brüder augenscheinlich sehr gut vorangeht.«

Eva ließ sich einen Moment Zeit, bevor sie antwortete. Sorgsam erwog sie jedes Wort. »Gut«, murmelte sie, ohne von ihrem Computer aufzublicken. »Ich meine natürlich, das ist großartig.«

»Aber manchmal«, fuhr Miss Bennett fort, »fliegen selbst die besten auf. Und das kann das Ende bedeuten.«

Evas ganzer Körper verspannte sich. *Sie weiß es*, dachte sie. *Oh Gott, sie weiß es.* Trotzdem behielt Eva Haltung und arbeitete weiter an dem Computer. Was auch immer geschah, sie musste diese Nachricht unbedingt an Georgie übermitteln.

»Und ich möchte, dass du weißt«, sagte Miss Bennett, »dass deine Brüder möglicherweise irgendwann in einen Kampfeinsatz geschickt werden. Und wenn ihnen dabei irgendetwas zustoßen sollte ...«

Eva erstarrte. Drohte ihr Miss Bennett?

»Nun, Eva«, fuhr Miss Bennett vor, »dann werden sie Helden sein.«

Eva stockte der Atem. Nun wandte sie sich doch um.

Miss Bennett stand an ihrem Schreibtisch und ließ zwei glänzende Steine in der Hand kreisen, einen schwarzen und einen weißen. Vor ihr auf dem Schreibtisch auf einem schwarz-weiß gemusterten Spielbrett lagen weitere dieser Steine.

»Helden?«, flüsterte Eva.

Miss Bennett nickte langsam und senkte ihren Blick auf das Spielbrett.

Für eine Weile herrschte Schweigen. Evas Sorge wurde jetzt noch von ihrer Verwirrung übertroffen.

Und dann blickte Miss Bennett plötzlich mit großen Augen auf und fragte in freundlichem Tonfall: »Weißt du, wie man dieses Spiel spielt?«

Evas Verblüffung und Erleichterung ließ ihre Stimme ein wenig krächzen. »Nein«, erwiderte sie. »Nein, ich fürchte nicht.«

Als Felix und Georgie endlich eine Antwort von Eva erhalten und sie im Internet gepostet hatten, hockte Jimmy bereits zwei Stunden oben auf dem *Synperco*-Gebäude. Obwohl er hinter dem gigantischen Logo verborgen war, zerrte der Wind an ihm. Er hatte in der Zwischenzeit alles nur Erdenkliche unternommen, um die Verschlüsselung von Blighs Dokumenten zu knacken, aber erfolglos. Zwischendrin hatte er alle zwei bis drei Minuten nach neuen Nachrichten auf der Webseite gesucht.

Als die Antwort schließlich eintraf, konnte Jimmy kaum fassen, dass ihre Verständigungsmethode tatsächlich funktioniert hatte.

Bevor er zu lesen begann, fühlte er eine Welle starker Gefühle in sich aufsteigen. Die Nachricht stammte von jemandem namens *GJaw*. Das allein bestätigte Jimmy, dass irgendwo auf der anderen Seite des Atlantiks seine Schwester und sein bester Freund immer noch an ihn dachten. Obwohl Tausende von Kilometern zwischen ihnen lagen und sie bei dieser Art der Verständigung alle ihr Leben riskierten, fühlte Jimmy sich ihnen näher als je zuvor.

Er beugte sich über das Display und ignorierte den dreihundert Meter tiefen Abgrund unter sich. Der Wind blies Staub in seine Augen. Erschrocken bemerkte er, dass der Akku des Laptops fast leer war. Rasch las er die Nachricht.

Verstehe nicht. Welche geheimen Raketen? N. S. ist nur eine große Ölbohrplattform. Keine Verbindung zu Synperco, außer dass es eine Ölgesellschaft ist. Alle glauben, Zafi hat N. S. in die Luft gejagt. Daher plant England einen Angriff auf Frankreich. Wer ist Bligh? Keiner von uns.

Welche geheimen Raketen? Diese Frage kreiste in Jimmys Kopf. Er rief sich die großen Speichertanks auf der Plattform ins Gedächtnis und zuckte zusammen bei der Erinnerung an das ganze Öl, in dem er beinahe erstickt wäre. Waren die Raketen irgendwo anders auf der Basis versteckt gewesen?

Jimmy war ratlos. Eva musste sich täuschen. Warum sollte die *CIA* behaupten, dass *Neptuns Schatten* eine geheime Raketenabschussbasis war, obwohl sich dort nichts außer Öl befand? Wie konnten sie trotz ihrer hochmodernen Überwachungs-und Spionagetechnik so falsch liegen?

Doch eine Zeile der Nachricht bereitete ihm besonderes Kopfzerbrechen. *Daher plant England einen Angriff auf Frankreich.*

Natürlich, dachte Jimmy. Nur Paduk hatte mitbekommen, dass Jimmy der Agent war, der *Neptuns Schatten* zerstört hatte, und nicht Zafi.

Jimmys Lungen krampften sich zusammen und er bekam kaum noch Luft. *Was habe ich getan? Anstatt einen Krieg zu verhindern, habe ich möglicherweise einen begonnen.*

Dann konzentrierte er sich auf die letzte Zeile: *Wer ist Bligh? Keiner von uns.*

Jimmy las diese Zeile wieder und wieder. Er konnte seine Augen nicht von dem Wort *uns* wenden. Wurde Eva jetzt eine von ihnen? Er beruhigte sich damit, dass sie die Antwort in Eile geschrieben haben musste und darüber hinaus sicher nicht das Kürzel *NJ7* verwenden wollte, für den Fall, dass die Nachricht von irgendeiner Software automatisch gescannt wurde. Jimmy hätte an ihrer Stelle ähnliche Vorsicht walten lassen.

Er legte die Finger auf die Tastatur, bereit, eine rasche Antwort zu tippen. Doch da erspähte er aus den Augenwinkeln einen schwarzen Schatten, der sich aus dem Himmel rasch näherte. Er blickte auf. Es war ein weiterer Helikopter. Sofort meldeten sich Jimmys Agenteninstinkte.

Anstatt die Suche am Boden fortzusetzen oder vollständig einzustellen, hatten die Sicherheitsmannschaften hochtechnisierte Verstärkung angefordert. Jimmy war klar, dass der gerade anrückende Helikopter mit Wärmesensoren ausgestattet sein musste. Jetzt konnte ihn sein Versteck nicht mehr schützen.

Doch Jimmy hatte während der letzten beiden Stunden nicht einfach nur so herumgesessen und Däumchen drehend auf eine Nachricht gewartet. Er hatte einen detaillierten Plan entworfen, wie er aus dem Gebäude gelangen konnte, ohne geschnappt zu werden. Und dies war der perfekte Moment, um seinen Plan in die Tat umzusetzen.

KAPITEL 32

Jimmy rieb die Hände aneinander, um seine Fingerspitzen ein wenig anzuwärmen. Dann fuhr er den Laptop runter und begann, ihn Stück für Stück auseinanderzunehmen. Zuerst entfernte er den Akku, dann die Festplatte und das CD-ROM-Laufwerk. Schließlich schob er seinen Fingernagel unter den Rand der Tastatur und zog sie heraus, sodass das übrige Innenleben des Computers offen vor ihm lag. Es war immer noch heiß, doch das kümmerte Jimmy nicht. Es half, die Blutzirkulation in seinen Fingern anzuregen.

Ruhig und methodisch nahm er alle Komponenten des Systems auseinander und reihte sie sorgfältig auf dem Metallträger vor sich auf. Neben dem kleinen Ventilator, der CPU-Karte und dem Disc-Controller fand er das Wichtigste von allem: fast einen Meter Kabel.

Jimmy pflückte die Kabelstränge auseinander und testete ihre Stärke, indem er daran zog. Würden sie sein Gewicht tragen? Er hatte keine Ahnung, aber auch keine andere Wahl.

Er führte das Kabel durch das leere Gehäuse des Laptops und band es um seine Hüfte. Das Kabel reichte kaum dafür aus, doch Jimmy zog den Bauch ein. Das schwarze

Plastikgehäuse des Laptops hing jetzt als Schutz über seinem unteren Rücken, dann nahm er die beiden Kabelenden und band sie vor sich durch die Luftschlitze im Disk-Controller zusammen.

Die Kabel schnitten ihm in die Seiten, aber sie waren auch nicht dazu da, um bequem zu sitzen. Sie sollten ihn ohne das Risiko eines tödlichen Absturzes hinunter auf den Boden bringen. Entscheidend dafür war der kleine silberne Haken, der aus dem CD-ROM-Laufwerk ragte – ein Teil des Auswurfmechanismus.

Nachdem er seinen provisorischen Gürtel angebracht hatte, duckte Jimmy sich und wartete, bis die Helikopter das Gebäude auf der anderen Seite umrundeten. Dann streckte er sich, sprang nach oben und packte die Kante des Gebäudedachs direkt über seinem Versteck.

Der Wind umtoste ihn, als wolle er ihn hinauf in den Himmel reißen und dann hinab in die Tiefe schleudern. Er konnte die Anstrengung in seinen Fingerspitzen, den Armen und der Rückenmuskulatur spüren. Aber er ließ nicht locker. Seine Nase war gegen das kalte schwarze Glas des Gebäudes gepresst und zeigte ihm ein verzerrtes Spiegelbild seines Gesichtes. Dabei beherrschte ihn nur ein einziger Gedanke: *Auf keinen Fall nach unten schauen.*

Er bewegte sich rasch aber vorsichtig voran, immer nur eine Armeslänge auf einmal. In weniger als einer Minute hatte er es bis zur Ecke des Gebäudes geschafft. Und genau in dem Moment kamen die Helikopter um das Hochhaus geschossen.

Jetzt brauchten sie ihre Wärmesensoren nicht mehr –

Jimmy hing gut sichtbar an der Seite des Gebäudes. Aber das spielte keine Rolle. Er hatte es weit genug geschafft. An dieser Ecke des Wolkenkratzers führte ein dünner Metallstreifen den ganzen Weg bis hinab zum Boden – der Blitzableiter.

Den Rand des Daches immer noch mit beiden Händen umklammernd bewegte Jimmy seinen Körper so, dass der Auswurfmechanismus seines improvisierten Gürtels sich am Blitzableiter festhakte. Und dann ließ er ohne Zögern los.

Er stürzte mit einer unglaublichen Geschwindigkeit. Die Ecke des Gebäudes sauste direkt vor seinem Gesicht vorbei, was seinen Sturz noch rasanter erscheinen ließ.

Jimmy hatte keine Zeit zu verlieren. Er befand sich im freien Fall und wenn er nicht rasch wieder die Kontrolle zurückgewann und abbremste, wäre er in Sekundenbruchteilen nur noch eine hässliche Pfütze auf einem New Yorker Gehweg.

Er streckte die Beine aus und presste seine Schuhsohlen gegen die Seiten des Gebäudes. Sein ganzer Körper vibrierte und seine Füße brannten. In dem peitschenden Wind tränten seine Augen so heftig, dass er kaum mehr sehen konnte. Verzweifelt versuchte er das Gefühl aufkommender Panik zu unterdrücken.

Jimmy mobilisierte alle Energiereserven, verstärkte den Druck und lehnte sich so weit wie möglich zurück. Die Kabel des Laptops dehnten sich unter der Belastung, aber sie hielten.

Nun verlangsamte sich sein Tempo. Die Kabel um seine

Hüfte dehnten sich weiter, bis Jimmys Körper fast horizontal lag und nur die Knie angewinkelt waren. Es war die perfekte Position, um die Geschwindigkeit seines Falles zu kontrollieren. Der Aufprall würde sicher schmerzhaft, aber nicht tödlich werden.

Nun ließ auch der heftige Wind nach und die Verkehrsgeräusche Manhattans drangen an sein Ohr. Er bereitete sich auf den Aufprall vor. Der Haken glühte orangefarben von der Hitze der Reibung. Und nach einer weiteren Sekunde – riss er ab.

Nun hielt Jimmy nichts mehr und er stürzte ungebremst rückwärts. Er segelte kopfüber durch die Luft und hatte keine Ahnung, wie viel Distanz noch zwischen ihm und dem Boden war. Aber seine Vorarbeit reichte aus.

Weniger als eine Sekunde nachdem er sich von dem Blitzableiter gelöst hatte, knallte er auf den Gehweg. Er landete direkt auf dem Rücken. Der Aufprall presste alle Luft aus seinen Lungen. Für ein paar Sekunden blieb er einfach so liegen, starrte hinauf in den Himmel, unfähig zu atmen. Zwei schwarze Punkte kreisten über ihm. Die Helikopter mussten seinen Fall beobachtet haben. Jetzt warteten sie vermutlich darauf, ob er noch am Leben war.

Endlich ging sein Schockzustand in Freude über. Er konnte kaum glauben, dass ein paar Laptop-Kabel und ein Blitzableiter es ihm ermöglicht hatten, an einem siebzig Stockwerke hohen Wolkenkratzer hinunterzurutschen. Sein Atem normalisierte sich, die Wangen nahmen wieder Farbe an und sein Gesicht verzog sich zu einem breiten Grinsen.

Doch das Grinsen verging ihm rasch, als er sah, wie einer der Helikopter herabgeschossen kam und über der Kreuzung schwebte. Inmitten eines gewaltigen Hupkonzerts rutschte ein Trupp US-Marines an Seilen auf die Straße herab. Sie rannten direkt auf Jimmy zu.

Jimmy rollte sich herum und stützte sich auf die Ellbogen. Er hatte keine Ahnung, wohin er flüchten sollte. Seine Konditionierung vibrierte in ihm, gab ihm aber keinen Befehl loszurennen. Denn die eigentliche Bedrohung war die Sicherheitsmannschaft von *Synperco*.

Hatte die *CIA* den US-Marines von Jimmy erzählt? Wenn ja, dann waren die Soldaten auf seiner Seite. Wenn nicht, dann würden sie ihn entweder festnehmen oder zu töten versuchen oder zumindest herausfinden wollen, wer er war. Jede dieser Optionen war eine Katastrophe.

»Alles in Ordnung, Jimmy«, ertönte die Stimme eines Mannes hinter ihm.

Jimmy sprang in Kampfhaltung auf, bereit, sich zu verteidigen.

An der Glasfassade des *Synperco*-Gebäudes lehnte der *CIA*-Agent, der ihn von Brooklyn aus hätte eskortieren sollen, der grauhaarige Mann mit den Fischlippen. Er kaute immer noch auf seinem Kaugummi.

»Diese Jungs sind hier, um im Auftrag von *Synperco* das Gebäude zu sichern«, erklärte er schmatzend. Er hatte die Unsicherheit in Jimmys Miene bemerkt. »Niemand weiß von dir. Sie befürchten einen terroristischen Anschlag. Vermutlich wird das Gebäude jede Minute evakuiert.«

Jimmy wandte sich wieder dem Helikopter zu.

Die Militärmaschine schwebte immer noch über der Straßenkreuzung und wirbelte Staub und Müll durch die Luft, während die Soldaten ihre Positionen rund um den Häuserblock bezogen.

Aber Jimmy konnte sich nicht entspannen. Durfte er diesem Mann vertrauen? Er schien in Jimmys Interesse zu handeln, andererseits hatte er ihm zuvor nicht glauben wollen, dass Bligh immer noch am Leben war. Jimmy wollte unbedingt die richtige Entscheidung treffen. Die Sicherheit von *CIA*-Geheimnissen hing davon ab.

»Hören Sie zu«, begann er, versuchte, dabei nicht allzu verrückt zu klingen und beobachtete die ganze Zeit die Reaktionen des Mannes. »Agent Bligh. Er war da drin.« Er nickte in Richtung des Wolkenkratzers. »Er ist noch am Leben und er arbeitet für *Synperco*. Vermutlich ist er ein Doppelagent. Aus irgendeinem Grund will er, dass die *CIA* ihn für tot hält. Aber er ist es nicht.«

Der fischlippige Agent ging schweigend und mit ausdrucksloser Miene auf Jimmy zu. »Hast du Beweise?«, grunzte er.

»Ich habe seinen Laptop«, begann Jimmy und starrte auf seine Schuhspitzen. »Aber ich musste ihn auseinander montieren.«

Dann blickte er plötzlich auf und schrie: »Wozu brauchen Sie überhaupt noch Beweise? Rufen Sie sofort Keays an! Sie brauchen doch nur da reinzugehen, dann finden Sie Bligh im 57. Stock. Möglicherweise hängt er immer noch über der Toilette und übergibt sich.«

Der Agent nickte langsam und kratzte sich am Ohr, als

würde er über Jimmys Worte nachdenken. Er stand nun so dicht vor Jimmy, dass dieser zu ihm aufblicken musste. Der Mann musterte über ihn hinweg das Chaos auf der Kreuzung, wobei sein kantiger Kiefer sich beim Kauen hin und her bewegte.

»Möglicherweise«, murmelte er.

»Was ist los mit Ihnen?«, schrie Jimmy und hob aufgebracht die Hände. »Bligh ist am Leben! Rufen Sie jetzt endlich Keays an?« Und dann fuhr er fort, indem er jedes Wort betonte. »Bligh arbeitet für *Synperco*.«

»Jimmy«, erwiderte der Agent und starrte ihn plötzlich durchdringend an, »wir arbeiten alle für *Synperco*.«

Der Mann hatte leise gesprochen, aber Jimmy hatte ihn ausgezeichnet verstanden. Seine Worte waren in Jimmys Ohren gedrungen und schienen jetzt in seinem Gehirn zu explodieren. Seine schlimmsten Befürchtungen waren bestätigt worden.

»Ich wusste es«, keuchte er. »Doppelagenten.«

Er wich stolpernd vor dem Agenten zurück, als würde dieser einen üblen Geruch absondern. »*Synperco* hat die *CIA* benutzt, um die Ölbohrinsel eines konkurrierenden Unternehmens zu zerstören? Geht es darum?«

Jimmy flüsterte nur noch. »Ein Team von Doppelagenten…« Blitzschnell setzte er in seinem Kopf die Fakten zusammen – die falschen Informationen über *Neptuns Schatten*, die er von Bligh erhalten und die er gutgläubig an Oberst Keays weitergegeben hatte, damit dieser ihn anschließend losschicken konnte, um die Bohrplattform zu zerstören.

»Sie …« Jimmy starrte ins Leere. Sein Entsetzen und seine Wut waren so gewaltig, dass er kaum noch einen Ton herausbrachte. Doch dann zwang er sich weiterzusprechen. »Sie haben die *CIA* benutzt!«, schrie er. »Und dann hat man mich benutzt. *Sie* haben mich benutzt«!

Er starrte wütend hinauf zu dem fischlippigen Agenten, der sich immer noch misstrauisch umsah, ob irgendjemand sie belauschte oder beobachtete. Aber der Helikopter über der Straße zog alle Aufmerksamkeit der Passanten auf sich.

»Sprich leise«, bemerkte der Agent beiläufig, ohne Jimmy eines Blickes zu würdigen. »Das braucht niemand zu wissen.«

»Aber …«

Jimmy wich weiter zurück und der Agent folgte ihm langsam.

»Ganz ruhig, Jimmy. Alles wird gut. Komm mit mir und ich bringe dich in Sicherheit. Die *CIA* hat einen sicheren Unterschlupf für dich gefunden.«

»*Einen sicheren Unterschlupf?*« Angewidert spuckte Jimmy die Worte aus. »Wie können Sie das behaupten, wenn Sie für *die* arbeiten?« Er deutete mit ausgestrecktem Arm auf den Eingang des Gebäudes und das große graue *S* unter dem Flaggenmast.

»Es ist kompliziert«, erwiderte der Mann. »Du würdest sowieso nicht alles verstehen. Und jetzt rede bitte sofort leiser.«

»*Ich soll leiser reden?*«, schrie Jimmy so laut er konnte. »Über *Synperco* und die –«

»Halt den Mund, Jimmy.«

Doch es waren nicht die Worte des Agenten, die Jimmy zum Schweigen brachten. Es war die *Beretta*, die der Agent unter seinem Jackett hervorgezogen hatte. Er hielt die Pistole auf Hüfthöhe und der Lauf war direkt nach oben auf Jimmys Kehle gerichtet.

Dann wiederholte er flüsternd: »Wie schon gesagt, halte den Mund, Jimmy!«

KAPITEL 33

Der Anblick der Pistole löste tief in Jimmy eine Reaktion aus. Seine Agenteninstinkte reagierten prompt und gewaltsam.

Jimmy machte eine Hechtrolle nach vorne. Und während seine Beine über seinen Körper flogen, trat Jimmy mit dem linken Fuß aus. Sein Absatz hämmerte gegen das Handgelenk des Agenten. Der Unterarmknochen des Mannes brach mit dem Geräusch eines trockenen Kekses und die Pistole fiel zu Boden.

Jimmy schoss auf das *Synperco*-Gebäude zu. Er kletterte an den Eingangstüren hoch und zog sich zu dem grauen *S* des Unternehmenslogos empor. Seine Schläfen pochten unter dem plötzlichen Adrenalinschub. Jede neue Bewegung überraschte ihn. Seine Konditionierung hatte sich noch nie so stark angefühlt. Ohne dass es Jimmy bewusst geworden war, setzte sie sich inzwischen völlig allein in Gang.

Mit beiden Händen packte er den Flaggenmast und schwang sich daran hoch.

Währenddessen versuchte der *CIA*-Agent verzweifelt, die Sicherheitsmannschaften auf Jimmy aufmerksam zu machen. Doch der Lärm des Helikopters und das Chaos auf den Straßen arbeiteten gegen ihn.

Jimmy war klar, dass ihm bei den rund um das Gebäude postierten Soldaten und Sicherheitsmannschaften nur ein einziges Transportmittel zur Flucht blieb. Es schwebte direkt über der Kreuzung.

Während die amerikanische Flagge gegen seinen Körper flatterte, löste er die Knoten des Seiles, mit dem sie an dem Mast befestigt war. Das Kabel aus dem Laptop hing noch immer an seinem Körper. Es war zwar inzwischen auf die Knie herabgerutscht, doch das war ihm egal. Er schüttelte es ab und ließ im selben Moment den Flaggenmast los.

Er fing das Kabel mitten im freien Fall auf, landete auf beiden Füßen und rannte zwischen den Autos hindurch zur Mitte der Kreuzung. Das Seil mit der Flagge zerrte er hinter sich her. Der Mini-Tornado des Hubschrauberrotors wirbelte ihm Abfall und Staub ins Gesicht.

Im Laufen befestigte er das Flaggenseil an der Schlaufe des Laptopkabels. Mittlerweile schwebte der Helikopter langsam nach oben, was zwischen den eng stehenden Gebäuden eine echte technische Herausforderung darstellte. Die Strickleitern waren wieder eingezogen worden, aber Jimmy benötigte sie nicht.

Er schwang die Kabelschlaufe über dem Kopf wie ein Cowboy sein Lasso. Der Hubschrauber stieg jede Sekunde schneller, nun, da der Pilot Jimmys Vorhaben durchschaut hatte.

Jimmy sprang auf das Dach eines gelben Taxis und stieß sich sofort wieder ab, wobei er das Lasso warf. Sein Sprung war äußerst effizient, mit entspannten Muskeln und perfekten Bewegungen. Und sein Wurf war perfekt. Die Kabelschlinge blieb genau am vorderen Teil der Landekufen des Helikopters hängen.

Mit einem harten Ruck spannte sich das Seil. Nun wehte die amerikanische Flagge wieder stolz im Wind, nur auf dem Kopf stehend. Sofort begann Jimmy sich Meter für Meter hinaufzuziehen.

Der Helikopter schoss jetzt rasant nach oben, wobei er ohne Probleme die einseitige Belastung ausglich. Er schwankte nur kurz, bevor er sich wieder stabilisierte und seinen Aufstieg fortsetzte.

Die Schreie von unten wurden durch das Dröhnen des Rotors übertönt. Jimmys Bizeps vibrierte vor Energie. Und kurz darauf konnte er bereits seine Ellbogen über die Landekufen haken. Er griff nach der Metallstange, die rund um den Rumpf des Helikopters verlief.

Niemand konnte ihn jetzt noch stoppen. Selbst wenn der Pilot Jimmys Position genau gekannt hätte, wäre es ihm unmöglich gewesen, etwas gegen ihn zu unternehmen. Der Hubschrauber flog in einer engen Schlucht zwischen Hochhäusern und konnte Jimmy nicht durch wilde Flugmanöver abschütteln. Und auch eine Landung war angesichts der chaotischen Lage auf der Kreuzung ausgeschlossen.

Mit einem einzigen gewaltigen Schwung wuchtete sich Jimmy durch die geöffnete Seitentür des großen Armeehelikopters und rollte sich im Innenraum ab. Sofort sprang er auf und rannte nach vorn zum Cockpit. Der Pilot war ein schlanker Mann im Kampfanzug und mit einem schwarzen Helm. Und er war reaktionsschnell.

Mit einer einzigen Bewegung fuhr er herum und zückte eine Pistole. Aber Jimmy war schneller. Er ließ sich auf die Knie fallen, wirbelte auf dem Metallboden um die eigene Achse und donnerte seinen Ellbogen gegen die Hand mit der Pistole. Er ließ einen kurzen, kraftvollen Schlag gegen die Kehle folgen, der dem Pilot vorübergehend die Luft raubte.

Der Pilot war jetzt außer Gefecht gesetzt. Jimmy hievte ihn aus seinem Sitz und stieß ihn aus dem Hubschrauber. Der Mann fiel auf das Dach des Taxis, von dem Jimmy sich abgestoßen hatte. Wütend lehnte er die Hilfsangebote der anderen Marines ab und brüllte aufgebracht etwas in Jimmys Richtung.

Jimmy würdigte ihn keines weiteren Blickes. Er saß bereits im Cockpit und studierte die Kontrollinstrumente. *Ich habe das schon mal gemacht*, dachte er und holte tief Luft. *Ich schaffe es auch diesmal.* Auch wenn er sich aus irgendeinem Grunde absolut sicher war, dass es sich um einen völlig anderen Helikopter handelte, als den, mit dem er damals über der Themse geflogen war.

UH-2Z Huey. Die Marke und die genaue Modellbezeichnung zuckten durch sein Bewusstsein, während er das Display studierte. Vor sich sah er zwei große LCD-Monitore und einen kleineren. Zwischen den Monitoren befand sich eine Konsole zum Eingeben von Daten. Ein Steuerknüppel war nicht vorhanden.

Jimmy blickte nach oben. Er schaute einer verdutzten Sekretärin hinter dem Glasfenster eines Bürogebäudes direkt in die Augen. Sie waren nur wenige Meter voneinander entfernt. Jimmy lächelte und zwinkert ihr zu. Die Sekretärin schrie auf, was Jimmy natürlich nicht hören konnte. Er nahm lediglich das Dröhnen des Helikopters und die beruhigende Stimme in seinem Kopf wahr, die im Rhythmus eines Militärmarsches wiederholte: *Ruhe, Ruhe, Ruhe.*

Selbst als die Soldaten unter ihm das Feuer eröffneten, vertraute Jimmy noch seinen Instinkten, auch wenn seine sämtlichen Sinne in Alarmbereitschaft waren. Er war sicher, dass der Autopiloten mit seinem integrierten Stabilitätskontrollsystem den Helikopter ohne menschliches Zutun in stabiler Lage halten würde. Jimmy musste ihn lediglich dazu bringen, nach oben zu fliegen, ohne die Wolkenkratzer zu streifen, und ihm dann über den Gebäuden die Flugrichtung vorgeben.

Jimmys Finger tippten so rasch auf dem Display, dass er die sich dort rasch abwechselnden Bilder und Symbole kaum erkannte.

Der Hubschrauber reagierte mit einem tiefen Grollen und setzte dann seinen Aufstieg in Richtung Wolken fort.

Er scheint fast seinen eigenen Willen zu haben, dachte Jimmy.

Dann ertönte ein düsteres Echo in seinem Kopf, das hinzufügte: *So wie die Agenteninstinkte in mir.*

Er schauderte und lenkte sich ab, indem er durch die Frontscheibe spähte. Die Straße unter ihm entfernte sich schnell. Der Hubschrauber nahm Tempo auf. Jimmy schoss an dem gigantischen *S* des *Synperco*-Logos vorbei und gleich darauf sah er über die Dächer der Wolkenkratzer hinweg.

Etwas in Jimmy arbeitete so rasend schnell wie die beiden 2000-PS-Zwillingsmotoren des *Huey*. Er hatte seine Augen nicht länger unter Kontrolle. Er wollte sich umschauen, seine Position bestimmen und dann seine nächsten Schritte überlegen. Doch seine Programmierung hatte bereits alle benötigten Informationen vom *Northrop-Grumman*-Radarwarnsystem erhalten. Auf der Konsole flackerten Millionen überlebenswichtige Informationen auf und sie alle wurden sofort von Jimmy verarbeitet.

Sie kommen, dachte er. *Kampfjets*. Sie waren gestartet, um ihn vom Himmel zu holen, und sie würden innerhalb von Sekunden da sein.

Jimmy versuchte verzweifelt, die Kontrolle über seine Gedanken zu behalten und knurrte: »Doppelagenten.« Seine Stimme krächzte laut, um gegen den Aufruhr in seinem Inneren anzukommen. »Oberst Keays muss das erfahren.«

Doch er hatte keinen blassen Schimmer, wo Keays steckte. Und seine eigenen Worte wurden von den hämmernden Befehlen in seinem Kopf übertönt: *Vergiss Keays. Zerstöre* Synperco. Es war der Agent in ihm, der verlangte, dass Jimmy sofort mit tödlicher Präzision zuschlug. Denn solange die Doppelagenten gegen ihn arbeiteten, würde Jimmy Oberst Keays niemals erreichen, selbst wenn er den Aufenthaltsort des Mannes herausfand. War es da nicht sinnvoller, das Problem gleich selbst zu lösen?

Zerstöre Synperco. Da war erneut dieser Befehl. Er fühlte ihn mehr, als dass er ihn hörte.

»Nein!«, schrie Jimmy. Beinahe hätte er sich an dem Wort verschluckt und musste heftig husten.

Sein Körper krümmte sich unter dem in seinem Inneren tobenden Konflikt. Noch nie hatten seine Instinkte so gewalttätig agiert, sie schienen ihn überwältigen zu wollen.

Jimmy musste die Augen schließen. Sein Gesicht verzog sich zu einer hässlichen Grimasse. Er konnte seinen Widerstand wanken fühlen. Alle menschlichen Gefühle verloren zunehmend an Bedeutung. Eine Träne bildete sich in seinen Augen und rann seine Wange hinab.

Doch dann entspannten sich seine Muskeln plötzlich. Es gab noch einen weiteren Weg, *Synperco* und deren Netzwerk von Doppelagenten außer Kraft zu setzen. Er konnte sogar die Namen aller Agenten herausfinden. Er brauchte lediglich fünf Minuten mit dem Chef des Unternehmens. Und irgendwo aus Jimmys Innerem stiegen die nötigen Informationen auf.

Es war das Erste, was er auf Blighs Laptop gesehen hatte – irgendeine Art Flugplan, der den Direktor der Firma betraf. Jimmy hatte keine Ahnung, ob es seine Konditionierung oder sein menschliches Erinnerungsvermögen war, die diese Information gespeichert hatte. Aber im Augenblick spielte das auch gar keine Rolle.

Vorläufig hatte er allerdings nicht mehr als die Wörter *Direktor*, Flug und eine Reihe von Zahlen. Selbst wenn er sich an die Zahlen erinnern könnte, was sollten sie bedeuten? Ging daraus wirklich mit Sicherheit hervor, dass der Firmenchef irgendwohin flog? Und wenn ja, von wo flog er ab? Und wann?

Jimmy schloss die Augen. Er versuchte, ein exaktes fotografisches Abbild des Dokuments zu rekonstruieren. Aber vor seinem inneren Auge tauchte nur das fettgedruckte, schwarze Wort *Direktor* auf.

Genau in diesem Moment ertönte von der Steuerungskonsole des Helikopters ein kurzes Piepen. Die Kampfjets waren jetzt in unmittelbarer Nähe.

KAPITEL 34

Georgie und Felix hockten vor dem Fernseher und sahen eine Gameshow. Keiner von beiden schenkte dem Programm sonderliche Beachtung, ebenso wenig wie dem Essen auf ihrem Schoß, ein weiteres Fertig-Dinner aus der Mikrowelle.

Felix schaufelte es automatisch in den Mund.

Das Sofa kratzte ihn durch seine Hose hindurch und das ganze Zimmer roch stark nach Raum-Deo. Insgeheim mochte Felix den Geruch, doch das kratzende Sofa nervte ihn total.

»Hörst du jetzt endlich mal mit dem Herumgewackel auf?«, brummte Georgie. »Mir tropft das ganze Essen auf meine Schuluniform.«

Felix hörte nicht zu. Er musste fortwährend an Jimmys Nachricht und Evas Antwort denken. Er stellte sich seinen Freund an einem Dutzend unterschiedlichster Orte vor, und es waren immer die allergefährlichsten. Er begann mit den krassesten Vierteln New Yorks, dann ging er zu diversen anderen Gegenden Amerikas über, in denen er noch nie gewesen war, weswegen sie rasch die Form von Fantasiewelten annahmen, in denen es von Cowboys, Piraten und sogar von Aliens wimmelte.

Unter anderem stellte er sich Jimmy in einem dichten Dschungel vor, wo er von einem Mann im Gorillakostüm mit der Pistole bedroht wurde.

Natürlich war ihm klar, dass so etwas albern war. Aber wenn er versuchte, sich ein realistisches Bild von Jimmys Aufenthaltsort zu machen, breitete sich in ihm nur Düsternis und Panik aus. Da war es wesentlich erträglicher, die Lücken mit bunten Fantasien zu füllen.

Die Eingangstür klickte.

Felix schreckte aus seinen Tagträumen auf. Er befand sich immer in Alarmbereitschaft, obwohl es eigentlich nur Jimmys Mutter sein konnte. Sie kam jeden Abend um diese Zeit nach Hause.

Sie trat ein und nickte ihnen zu. Keiner sagte etwas. Das taten sie nie. Das ganze Apartment war mit Abhörmikrofonen und vermutlich auch mit versteckten Kameras bestückt. In den ersten Tagen hatten sie mit sehr lauter Stimme Unterhaltungen geführt, die den *NJ7* auf falsche Fährten lenken sollten, doch mittlerweile hatten sie das aufgegeben.

Stattdessen nahm Georgie die Fernbedienung und schaltete den Fernseher auf maximale Lautstärke. Dann setzten sich die drei dicht nebeneinander auf das Sofa und nahmen Helen in die Mitte. Sie senkten die Köpfe, sodass niemand über die Kameras etwas von ihren Lippen ablesen konnte. Für sie war das mittlerweile schon Routine.

»Ich glaube, ich weiß, wo Chris und Saffron sich zuletzt versteckt haben«, flüsterte Helen.

Georgie und Felix rutschten näher, damit ihnen kein Wort entging.

»Im Restaurant?«, riet Georgie.

Als Jimmy zu Anfang auf Christopher Viggo angesetzt worden war, hatte dieser seine Oppositionsbewegung gegen die britische Regierung von einem türkischen Restaurant aus geleitet.

»Es ist mit Brettern vernagelt«, erwiderte Helen kopfschüttelnd. »Dorthin zurückzukehren wäre nicht sicher. Obwohl ich glaube, dass er viel von seinem persönlichen Besitz dort zurückgelassen hat.«

»Also, wo dann?«, fragte Felix.

»Ich bin mir noch nicht ganz sicher«, erwiderte Helen. »Das alles braucht seine Zeit. Ich werde ständig beobachtet und muss so tun, als wäre ich auf Jobsuche. Aber ihr sollt wissen, dass ich Fortschritte mache. Außerdem habe ich von einer Organisation erfahren, die sich für die Rechte verschleppter Engländer einsetzt.«

Sie warf einen kurzen Seitenblick zu Felix.

»Sie sitzt in Frankreich, daher weiß ich noch nicht, wie ich mit ihnen in Kontakt treten kann, aber sie werden uns helfen, Felix. Dann können wir uns ganz legal für deine Eltern einsetzen und gleichzeitig herauszufinden versuchen, wo der *NJ7* sie festhält.«

Felix nagte an seiner Unterlippe.

»Sobald ich Chris gefunden habe, werden wir zusammenarbeiten«, fuhr Helen fort. »So wie ich ihn kenne, hält er sich in London auf und schmiedet Pläne. Er weiß, dass wir hier sind, und er wird so bald wie möglich Kontakt zu uns aufnehmen. Es wird noch ein bisschen dauern, aber wir finden sicher einen Weg. In Ordnung?«

Georgie und Felix nickten.

»Gut«, sagte Helen, entspannte ihre Schultern und lehnte sich auf dem Sofa zurück. »Und, wie war's in der Schule?«

Sie nahm Georgie die Fernbedienung aus der Hand und schaltete die Lautstärke des Fernsehers wieder herunter.

Georgie und Felix blickten einander an.

Felix streckte den Arm aus und entwand die Fernbedienung sanft Helens Hand.

Zuerst blickte sie ihn verwirrt an, aber dann sah sie sein ernstes Gesicht und verstand seine Absicht.

Felix stellte die Lautstärke wieder hoch.

Gleichzeitig zog Georgie ihr Handy aus der Tasche und hielt es so, dass ihre Mutter das Display sehen konnte, während sie sich durch die SMS-Nachrichten scrollte.

Der Fernseher wurde lauter und lauter. Felix liebte es, wenn Geräusche in seinen Ohren dröhnten. Es war wie ein Schaumbad für sein Gehirn.

Endlich redeten sie über Jimmy – nicht über Chris, nicht über Saffron und nicht über Eva. Jimmy war derjenige, der sie alle am meisten beschäftigte, über den sie aber am wenigsten sprachen.

KAPITEL 35

Jimmy riss die Augen auf. Drei flache schwarze Flugzeuge schossen auf ihn zu und hinterließen graue Kondensstreifen über Manhattan.

Jimmy erkannte sie sofort als *Black-Widow-II*-Kampfjets. Sie waren geformt wie Rochen.

Seine Hände bewegten sich ohne Zögern in knappem schnellen Rhythmus. Er tippte drei oder vier Mal pro Sekunde auf die Konsole, während er den Bordcomputer mit immer neuen Instruktionen fütterte. Der Helikopter schwenkte plötzlich zur Seite und sackte gleichzeitig nach unten.

Jimmys einziger Vorteil gegenüber den Kampfflugzeugen bestand darin, zwischen den Gebäuden manövrieren zu können. Er schwebte wieder hinab in die Häuserschluchten und flitzte durch sie hindurch, wobei er beständig Tempo aufnahm. Er war wie eine Maus, die durch langes Gras huschte, um drei Adlern zu entkommen. Bei jeder Gelegenheit wechselte er die Richtung, kurvte um die gewaltigen Häuserblocks Manhattans.

Der aufregende Flug ließ Jimmy lächeln. Dann erhaschte er einen Blick auf die *Black Widows*, die über ihn hinwegdonnerten. Jimmy blieben nur ein paar wertvolle Sekunden, bevor sie feuern würden.

Konzentrier dich, ermahnte er sich selbst. Er versuchte, noch einmal jedes Detail des Dokuments aufzurufen, das er auf Blighs Computer gesehen hatte, bis hin zu der Form des Monitors und den Lichtreflexen darauf. Jimmy hatte es nur einmal kurz überflogen und sich dann entschieden, es vollständig zu ignorieren. Doch machte plötzlich irgendetwas *Klick* in ihm und ein fotografisch genaues Abbild von Blighs Dokument tauchte in seiner Erinnerung auf.

Unter dem Wort *Direktor* stand eine Reihe von Zahlen. *43.01569.*

Jimmy holte Luft und konnte kaum glauben, was er da vor sich hinmurmelte. Dann folgte eine weitere Zahlenreihe. *77.57034.* Sofort tippte er die Ziffern mit seinem Zeigefinger auf dem Touchscreen der Konsole ein.

Die Zahlen waren Koordinaten.

Der *Huey* schoss nach oben, wobei Jimmys Magen kurz revoltierte. Der Motor brüllte. Er raste über die Straßen hinweg, höher und höher, bis der Verkehr unter ihnen nur noch ein graues Durcheinander war. Dann schwenkte der Helikopter auf seinen neuen Kurs. Der Konsole zufolge flog er jetzt in Richtung Rochester, einer Stadt am nördlichen Rand des Bundesstaates New York.

Jimmy runzelte die Stirn. Da rumorte noch etwas in seinem Kopf. Die Zahlenreihe war noch nicht zu Ende. Die letzten Ziffern tauchten vor seinem inneren Auge auf – *13:01.* Das musste die Abflugzeit sein.

Jimmy blickte auf den kleinen LCD-Bildschirm. Seine voraussichtliche Flugzeit bis zum Ziel betrug achtundfünfzig Minuten. Daneben stand die aktuelle Uhrzeit – 12:28.

»Nein!«, schrie Jimmy. Er hämmerte mit der Faust gegen den Monitor. Dann drückte er verzweifelt weitere Knöpfe und flehte den *Huey* an, schneller und schneller zu fliegen. Das ganze Cockpit begann zu vibrieren. Doch Jimmy war das egal. Er starrte auf die Zahlen auf seinem Bildschirm. Es war jetzt 12:30 Uhr. Er hatte die geschätzte Flugzeit auf einundvierzig Minuten reduziert.

Jimmy veränderte fortwährend die Navigationskoordinaten des Hubschraubers, um das letzte bisschen Tempo aus ihm rauszukitzeln. Er musste es einfach rechtzeitig schaffen. Wann hätte er sonst je wieder die Gelegenheit, den Direktor von *Synperco* zur Rede zu stellen?

Seine Manipulationen der Kontrollinstrumente zeigten Wirkung. Stück für Stück beschleunigte sich das Tempo des *Huey* und die geschätzte Flugzeit verringerte sich. Allerdings teilte ihm der Computer mit, dass bei dieser Geschwindigkeit der Treibstoff nicht ausreichen würde.

Damit beschäftige ich mich, wenn es soweit ist, dachte Jimmy. Und dann …

BOOM!

Selbst verglichen mit dem Höllenlärm des Helikopters war dieses Geräusch gewaltig. Für einen Augenblick war Jimmy völlig benommen. Die *Black Widows* waren zurück, und sie hatten die Schallmauer durchbrochen, um ihn einzuholen.

Die hohen Gebäude Manhattans lagen jetzt weit hinter Jimmy. Sie konnten ihm keinen Schutz mehr bieten. Alle paar Sekunden musste er rasant den Kurs und die Flughöhe wechseln. Seine Finger tippten auf der Konsole mit dem Tempo eines afrikanischen Trommlers. Die hohe Geschwindigkeit der Flugzeuge war in diesem Fall ein Nachteil. Sie konnten weder blitzschnell wenden, noch sich auf Jimmys Höhe halten und seine Flugbahn kontrollieren.

Auf einem von Jimmys Bildschirmen blinkte jetzt eine Nachricht von ihnen. Sie befahlen ihm, sein Tempo zu verlangsamen, einen bestimmten Punkt anzusteuern und dort sicher zu landen.

Jimmy gab sich nicht einmal die Mühe, die Anweisung zu erwägen. Ihm war klar, was ihr nächster Schritt sein würde. Vermutlich evakuierte die Armee bereits die Gegend, sodass ihn die Kampfjets bei der Landung mit Raketen ausschalten konnten.

Dann hörte er das rasende Piepen seines Warnsystems. Sie griffen bereits jetzt an.

Der *Huey* aktivierte automatisch seine Abwehrmaßnahmen und gab eine Wolke von Radartäuschkörpern ab. Doch Jimmy war klar, dass dies nur ein vorübergehender Schutz war. Wie erwartet detonierten die ersten Raketen inmitten der Täuschkörper. Die Explosionen erschütterten das Cockpit, doch der Helikopter blieb unversehrt.

Jimmy nutzte den Schutz des gewaltigen Feuerwerks für einen Sturzflug. In wenigen Sekunden war er tief genug, um die Nummernschilder der Wagen auf den Straßen des Vororts lesen zu können. Dort wurden unter der Führung von Soldaten die Menschen bereits eilig evakuiert.

Der *UH-2Z Huey* donnerte weiter. Jimmy verringerte zu keinem Zeitpunkt die Geschwindigkeit, obwohl das Warnlicht der Treibstoffanzeige konstant leuchtete. Er warf einen Blick auf die Konsole, um die geschätzte Flugzeit zu überprüfen. Doch anstatt einer Zahl sah er dort nur noch ein blinkendes rotes Fragezeichen. Jimmy erlaubte sich ein trockenes Lachen. Durch seine eigenwilligen Flugmanöver war der Computer so verwirrt worden, dass er seine Vorhersagen eingestellt hatte.

Jimmy schaltete den Monitor auf Landkartenfunktion und stieg wieder in die Höhe. Laut der Koordinaten befand er sich dicht vor dem Ziel. Er spähte aus der großen gewölbten Frontscheibe des Helikopters. Die Helligkeit ließ ihn blinzeln. Die Sonne glitzerte auf den Dächern unter ihm. Er richtete den Blick in die Ferne, auf der Suche nach irgendetwas Flugplatzartigem oder zumindest einer einzelnen Landebahn.

Und dann stockte sein Atem. Vor ihm befand sich ein mit Stacheldraht umzäuntes Areal, das selbst aus der Luft riesig wirkte. Das Gelände wurde von zwei grauen Streifen unterteilt – Start- und Landebahnen.

Im Anflug erkannte Jimmy weitere Details. Ein kleines Privatflugzeug machte sich am Ende der Startbahn bereit, rollte los und hob ab.

Jimmy kniff die Augen zusammen. War da auf der Seite des Flugzeugs nicht ein grauer Kreis mit einem fetten schwarzen *S*? Das musste es sein.

Jimmy blickte auf die Uhr. 13:03. Der Urlaub des Direktors hatte mit zwei Minuten Verspätung begonnen.

Jimmy biss die Zähne zusammen. Der Helikopter kam einfach nicht schneller vorwärts. Dem Computer zufolge befand sich kein Treibstoff mehr im Tank. Nur noch die

Verzweiflung schien Jimmy in der Luft zu halten. Und je näher er dem Flugplatz kam, desto rascher entfernte sich das kleine graue Flugzeug.

Erneut meldeten sich die Alarmsysteme des *Hueys*. Eine Sekunde lang glaubte Jimmy, die auf ihn abgefeuerten Raketen zischen zu hören. Seine Kehle war wie zugeschnürt. Alle seine Muskeln spannten sich. Sein Bewusstsein schien erstarrt und nur noch auf den Tod zu warten. Aber irgendwo unter der Angst war etwas, das nicht aufgab, wie eine winzige Flamme im Inneren eines Eisblocks. Und je mehr die Kälte und der Druck zunahmen, desto intensiver brannte das Flämmchen.

Kaum hatte Jimmy das Feuer gefühlt, forderte er es auf, die Kontrolle zu übernehmen. Und mit seinem Willen kehrte auch die Kraft zurück. Ihm blieben nur noch Sekunden. Die Motoren des Helikopters stotterten. Der Rotor drehte sich immer langsamer. Aber der Computer arbeitete noch.

Jimmy lehnte sich in seinem Sitz zurück und trat mit beiden Absätzen gegen die Frontscheibe des Cockpits. Das Glas fühlte sich härter an als Stahl, aber mit drei gezielten Kicks trat Jimmy es heraus. Der Wind fauchte ihm ins Gesicht. Glassplitter übersäten ihn. Er wischte sich übers Gesicht und befreite auch die Konsole von Splittern, bevor er etwas auf einen der Monitore tippte. Sofort öffnete sich neben seinem Ellbogen eine Klappe und ein Auslösemechanismus wurde ausgefahren. Ohne einen Augenblick zu zögern, legte er seinen Finger an den Abzug und drückte ab.

Ein Rumpeln ertönte unter dem Cockpit. Gleichzeitig jaulten die Raketen der *Black Widows* in Richtung Hubschrauber. Jimmy spannte alle seine Muskeln und beugte sich auf seinem Sitz nach vorne.

WAMM!

Die Raketen schlugen ein, bohrten sich durch den Heckrotor des *Huey*. Der ganze Helikopter wurde durch die Wucht des Aufpralls nach vorne gerissen und Jimmy selbst wurde nach vorne geschleudert, direkt durch das Loch in der Glaskanzel.

BOOM!

Der *Huey* ging in Flammen auf – während im selben Moment eine einzige Rakete an seiner Unterseite ausgelöst wurde. Jimmy hatte sie unmittelbar vor dem Treffer entsichert.

Die Druckwelle der Explosion fegte Jimmy noch weiter. Die Hitze fühlte sich an wie die Reißzähne eines Tigers, die sich in seinen Rücken schlugen. Dies waren die Sekundenbruchteile, die zählten.

In dem Meer aus Flammen und Rauch konnte Jimmy nichts mehr erkennen. Aber er hörte durch das BOOM der Explosion hindurch das Fauchen der Rakete des Hubschraubers. Er riss die Arme in Richtung des Geräusches hoch. Seine Finger erwischten das brennend heiße Metall. *Hab dich!* Der Schmerz war übel, aber loszulassen hätte einen tödlichen Sturz bedeutet. Die Rakete war Jimmys Express-Ticket aus der Hölle.

Der flammende Ball des Helikopterwracks stürzte in die Tiefe. Und Jimmy schoss durch die Luft, an der schlanken *70mm-Mk86*-Rakete des *Hueys* hängend.

KAPITEL 36

Jimmy wurde durch die Luft gezerrt wie eine Ratte in den Fängen eines Adlers. Die Arme über den Kopf gestreckt klammerte er sich mit beiden Händen fest an die Rakete. Die glühende Hitze der Rakete versengte sie und setzte sich durch seine ganzen Arme fort.

Er spannte seine Muskeln und schwang die Beine nach vorne, wobei er gegen die gewaltigen Beschleunigungskräfte und den tobenden Wind ankämpfte. Beim vierten Anlauf gelang es ihm, seine Beine um die Spitze der Rakete zu schlingen.

Während die Rakete sich ihrem Ziel näherte, wurde ihr Jaulen immer schriller. Der Sprengkopf war bereits automatisch aktiviert. Jimmy hatte die Rakete kurz vor seinem Sprung aus dem Helikopter programmiert – ihr Ziel war das kleine *Synperco*-Flugzeug.

Mit seiner brandblasenübersäten rechten Hand öffnete Jimmy eine Klappe im Rumpf der Rakete. Darunter verbarg sich eine Schalttafel. Jimmy riss sie mit einem einzigen gewaltigen Ruck heraus. Das Jaulen verstummte sofort und nur noch das Brüllen des Windes war zu hören.

Mit der elektronischen Steuerung des Sprengkopfs hatte Jimmy allerdings auch das gesamte automatische Lenksystem des Flugkörpers entfernt. Was ursprünglich ein Direktflug zu seinem Ziel gewesen war, wurde nun zu einem unberechenbaren Blindflug. Jimmy musste die Kontrolle übernehmen. Er drehte und wand seinen Körper und versuchte so die Rakete zu lenken. Aber zu spät. Das Flugzeug war bereits zu nahe.

RUMMS!

Jimmys Rücken krachte gegen die Seite des Flugzeugs, genau über einer der Tragflächen. Er hörte seine Rippen knirschen und dachte, seine Lungen würden platzen. Die Rakete schoss weiter, wobei sie die Haut von Jimmy linker Hand fetzte. Höllischer Schmerz durchzuckte seinen gesamten Körper, aber immerhin war es ausreichend, um den Kurs der Rakete abzulenken. Sie donnerte weiter durch die Luft und stürzte schließlich in einem gleichmäßigen Bogen hinunter zur Erde.

Jimmy überschlug sich und landete mit dem Kopf auf der Tragfläche des Flugzeuges. Der *Falcon 20* war ein kleiner Jet, knapp sechzehn Meter von der Spitze bis zum Heck. Doch er war einer der schnellsten Privat-Jets auf dem Markt. Daher hatte er bereits kurz nach dem Abheben eine Geschwindigkeit von 750 km/h erreicht.

Jimmys Reaktionsfähigkeit kehrte gerade noch rechtzeitig zurück, damit er sich an der Tragfläche festklammern konnte. Unsäglicher Schmerz pochte in seinen Händen und Armen. Er fürchtete, seine Augen würden aus ihren Höhlen gedrückt, wenn er sie zu weit öffnete.

Er drehte den Kopf auf der Suche nach einem geschützteren Ort und zog sich dann auf der Tragfläche nach vorn.

Sie war mit dem *Synperco*-Logo versehen, doch das schwarze *S* war nun mit Jimmys Blut verschmiert.

Er spähte über den Rand der Tragfläche. Die Landschaft unter ihm raste vorbei. Der Anblick ließ Jimmys Magen revoltieren, daher ließ er seinen Fokus unscharf werden, bis alles zu einem einzigen Wirbel aus grau, grün und braun verschwamm.

Jimmy spürte die Vibrationen des Flugzeugs bis in seine Knochen. Er biss die Zähne fest zusammen, damit sie nicht weiter aufeinanderschlugen. Dann ließ er mit der linken Hand die Tragfläche los, wodurch sich der Zug an seinem rechten Arm verdoppelte. Er streckte seine Hand in Richtung Flugzeugrumpf und hinterließ dunkelrote Spuren auf dem glänzenden Weiß.

Schließlich gelang es ihm, die Notentriegelung der Kabinentür mit den Fingerspitzen zu fassen. Er straffte seinen Arm und die Luke flog auf.

Jimmy kroch auf die Öffnung zu und purzelte ins Flugzeug. Er hatte es gerade eben noch geschafft. Wäre das Flugzeug etwas höher gestiegen, wäre durch die Anpassung des Kabineninnendrucks alles hinausgerissen worden, sobald sich die Tür auch nur einen Spalt öffnete.

Jimmy stürzte unkontrolliert und landete bäuchlings auf einem dicken blauen Teppich. Er hörte, wie zwei Männer sich anschrien.

»Was zum Teufel …?«, rief eine tiefe, männliche Stimme mit amerikanischem Akzent. »Schnell! Informieren Sie den Piloten!«

»Ist bereits geschehen, Sir!«, erwiderte eine weitere

amerikanische Stimme. »Er hat ein Warnsystem. Sehen Sie – er hat die Fluggeschwindigkeit bereits gedrosselt.«

Dann hörte Jimmy, wie die Kabinentür mit einem satten Knall hydraulisch wieder geschlossen wurde.

»Ist es sicher, weiterzufliegen?«, rief die erste Stimme. »Oder müssen wir landen?«

»Ich kläre das mit dem Piloten, Sir.«

Jimmy stemmte sich auf alle viere hoch und hinterließ dabei dunkle Handabdrücke auf dem Teppich. Das Flugzeug schwankte von einer Seite zur anderen. Der Pilot brauchte einige Sekunden, um die Maschine nach der unerwarteten Kabinenöffnung wieder zu stabilisieren. Währenddessen regten sich in Jimmy mörderische Instinkte. *Ich werde sie alle töten. Alle hier in diesem Flugzeug.*

Jimmy atmete tief durch und bemühte sich verzweifelt, ruhig zu bleiben. Er musste seinen Agenteninstinkt bezwingen, der ihn zum Töten trieb. *Aber es ist genau das, was sie verdienen*, dachte er. *Sie haben dafür gesorgt, dass ich einen Krieg verursacht habe.* Jimmy schloss fest die Augen und blendete den Rest der Welt aus.

Ich hätte gar nicht erst hierher kommen dürfen, protestierte eine leise Stimme in seinem Kopf. Aber dann sprang Jimmy auf, straffte seine Schultern und hob den Kopf. *Behalte die Kontrolle*, befahl er sich selbst. *Finde die Namen der Doppelagenten heraus und bringe sie zu Oberst Keays.*

Nun war Jimmy bereit. Der Jet flog wieder absolut stabil und seine Triebwerke dröhnten leise und beruhigend. Die Kabine des Flugzeugs war nur etwa zwei Meter breit.

Jimmy baute sich genau in der Mitte auf und drehte sich zum Heck. Dann öffnete er seine Augen.

Vor sich sah er einen kräftigen Mann mittleren Alters mit sich lichtendem braunen Haar. Der Mann saß zurückgelehnt auf einer Sitzbank aus weißem Leder. Seine Arme hatte er zu beiden Seiten auf der Rückenlehne ausgebreitet.

»Oberst Keays«, japste Jimmy.

Seine Kehle kratzte beim Sprechen. Sein Blick huschte über die Uniform des Oberst und registrierte dabei jedes Detail, als könnte er dadurch den Mann als Hochstapler entlarven, während der echte Oberst Keays noch irgendwo da unten war und die *CIA* leitete.

Doch es war dieselbe blaue Uniform mit den goldenen Litzen. Seine Mütze war ordentlich am Rand der Sitzbank abgelegt und seine Brust war von demselben Regenbogen aus Medaillen und Orden bedeckt.

Jimmy schaute genauer hin. Neben einer Reihe bunter Streifen war da ein goldenes Kreuz, ein silberner Stern und dann das schwarze *S* auf einer silbernen Scheibe.

Synperco.

»Du scheinst ebenso überrascht über meinen Anblick wie ich über deinen, Jimmy«, knurrte Keays.

Sein übliches Grinsen fehlte. An dessen Stelle war ein scharfer, fixierender Blick getreten, der Jimmy jeden nur erdenklichen Verbrechens anzuklagen schien.

»Was ist…« Jimmy unterbrach sich selbst. Zu viele Fragen bedrängten ihn. Gleichzeitig hatte er das Gefühl, nicht eine einzige von ihnen stellen zu können. Sein

Vertrauen war erschöpft. »Aber die Doppelagenten ...«, flüsterte Jimmy, während er verzweifelt zu ergründen versuchte, was hier vor sich ging. Die Worte des Agenten mit den Fischlippen hallten in seinem Kopf wider: *Wir arbeiten alle für* Synperco.

»Es gibt keine Doppelagenten, Jimmy«, verkündete Keays. »Es gibt nur meine eigenen Agenten. Sie arbeiten alle für mich.«

»Sie sind *Synperco*«, stieß Jimmy langsam aus. Das Entsetzen schnürte ihm die Kehle zu. »*Synperco*, das sind Sie.«

»Ha!« Keays warf beim Lachen den Kopf zurück. »Nicht ganz. Aber richtig, es ist mein Unternehmen. Ich bin der Direktor der *CIA* und ich bin zugleich geschäftsführender Direktor von *Synperco* und halte auch die Aktienmehrheit. Bis Anfang dieser Woche war es ein relativ kleines Familiengeschäft. Aber dank deiner Eskapaden in der Nordsee und ähnlicher Operationen rund um die Welt ist es heute der größte amerikanische Energiekonzern. Tatsache ist, es gibt nur zwei Ölfirmen, die noch größer sind – eine in Russland und eine im Nahen Osten. Aber auch diese Konkurrenz werde ich ausschalten, sobald ich Präsident bin.«

»Präsident?« Jimmy würgte das Wort hervor. Das Blut gefror ihm in den Adern. Für einen Moment waren seine Beine wie taub.

»Um Präsident der Vereinigten Staaten zu werden, Jimmy«, erklärte Keays, »brauchst du drei Dinge. Erstens: die Unterstützung des Geheimdienstes. Zweitens: die

Zustimmung der Ölindustrie. Und drittens: genug Geld, um eine Wahlkampagne zu führen und sie zu gewinnen. Ich bin unterwegs nach Washington, um Präsident Grogan mitzuteilen, dass er nicht länger über die ersten beiden Dinge verfügt. Während ich, dank dir, Jimmy, inzwischen über alle drei verfüge. Grogan wird noch vor Ende der Woche Neuwahlen ankündigen.«

Er strich seine Uniform glatt und fügte beiläufig hinzu: »Meinst du, ich werde eine gute Figur vor dem Weißen Haus machen, Jimmy?«

KAPITEL 37

Jimmys Herz hämmerte laut in seiner Brust. Eigentlich hätte es bei seiner ganzen Nervosität rasen müssen, aber seine Programmierung sorgte für einen gleichmäßigen Puls. Gleichzeitig wurde er immer wütender.

»Ich bin tausendfünfhundert Kilometer quer durch Amerika gereist. Durch elf Staaten«, zischte er und fixierte dabei Keays. »Ich musste mich dabei vor der Polizei verstecken und um mein Leben kämpfen, alles um Ihnen die Information zu überbringen, dass auf *Neptuns Schatten* Raketen verborgen wären.«

Jimmys Muskeln vibrierten vor Energie, bereit, sich jederzeit in einer gewalttätigen Aktion zu entladen. Es bedurfte seiner ganzen Konzentration, um nicht sofort loszuschlagen. »Ich habe Sie angefleht, mich loszuschicken, um diese Raketen zu zerstören, und ich bin bei dem Versuch fast draufgegangen. Aber es gab dort überhaupt nie irgendwelche Raketen, richtig?«

Keays schwieg. Seine Miene wirkte wie versteinert.

»Es waren alles Lügen!«, schrie Jimmy wütend. Er barg den Kopf in den Händen, als ihm das gewaltige Ausmaß von Keays' Täuschungsmanöver klar wurde. »Sie haben das Flugzeug angegriffen«, flüsterte er. »Meinen Flug aus

New York. Sie haben mich glauben lassen, der *NJ7* stecke dahinter, aber ... aber ...«

Die glühende Hitze in Jimmy wurde fast unerträglich und er begann zu schwitzen.

»Gab es denn keinen anderen Weg?«, fragte er. »War ich der Einzige, der *Neptuns Schatten* für Sie ausschalten konnte?«

»Ja, Jimmy«, gab Keays zu. »Wer sonst hätte im Alleingang dort eindringen können, ohne dass es wie eine US-Operation ausgesehen hätte? Und du hättest wohl kaum eingewilligt, wenn ich dich einfach so darum gebeten hätte, oder?«

Jimmy fehlten für einen Augenblick die Worte. Dann fauchte er: »Sie haben ihn getötet. Sie haben Ihren eigenen Agenten geopfert, damit ich keine andere Wahl habe, als zu Ihnen zurückzukehren. Inzwischen weiß ich, dass Bligh ein Teil des Täuschungsmanövers war, er lebt, ich habe ihn gesehen. Doch was ist mit Froy? Sie haben ihn auf dem Gewissen!«

Angewidert verzog sich Jimmys Gesicht.

»Ha!«, polterte Keays. Doch es war kein Lächeln in seinem Gesicht, nur ein kleines Funkeln in seinen Augen. »Du bist ein cleverer Junge, Jimmy, aber offenbar hast du noch nicht die ganze Wahrheit herausgefunden.«

Keays spähte über Jimmys Schulter.

Jimmy wirbelte herum. Durch den Vorhang trat ein großer, muskulöser Mann mit dunkelblonden Haaren und einer Haut, die so stark gebräunt war, dass sie wie Schuhleder wirkte. In jeder Hand hielt er ein Glas Rotwein. Es war jener Mann, der Jimmy aus New York eskortiert hatte, der zweite Agent, der vermeintlich im Flugzeug ums Leben gekommen war – Agent Froy.

»Nein.« Jimmy schnappte nach Luft. »Wie kann das sein …?«

Froy lächelte Jimmy an und zuckte mit den Achseln.

Jimmy wirbelte wieder zu Keays herum.

»Aber ich habe die beiden sterben sehen!«, beharrte Jimmy.

Keays blickte ernst.

»Nicht alles ist so, wie es auf den ersten Blick scheint, Jimmy«, antwortete er ungerührt. »Du bist das beste Beispiel dafür.«

Schweigen machte sich breit.

Jimmy blickte düster, während Keays überraschend entspannt wirkte. Jimmy fragte sich, was der Mann wohl dachte. *Wird er mich zu töten versuchen?* Jimmy hatte keine Angst. Er war bereit, blitzschnell auf jeden Angriff Keays' zu reagieren. Gleichzeitig achtete er auf Vibrationen des Bodens, falls Froy hinter ihm etwas zu unternehmen beabsichtigte.

»Es war eine Panne, dass du Bligh gesehen hast«, erwiderte Keays schließlich, wobei er Jimmy eingehend musterte, als versuche er, seine Gedanken zu lesen. »Das hätte nicht geschehen dürfen.«

Er seufzte und schüttelte den Kopf. »Und wenn es nicht passiert wäre, dann wärst du jetzt irgendwo in Sicherheit und würdest mir immer noch vertrauen.«

»Und Sie hätten mich irgendwann erneut benutzt, oder

etwa nicht?«, fragte Jimmy. »Das nächste Mal, wenn irgendetwas für die *CIA* zu Schwieriges oder Gefährliches zu erledigen gewesen wäre, hätten Sie mich wieder dazu gebracht, es zu tun.«

Keays' Lippen verzogen sich zu einem Lächeln. »Setz dich, Jimmy«, sagte er sanft. »Das Ganze muss nicht in Tränen enden. Begleite mich zu meinem Treffen mit dem Präsidenten. Die *CIA* kann dich immer noch schützen. Du bist eine wertvolle Waffe.«

Jimmy hätte am liebsten laut geschrien. *Ich bin niemandes Waffe*, schwor er sich. Wie hatte er sich nur so täuschen lassen können? Er stand wie angewurzelt da, während Froy dem Oberst ein Glas Wein reichte und sich neben ihn setzte. Die beiden Männer lehnten sich zurück, um den Flug zu genießen.

Jimmy versuchte, sich detailliert an alle Ereignisse seit dem Angriff auf das Flugzeug zu erinnern. Hatte ihm seine Programmierung möglicherweise Hinweise darauf gegeben, dass er bei dieser Ölbohrinsel-Mission getäuscht worden war, die seine gutgläubige menschliche Seite beiseite gewischt hatte?

Jimmys Hände zitterten. Er konzentrierte sich auf die Schmerzen in seinen Handflächen, um nicht über seine Fehler nachzudenken. Aber es war unmöglich. Die Qualen in seinem Inneren waren stärker als jede äußere Verletzung. Wegen seiner Fehler würde England einen Krieg mit Frankreich beginnen. *Jetzt liegt es an mir*, dachte er. *Ich kann das noch in Ordnung bringen. Ich muss es tun.*

Keays prostete Jimmy zu und grinste.

»Auf eine bessere Welt!«, verkündete er.

Plötzlich ließ Jimmy sich nach hinten fallen und landete auf den Händen. Seine Beine schnellten vor und trafen die beiden Gläser. Rotwein und Glassplitter spritzten auf Froy und den Oberst. Und bevor die beiden reagieren konnten, stieß Jimmy sich mit den Händen ab und machte einen gewaltigen Rückwärtssalto in Richtung Cockpit.

Auf der anderen Seite des Vorhangs landete er wieder auf den Füßen und riss die Tür zum Cockpit auf.

»Ihr Flug endet hier«, rief Jimmy entschlossen und packte den Piloten bei den Schultern.

Der Mann war kräftig und wehrte sich gegen Jimmys Griff, aber er hatte keine Chance. Jimmy schleuderte ihn in die Passagierkabine. Das Flugzeug würde auch ohne Piloten einige Zeit seinen Kurs halten.

»Jimmy!«, dröhnte Oberst Keays Stimme aus der Kabine. Sie schien das ganze Flugzeug zum Erbeben zu bringen. »Du kannst nirgendwo hin, Jimmy.« Seine Stimme kam näher. »Und es gibt nichts, was du tun kannst.«

Der Oberst stürzte ins Cockpit. Er hielt eine Pistole.

Doch Jimmy war darauf vorbereitet. Er drehte sich und macht einen Ausfallschritt nach links. Gleichzeitig packte er Keays' Handgelenk und riss daran. Nun standen beide in dieselbe Richtung, wobei Keays' Arm mit der Pistole vor ihnen ausgestreckt war. Dann rammte Jimmy seinen Ellbogen gegen Keays' Kehle.

Der Oberst gab ein gurgelndes Geräusch von sich. Er ließ die Waffe fallen und stolperte aus dem Cockpit. Seine Augen quollen aus ihren Höhlen.

Jimmy folgte ihm und benutzte dabei Keays' Körper als Schutzschild. Rasch schnappte er sich drei Fallschirme von der Wand. Keays stürzte durch den Vorhang der Kabine, hielt seine Kehle umklammert und rang nach Atem. Jimmy knallte ihm einen der Fallschirm gegen den Oberkörper. Der Schlag presste Luft aus Keays' Lungen und machte seine Luftröhre wieder durchlässig.

Der Pilot und Froy warteten zu beiden Seiten des Kabineneingangs. Beide waren mit Pistolen bewaffnet. Jimmy wollte sich ducken, aber seine Instinkte ließen es nicht zu. *Bewegt euch*, flehte er seine Beine an, aber sie rührten sich nicht von der Stelle. Stattdessen blieb er für den Bruchteil einer Sekunde direkt zwischen Froy und dem Piloten stehen.

Beide drückten den Abzug. Und genau in diesem Moment ließ Jimmy sich fallen. Die Kugeln zischten über seinen Kopf hinweg und streiften die Oberseite seines Kopfes. Dann gruben sich die Kugeln in die Beine des Mannes gegenüber. Da Jimmy direkt zwischen ihnen gestanden hatte, hatten sie versehentlich einander angeschossen.

Beide sanken zu Boden, umklammern ihr Bein und schrien vor Schmerz. Jimmy warf ihnen je einen Fallschirm zu, dann schleifte er sie zum Notausgang und riss an dem Hebel, der die Tür entriegelte.

»Da haben Sie die Unterlagen, Herr Premierminister«, verkündete Miss Bennett und ließ einen dicken Ordner auf Ian Coates' Schreibtisch fallen.

»Was ist das?«, murmelte er. Er notierte gerade etwas, daher hob er nur knapp den Blick, der am oberen Ende von Miss Bennetts Beinen hängen blieb.

»Was glauben Sie wohl?«, fauchte Miss Bennett. »Oder wollen Sie diese Woche noch gegen weitere Länder in den Krieg ziehen?«

Der Premierminister räusperte sich und griff nach dem Ordner. Er lehnte sich in seinem Bürosessel zurück und schlug ihn auf.

»Steht irgendetwas Gutes darin?«, fragte er und blickte ihr nun zum ersten Mal in die Augen.

»Das Übliche«, erwiderte Miss Bennett. »Es gibt einige Strategien, um Frankreich vor dem Angriff wirtschaftlich zu schwächen, die Sie aber vermutlich nicht verstehen werden. Dann gibt es Details zu den militärischen Operationen, die Ihnen sicher gefallen werden. Und dann einen Bericht über die Konsequenzen, mit denen wir im Kriegsfall zu rechnen haben, die Sie vermutlich ignorieren werden. Erhalten Sie von mir nicht ausschließlich gute Informationen?«

Sie hob eine Augenbraue und warf sich in Pose, eine Hand in die Hüfte gestemmt, während die andere mit einer Haarsträhne neben ihrer Wange spielte.

Nach einem kurzen Augenblick des Schweigens wurde Miss Bennetts Blick von etwas Ungewöhnlichem auf dem Schreibtisch des Premiers abgelenkt. Neben den Papierstapeln stand eine kleine durchsichtige Plastikbüchse voller cremiger, gelber Würfel. Miss Bennett versuchte das Etikett zu entziffern, aber es war in einer ihr unbekannten Sprache.

»Was ist das?«, fragte sie.

»Das?« Ian Coates schraubte den Deckel von der Büchse und zog vorsichtig einen der gelben Würfel heraus. »Es ist ein Geschenk der isländischen Regierung. Sie wollten uns Ihrer Unterstützung bei dem Konflikt mit Frankreich versichern.«

»Das riecht ja ekelhaft«, stöhnte Miss Bennett und trat einen Schritt zurück.

»Man nennt es wohl *Hákarl*. Es ist verfaultes Haifischfleisch.«

»Und wie schmeckt es?«

»Ich habe es noch nicht probiert.«

Der Premierminister rollte den Würfel zwischen seinen Fingerspitzen, die Hand dicht vor dem Mund. Seine Lippen öffneten sich. Doch dann schien er seine Absicht plötzlich zu ändern. Anstatt ihn zu essen, legte er den Würfel mit Haifischfleisch zurück auf den Schreibtisch und hielt die Büchse Miss Bennett hin. »Warum kosten Sie nicht zuerst?«

KAPITEL 38

Als Jimmy an der Entriegelung des Notausgangs riss, waren die Folgen sofort spürbar. Seit er sich im Flugzeug befand, hatte der Pilot die Flughöhe beträchtlich erhöht. Das Druckgefälle zwischen Innerem und Äußerem der Kabine war zwar immer noch relativ gering, aber es reichte aus, um einen enormen Sog zu erzeugen.

Jimmy packte den Rand der Notausgangstür, als sie aufschwang. Er grub seine Absätze in den Teppich. Doch die anderen an Bord hatten keinen Halt. Der Pilot war der erste, der hinausgesogen wurde, eine halbe Sekunde später zischte Froy hinterher. Trotz ihrer Verletzungen waren beide Männer so geistesgegenwärtig, ihre Arme durch die Gurte ihrer Fallschirme zu schieben.

Schließlich rutschte auch Oberst Keays über den Teppich, wobei er sich verzweifelt daran festzuklammern versuchte. Seine Nägel kratzten Spuren in die blutigen Handabdrücke, die Jimmy hinterlassen hatte.

Als Keays nah genug war, packte ihn Jimmy am Kragen.

»Ihr Abgang dauert mir zu lange«, brummte Jimmy. Er zerrte Keays über die Schwelle, bis der Mann aus der Türe hing.

Doch der Oberst hatte seinen Fallschirm fallen lassen,

also hob Jimmy ihn auf und schlang einen der Gurte über den Kopf des Mannes. Er wollte den Oberst gerade loslassen, da streckte der seinen Arm aus und packte Jimmy an der Schulter.

Jimmy starrte in die Augen des Oberst. Sie waren blassgrün, wie die einer Echse, und seine Augenbrauen bildeten zwei scharfe Striche darüber.

»Du brauchst mich!«, schrie Keays.

Seine Stimme war dünn und krächzte – er hatte sich noch immer nicht ganz von Jimmys Schlag erholt. Jimmy konnte die Machtgier in seinen Augen sehen. Er zog den Oberst näher heran, bis er den Atem des Mannes in seinem Gesicht spürte.

»Ich brauche niemanden«, fauchte Jimmy voller Wut.

»Aber ich habe jemanden, den du brauchst«, erwiderte Keays.

»Erzählen Sie das meinetwegen dem Präsidenten, Herr Oberst.«

Jimmy löste seine Finger von Keays' Kragen und schüttelte seine Schulter, um den Griff des Obersts zu lösen. Doch Keays krallte sich in sein Fleisch.

»Und was ist mit Felix' Eltern?«, flüsterte der Mann.

Dann ließ er Jimmys Schulter los.

»Was?«, japste Jimmy. Er beugte sich vor, um erneut Keays' Kragen zu packen. Doch die Uniformjacke des Mannes rutschte durch seine Finger. Er konnte sie nicht mehr festhalten. Zu viel Blut war an seiner Hand.

Oberst Keays stürzte in die Tiefe, ein verschlagenes Lächeln auf seinen Lippen.

Eine Million Fragen stürzten auf Jimmy ein – über Keays, die *CIA*, den *NJ7*, die Muzbeke-Familie …

»Wo sind sie?«, schrie Jimmy ihm hinterher. »Was haben Sie mit ihnen gemacht?«

Die Worte wurden ihm zurück ins Gesicht geweht. Und bevor er seinen Satz beenden konnte, entfaltete sich der schwarze Seidenfallschirm und Oberst Keays wurde seinem Blick entzogen.

Jimmy beugte sich so weit wie möglich hinaus, spähte über den Rand der Tragfläche und versuchte, Keays' voraussichtlichen Landeplatz abzuschätzen. Doch es war unmöglich.

Er zog sich wieder zurück in die Kabine. Jimmy wusste verdammt genau, dass für drei Passagiere im Flugzeug immer nur drei Fallschirme vorgesehen waren. *Ich könnte ihm immer noch hinterher springen*, dachte er. *Ich würde irgendeine Art finden, um zu landen. Ich könnte ihn stellen.*

Was wollte die CIA von Neil und Olivia Muzbeke? Jimmys Gedanken spielten verrückt.

Ich werde Keays zwingen, mir ihren Aufenthaltsort zu verraten.

Natürlich wäre so ein Sprung Wahnsinn. Das starke Rütteln des Flugzeugs brachte ihn wieder zu Verstand. Jimmy riss die Notausgangstür zu und rannte zum Cockpit. Sobald er die Hände auf die Kontrollinstrumente des Jets gelegt hatte, übernahmen seine Instinkte.

Er blendete das unregelmäßige Jaulen der Triebwerke aus. Und während seine Konditionierung den Flug stabilisierte und den Jet wieder auf Reiseflughöhe brachte, arbeitete sein Gehirn auf Hochtouren.

Nichts in dieser Welt schien mehr real und alles eine Illusion geworden zu sein. Keays hatte ihn nur beschützt, um ihn benutzen zu können. Nicht der *NJ7* hatte das Spionageflugzeug abgeschossen, sondern die *CIA*. Es hatte niemals eine britische Raketenbasis auf *Neptuns Schatten* gegeben.

Doch Jimmys Überlegungen blieben dabei nicht stehen. Er konnte seine Gedanken nicht mehr kontrollieren. Er begann zu glauben, dass alles nur Lüge und Täuschung war.

Mein Vater ist nicht mein Vater, hallte es in seinem Kopf wieder. *Mein Körper sieht normal aus, ist es aber nicht.*

Dabei fiel ihm auf, dass seine Hände überall blutige Abdrücke auf den Kontrollinstrumenten hinterlassen hatten. Doch inzwischen ließen die Blutungen deutlich nach. Seine Hände hörten sogar auf zu schmerzen und zu pochen. Sie heilten bereits.

Ich bin nicht menschlich, dachte Jimmy. *Das alles ist nicht real.*

Er wiederholte es wieder und wieder, als ob sein eigener Verstand sich von ihm losgelöst hätte.

»NEIN!«, schrie er plötzlich, als würde er aus einem Traum erwachen. »NEIN!«

Er schrie so laut und so lange, bis er die Frontscheibe des Cockpits zum Vibrieren brachte.

Georgie. Seine Mutter. Felix. Ihre Gesichter huschten vor seinem inneren Auge vorbei. Sie waren in großer Gefahr.

Wenn England tatsächlich Frankreich angreift, dann ist das nicht nur eine Illusion, dachte er. *Ebenso wenig wie Frankreichs Vergeltungsaktionen.*

Jimmy spähte auf die Treibstoffanzeige und kontrollierte die Windgeschwindigkeit. Dann las er die Navigationsdaten ab und programmierte den Kurs des Flugzeuges neu. Der *Falcon 20* beschrieb jetzt eine scharfe Linkskurve. Anstatt weiter der amerikanischen Ostküste von New York in Richtung Washington zu folgen, schoss Jimmy hinaus auf den Atlantik. Er flog in Richtung Europa.

Noch immer verfolgte ihn das Bild von Keays' überlegen grinsendem Gesicht. Und als Jimmy es abzuschütteln versuchte, verwandelte es sich überraschend in das von Ian Coates.

Wenn sie sich mit mir anlegen wollen, dann können sie das haben, schrie es in seinem Kopf. Seine Muskeln bebten vor Energie und Tatendrang.

Keine Lügen mehr, dachte er. *Nur noch meine eigenen.*

JOE CRAIG

AGENT UNTER BESCHUSS

– VORAB-LESEPROBE –

KAPITEL 1

Erst war es nur ein blinkendes Licht auf der Armaturentafel, dann ein ungewöhnliches Geräusch der Triebwerke. Ein leises Klacken, nur wahrnehmbar, wenn man wusste, worauf man achten musste.

Jimmy Coates wusste genau, worauf man hören musste, und er wusste auch, dass es Schwierigkeiten bedeutete. Für einen Autofahrer ist es ziemlich unangenehm, wenn ihm während der Fahrt der Treibstoff ausgeht. Aber wenn einem das in über tausend Meter Flughöhe bei einem kleinen Flugzeug passiert, dann hat das üblicherweise fatale Folgen.

Jimmy spürte keinerlei Panik. Er rechnete schon seit längerer Zeit damit. *Ich könnte landen*, dachte er. Er befand sich zu diesem Zeitpunkt mitten über dem Atlantischen Ozean, daher würde es sicher nicht ganz leicht, aber es war zu schaffen. Obwohl der *Falcon 20* nicht für Wasserlandungen konstruiert war, stellte Jimmy sich bereits vor, wie er über die Wellen rauschte. Ein Teil seines Gehirns errechnete schon den besten Winkel für die Landung auf dem Meer. Und die Muskeln in seinen Schultern wärmten sich für die längste Schwimmstrecke seines Lebens auf.

Er knirschte mit den Zähnen und starrte aus dem Cockpitfenster. Eine Landung war keine Option. Jimmy musste unbedingt Europa erreichen. Tausende Menschenleben hingen davon ab. Und dann schickte der Himmel ihm eine Lösung.

Das Flugzeug erbebte leicht. Ein gewaltiges Dröhnen übertönte die Turbinen des *Falcon*. Jimmy blinzelte nach oben gegen die Sonne. Da war er – der gigantische Schatten eines Passagierflugzeugs über ihm.

»Zeit für eine Mitfahrgelegenheit«, flüsterte Jimmy leise.

Er blickte ein weiteres Mal auf die Treibstoffanzeige. Sie stand auf Null. Er ignoriere sie. *Es wird ausreichen. Es muss ausreichen.*

Entschlossen zog er den *Privatjet* nach oben. Seine Finger huschten über die Instrumententafel. Verkrustetes Blut bedeckte seine Handflächen – es hinterließ hässliche Spuren auf jedem Schalter und jedem Knopf der Steuerung. Doch seine Hände heilten bereits. Er konnte es fühlen. Der Schmerz hatte nachgelassen. Als er seine Hände betrachtete, sah er, wie sich unter den Hautfetzen bereits eine stumpfe graue Schicht bildete.

Neben dem *Airbus A490* wirkte Jimmys *Falcon* wie eine Fliege auf dem Rücken eines Nilpferds. Jimmy staunte über die gewaltigen Ausmaße der Maschine. Sie war schätzungsweise hundert Meter lang und hatte eine noch größere Spannweite. Das tiefe Dröhnen der Düsentriebwerke brachte Jimmys Brust zum Vibrieren.

Rascher als erwartet flog Jimmy direkt unter dem Airbus. Den Rumpf des *Falcon* und die Unterseite des *Airbus'* trennten nur noch wenige Meter. *Ich hoffe, das funktioniert,* dachte Jimmy. Er holte tief Luft, straffte die Schultern und suchte tief in sich nach dieser vertrauten Energie. Er wusste, sie würde kommen. Sie musste einfach.

Er ließ die Welt vor seinen Augen verschwimmen, konzentrierte sich ganz auf diesen Punkt tief in seinem Inneren, irgendwo zwischen seinem Magen und der unteren Wirbelsäule. Seine Agenteninstinkte mussten jetzt die Kontrolle übernehmen. Andernfalls hätte Jimmy niemals etwas so Verrücktes gewagt.

Und plötzlich, wie bei einem explodierenden Geysir, war es da. Jimmys Muskeln wurden von einer konzentrierten Energie überschwemmt. Seine Arme fühlten sich leichter an als Luft. Sein Nacken summte und sein Gehirn pulsierte hellwach in seinem Schädel. Jimmy bebte vor Wut und Hochspannung zugleich. Er wusste, seine Agentenkräfte würden ihn retten. Aber gleichzeitig war da diese leise Stimme in ihm, die ihm sagte, dass ihn diese Kräfte irgendwann einmal auch zerstören würden ...

Weiter geht es mit Jimmy Coates'
fünftem Abenteuer im September 2018 in:
J. C. – Agent unter Beschuss

Joe Craig, geboren 1981 in London, arbeitete als erfolgreicher Songwriter, bevor er seine Leidenschaft für das Schreiben von Jugendbüchern entdeckte. Mit »J. C. – Agent im Fadenkreuz« schaffte er den internationalen Durchbruch. Wenn er nicht schreibt, liest er an Schulen, spielt Klavier, erfindet Snacks, spielt Snooker, trainiert Kampfsport oder seine Haustiere. Er lebt mit seiner Frau, Hund und Zwergkrokodil in London.

Von Joe Craig bereits erschienen:

J. C. – Agent im Fadenkreuz (Band 1; 17393)
J. C. – Agent auf der Flucht (Band 2; 17461)
J. C. – Agent in höchster Gefahr (Band 3; 17461)

Mehr zu cbj auf Instagram @hey_reader